엑셀을 활용한
통계
데이터 분석

민 재 형

Statistical Data Analysis with Excel

法 文 社

통계학은 사람들이 가장 어렵게 생각하는 과목 중의 하나이다. 난해해 보이는 수식으로 표현된 내용을 보면 일반인들이 가까이 하기에 거리가 있어 보이는 것도 당연하다. 이 책을 만든 목적은 일반인들도 쉽게 데이터가 가지고 있는 여러 가지 정보를 캐내어 자신의 업무에 이용할 수 있도록 하고, 또 이러한 정보가 객관적 의사결정을 위해 어떻게 활용될 수 있는지를 익히도록 하기 위해서이다.

이 책에서는 통계자료 분석 도구로 엑셀과 엑셀에 표준적으로 내장되어 있는 데이터 분석 도구를 이용하였다. 통계자료 분석을 위한 소프트웨어는 많이 있으나 이 책에서 엑셀을 이용하는 이유는 크게 다음과 같이 두 가지이다. 첫째, 엑셀은 범용 소프트웨어로 많은 독자들이 이미 업무나 학업을 위해 사용해 본 경험이 있어, 다른 통계처리 전문 소프트웨어처럼 통계 분석을 위한 언어나 추가 기능을 익히는데 많은 노력이 필요하지 않다. 둘째, 엑셀과 같은 스프레드시트 프로그램을 이용하여 데이터를 분석하는 것이 세계적인 추세로 자리잡고 있다. 실제로 엑셀과 엑셀의 데이터 분석 기능은 통계학에서 우리가 학습하는 여러 가지 통계 기법을 실제 데이터에 쉽게 적용할 수 있도록 지원하는 도구이다. 특히, 이 책은 엑셀에 표준으로 내장되어 있는 데이터 분석 도구만을 이용하여 자료를 분석하는 과정을 담고 있는데, 그 이유는 독자들이 다른 추가적인 프로그램의 도움 없이 언제 어디서나 엑셀을 이용할 수 있는 환경에서는 이 책에서 학습한 도구를 이용하여 자신이 가지고 있는 데이터를 분석할 수 있도록 하기 위함이다.

이 책은 7개의 장으로 구성되어 있다. 1장 엑셀 사용법의 기초와 2장 데이터와 입력과 조작은 엑셀에 익숙하지 않은 독자들을 위한 내용으로, 엑셀의 기본 작동법과 사용자가 데이터를 엑셀 시트에 입력하고 정리하는 과정을 담고 있다. 엑셀에 익숙한 독자들은 1장과 2장을 생략하고, 바로 3장부터 시작해도 무방하다. 하지만 엑셀에 익숙하지 않은 독자들은 1장과 2장의 내용을 우선 숙지하도록 권장한다. 3장 데이터의 정리 및 요약은 기술통계학(descriptive statistics)에 대한 내용을 담고 있다. 금광에서 금을 캐내듯이 원자료(raw data)가 가지고 있는 여러 가지 정보를 캐내어 의사결정에 활용하는 과정을 학습한다. 4장과 5장은 추측통계학(inferential statistics)에 대해 다루고 있다. 4장에서는 우선 추측통계학의 기본이 되는 표본분포에 대하여 설명하고, 여기에 근거하여 추측통계학의 두 가지 핵심주제인 신뢰구간 추정과 가설검정에 대하여 학습한다. 5장은 4장의 내용을 토대로 두 모집단의 비교에 대해 다루고 있는데, 두 모집단의 성과 비교를 위한 여러 가지 검정 방법에 대하여 논의한다. 6장과 7장은 통계학에서 가장 많이 활용되고 있는 두 가지 통계분석모형인 분산분석과 회귀분석에 대하여 설명히고 있다. 분산분석은 6장에서 언급한 두 모집단의 성과비교를 세 개 이상의 집단으로 연장한 개념으로 우리가 고려하고 있는 실험요인이 종속변수에 미치는 영향을 파악한다. 실험요인이 하나인 일원배치 분산분석과 실험요인이 두 개인 이원배치 분산분석에 대하여 학습한다. 마지막으로 7장은 회귀분석이라는 예측기법에 대하여 논의한다. 우리 주위에 어떤 의사결정을 하기 위해서는 예측을 해야 하는 경우가 많이 있다. 예측의 대상이 되는 종속변수와 이에 영향을 미칠 것으로 고려되는 독립변수와의 함수관계를 파악하여 종속변수를 예측하는 과정에 대해 학습한다. 독립변수가 하나인 단순회귀분석과 독립변수가 2개 이상인 다중회귀분석에 대하여 다룬다. 이 책에서 예제로 사용한 데이터 파일은 활용예제라는 이름의 폴더로 독자들에게 웹사이트(www.bobmunsa.co.kr)의 법문자료실에서 제공된다.

이 책은 컴퓨터를 활용한 통계학 입문 과목의 주교재로 활용할 수도 있고, 기존의 통계학 교재와 함께 이용할 수도 있다. 또한 이 책은 일반인들도 친숙하게 통계학에 접할 수 있도록 가능하면 수식을 억제하고 쉬운 말로 내용을 설명하고자 하였다. 따라서 대학생뿐만 아니라 일반인들도 자신의 업무에 통계학을 쉽게 활용하여 업무에 도움이 될 수 있도록 하였다.

이 책의 원고 작성에는 서강대학교의 특별연구비 지원이 있었다. 이 책을 만드는 과정에서 그림 편집에 도움을 준 서강대학교의 정철우군에게 고마움을 표한다. 또한 이 책의 출판을 허락해 주신 법문사의 배효선 사장님과 초고에서 발간까지 수고를 아끼지 않은 편집부 담당자들께 감사의 마음을 전한다.

마지막으로, 이 책을 통하여 많은 이들이 어렵게만 생각했던 통계학이 독자들에게 보다 친숙하게 다가와 독자들의 현명한 의사결정(smart decision making)을 위한 객관적 정보 획득에 도움이 되었으면 하는 것이 저자의 바람이다.

2010년 7월
바오로관 연구실에서
저 자 씀

차 례 <<<<

07 CHAPTER 회귀분석 183

제 **1** 장
엑셀 사용법의 기초

엑셀은 사용자로 하여금 데이터의 조작과 처리를 쉽게 할 수 있도록 도와주는 강력한 의사결정지원 프로그램이다. 최근 들어, 수치계산, 도표의 작성, 자료의 관리 등을 위해 경영학의 제 분야에서 엑셀을 광범위하게 사용하고 있는 추세이다. 엑셀은 이러한 기본 기능이외에도 여러 가지 통계분석을 위한 도구도 제공해 주고 있는데, 사용자는 엑셀이 제공하는 통계분석도구에서 자신의 업무에 부합하는 여러 가지 유용한 기능들을 발견할 수 있을 것이다. 본서는 엑셀이 제공하는 데이터 분석 기능의 활용 방법을 예제를 통해 제시함으로써 통계학에서 다루는 여러 가지 자료 분석 과정을 엑셀을 이용하여 실제로 경험해 보도록 하는데 목적을 두고 있다. 본 장에서는 엑셀에 익숙하지 않은 독자들을 위하여 엑셀의 기본적인 작업 수행 과정을 소개한다.

제1절 들어가기에 앞서

본서의 각 장에는 엑셀이 제공하는 통계 분석 기능을 적용하기 위한 예제들이 제시되어 있다. 단계별로 제시된 지시사항에 따라 사용자는 엑셀을 이용하여 데이터를 분석하는 방법을 학습하게 될 것이다. 단계별 지시사항들은 번호를 붙여 나열하였으며, 번호가 매겨진 각 단계는 다음의 지시유형을 포함하고 있다.

- 사용자가 눌러야 하는 키보드 상의 키는 괄호로 묶고 굵게 나타내었다.
  예 [Enter]키를 누른다.
- 입력해야 할 글자, 숫자, 그리고 특수기호는 굵게 나타내었다.
  예 **급여**를 입력한다.
- 마우스로 누르는 항목은 굵게 나타내었다.
  예 **확인**을 누른다.
- 동시에 눌러야 하는 키보드 상의 조합 키들은 대괄호로 묶고, +로 연결하여 굵게 나타내었다.
  예 [Alt]+[O]를 누른다.
- 선택해야 하는 메뉴는 굵게 나타내었다. 그리고 메뉴를 먼저 쓴 다음 해당 메뉴의

하위 명령어를 ▶로 연결하여 표시하였다.

예 홈▶편집▶찾기 및 선택▶이동을 누른다.

• 눌러야 하는 버튼이나 아이콘들은 그림으로 나타내었다.

예 분산형 차트 아이콘 을 누른다.

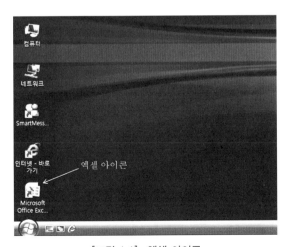

제2절 엑셀의 시작

엑셀은 입력한 데이터와 관련된 복잡한 계산들을 사용자가 쉽게 수행할 수 있도록 도와준다. 본 절에서는 우선 엑셀을 구성하는 기본 요소들과 간단한 기능들을 소개하고, 추후 본서의 목적인 통계 분석 과정으로 그 내용을 확장하고자 한다.

① 엑셀 2007의 실행

엑셀을 시작하기 위해서는 다음과 같은 과정을 따른다.

① 바탕 화면에 엑셀 아이콘이 있을 경우 엑셀 아이콘을 더블 클릭한다.

[그림 1.1] 엑셀 아이콘

② 바탕 화면에 엑셀 아이콘이 없는 경우에는 다음과 같은 과정을 거친다. 우선 바탕 화면에 있는 시작 버튼을 눌러 프로그램 폴더로 이동한다. 그러면 하드 디스크에 설치된 프로그램들이 [그림 1.2]와 같이 나타나는데, 이 중 Microsoft Office Excel 항목을 마우스로 한 번만 누르면 엑셀이 실행된다.

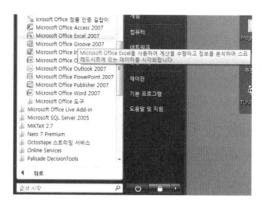

[그림 1.2] Microsoft Office Excel 2007

위와 같은 과정을 수행하면 엑셀이 실행되고, 초기 화면이 [그림 1.3]과 같이 나타난다.

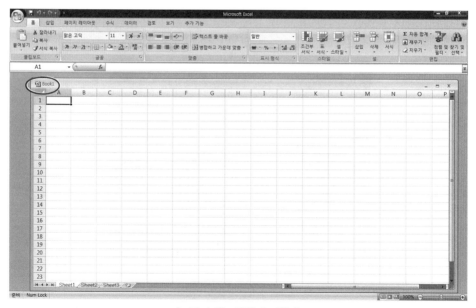

[그림 1.3] 엑셀 초기화면

엑셀 초기 화면은 사용자에 따라서 다르게 나타날 수도 있다. 엑셀 화면은 엑셀 창을 구성하는 요소들, 예를 들어, 창 제목 표시줄, 메뉴 표시줄, 아이콘 표시 버튼, 전체화면 표시 버튼, 그리고 조절 메뉴 아이콘 등으로 구성되어 있다. 각 구성 요소들의 모양과 역할은 차차 배워나가기로 하자.

워크시트 창을 전체화면으로 나타내기 위해서는 워크시트 창에서 전체화면 표시 버튼 을 누른다. 그러면 [그림 1.4]와 같이 사용자가 작업하기 쉽게 워크시트 창이 화면 크기에 맞게 조절된다. 그리고 워크시트 창의 제목 줄에 있던 Book1이라는 이름이 엑셀 창 제목으로 옮겨짐을 확인할 수 있다.

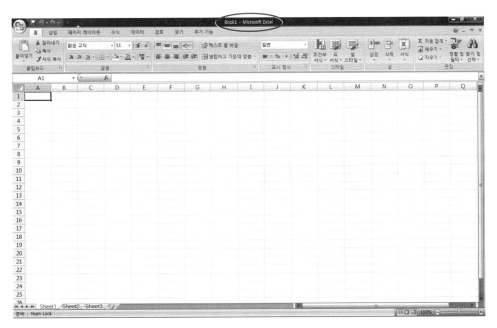

[그림 1.4] 엑셀 초기화면

엑셀에서는 메뉴 항목이나 도구 모음 버튼을 사용하여 원하는 작업을 수행할 수 있는데, 여기서 메뉴 항목은 사용자가 원하는 작업을 가능하게 하는 하위 명령어들을 포함하고 있다. 메뉴 항목을 열고 원하는 명령을 실행하기 위해서는 먼저 마우스 포인터를 메뉴 항목으로 옮긴 뒤 원하는 메뉴를 누르고, 그 다음 하위 명령어로 이동한 후 다시 마우스를 누르면 된다.

엑셀에서는 사용자가 작업을 보다 빠르고 쉽게 할 수 있도록 메뉴 항목과 함께 여러 가지 작업 과정을 하나의 버튼으로 축약해 놓은 도구 모음을 제공하고 있다. 엑셀을 처음 시작하면 기본적으로 표준 도구 모음과 서식 도구 모음이 메뉴 항목 아래에 나타난다. 도구 모음은 단축메뉴를 나타내는 것으로 메뉴 항목에서 명령어를 선택하는 과정을 버튼 하나로 축약시켜 놓은 것이다. 예를 들어, 파일을 열고자 한다면 두 가지 방법이 있는데, 하나는 좌측 상단의 오피스 단추 를 눌러 **열기** 버튼을 누르는 것이고, 다른 하나는 단축키 [Ctrl]+[O]를 누르는 것이다.

파일 열기를 연습해 보기 위해 다음의 과정을 따라 해보자.

① 파일 메뉴를 열기 위해 오피스 단추 를 누른다.
② 메뉴 항목에서 **열기(O)** 를 누른다.

열기 원하는 파일을 지정하기 위한 대화상자가 나타난다. 파일을 열지 말고 열기 대화상자에서 취소 버튼을 누르거나 [Esc]키를 눌러 대화상자를 닫는다. 이제 이 대화상자가 다시 나타나도록 단축키를 이용해 보자.

① 단축키 [Ctrl]+[O]를 누른다. **열기** 대화상자가 나타난다.
② **열기** 대화상자에서 **취소** 버튼을 누른다.

② 엑셀 통합 문서 열기

엑셀 문서는 통합 문서(워크북)라고 하며, 통합 문서는 여러 개의 시트들로 구성되어 있다. 워크시트는 일종의 작업 종이를 의미하는데 엑셀은 워크시트를 포함해서 차트시트, 보고서시트, 모듈시트 등 여러 유형의 시트를 가지고 있다.

Tip 엑셀 시트의 종류
- 워크시트: 가장 많이 사용하는 시트로 데이터를 입력하고 조작하는 시트
- 차트시트: 차트(그림)만을 나타내는 시트
- 보고서시트: 해찾기 결과, 시나리오 분석 결과 등을 요약해서 보고서를 만든 시트
- 모듈시트: 매크로 명령어(macro instructions)를 VBA(Visual Basic for Applications, Microsoft사에서 만든 매크로 프로그래밍 언어)로 편집하기 위해 코드를 작성하는 시트

통합 문서를 열고 작업하는 과정을 소개하기 위해 예제 디스크에 들어 있는 **영업.xlsx**를 이용해 보도록 하자. 여기서, 영업은 파일의 이름을 뜻하고 .xlsx는 파일 확장자로서 이 파일이 엑셀 통합 문서임을 구분시켜 주는 것이다.

영업.xlsx 통합 문서를 열기 위해서는 다음과 같은 과정을 따른다.

Tip 다음의 지시 과정은 예제파일이 하드디스크에 있는 C:₩사용자₩컴퓨터이름₩문서 디렉토리의 하위 디렉토리인 활용예제 폴더 안에 있다고 가정한다. 사용자에 따라 적절한 경로를 지정하기 바란다.

① 🔘 을 누른 후, 메뉴 항목에서 📂 **열기(O)** 를 누른다.

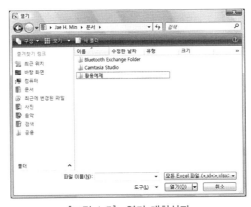

[그림 1.5] 열기 대화상자

Tip 윈도우 VISTA에서 엑셀이나 MS 워드로 들어가 파일을 열기하면 열기 대화상자에는 기본 설정으로 C:₩사용자₩컴퓨터이름₩문서 디렉토리가 화면에 나타난다. 사용자는 오피스 단추 🔘 를 클릭하고 🔳 Excel 옵션(①) 으로 들어가 나타나는 메뉴들 중, 저장 메뉴에서 기본 디렉토리를 변경할 수 있다.

② **문서** 디렉토리에 있는 **활용예제** 폴더를 찾아 더블 클릭한다.
③ **활용예제** 폴더 안에 있는 파일 중 **영업** 파일을 찾아 더블 클릭하거나 클릭한 후 **확인** 버튼을 누른다. 그러면 [그림 1.6]과 같은 **영업** 파일이 화면에 나타난다.

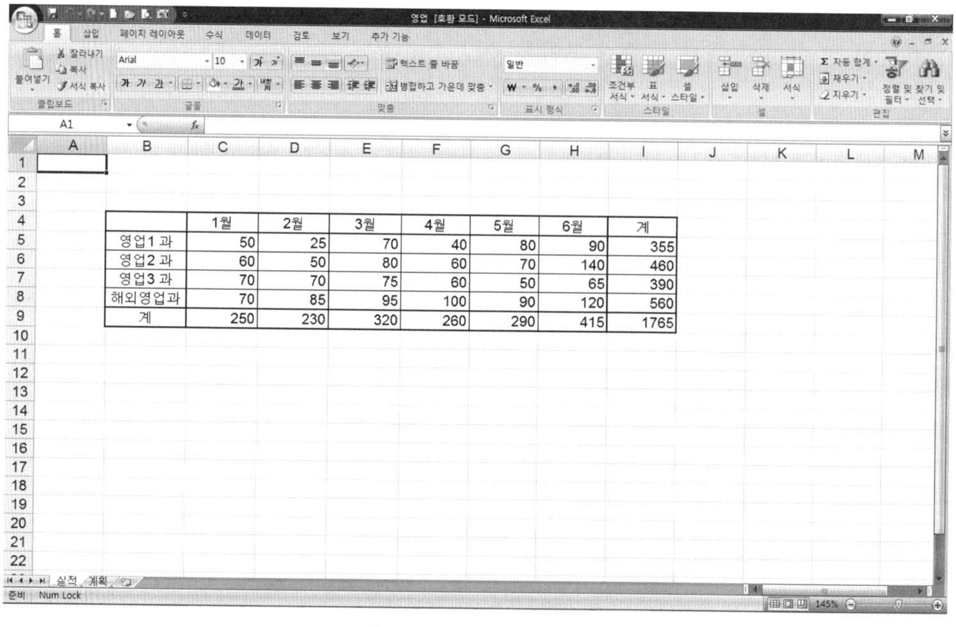

[그림 1.6] 영업 파일

하나의 통합 문서에는 최대 256개까지의 시트를 만들 수 있다. 시트 이름은 통합 문서 하단의 시트 탭에 나타난다. [그림 1.6]을 보면 현재 **실적** 시트가 활성화되어 있는 것을 알 수 있다. 이외에도 **영업** 통합 문서에는 **실적** 시트와 함께 **계획** 시트도 있음을 알 수 있다.

③ 워크시트의 이용

워크시트는 행과 열로 구성되어 있다. 행은 행 번호(1, 2, 3, …)로 구분되며, 열은 열 번호(A, B, C, …)로 구분된다. 행과 열이 만나는 작은 칸을 셀(cell)이라고 부른다. 활성화된 셀에는 입력작업을 할 수 있는데, 굵은 테두리로 표시되는 셀이 활성 셀이다. 각 셀은 고유한 참조영역, 다시 말해서 주소를 가진다. 예를 들어, 각 셀은 A1, B2와 같은 주소를 가지며, 이름 상자에 활성 셀의 주소가 나타난다. [그림 1.6]에서 활성 셀은 A1이고, 그 참조영역은 수식입력줄 왼쪽에 있는 이름 상자에 나타나 있다. 수식 입력 줄에는 셀에 입력된 내용이 나타난다.

마우스 포인터를 화면 위에서 여기저기 움직여 보면 워크시트 상에서는 그 모양이 화살표에서 십자형으로 바뀜을 볼 수 있다. 마우스 포인터는 작업하고자 하는 영역에 따라 여러 가지 모습을 취한다. 워크시트에서 셀을 선택하고 범위를 지정할 때는 십자형의 마우스 포인터를 이용하게 된다.

▶▶ 활성 셀에 데이터 입력하기

워크시트 셀에 데이터를 입력하는 방법을 설명하기 위해 실적 워크시트에 제목을 입력해 보도록 하자. 우선 셀에 내용을 입력하기 위해서는 해당 셀을 눌러 활성화 시켜야 한다. 그런 다음 내용을 입력하고 [Enter]키를 누르면 내용이 입력되고 활성 셀이 아래쪽 셀로 옮겨진다.

셀 B2에 제목을 입력하기 위해 다음과 같은 과정을 따라 해보자.

① 셀 B2를 누른다. 그러면 셀 B2는 활성화되고 굵은 테두리로 표시된다.
② **월별 부서별 영업실적(2010년 상반기)**이라고 입력한다.
③ [Enter]키를 누르면 입력한 내용이 셀로 들어간다.

▶▶ **셀 서식의 적용**

사용자가 다른 사람에게 자료나 통계 분석 결과를 제시하고자 할 때에 셀 서식을 이용하면 보다 나은 시각적 효과를 거둘 수가 있다. 예를 들어, 실적 워크시트에서 입력한 제목의 크기를 늘리고 글꼴을 굵게 표시하려면 우선 서식을 적용할 셀 범위를 지정해야 한다. 셀 범위를 지정하기 위해서는 지정할 범위에 있는 첫 셀을 누르고 마지막 셀까지 마우스로 끌기(드래그, drag) 한 다음 마우스 버튼을 놓는다.

제목에 서식을 적용하는 과정을 연습해 보자.

① 셀 B2를 누르고 마우스 버튼을 누른 상태에서 셀 E2까지 끌기 한다. 선택한 영역은 [그림 1.7]과 같이 검은 색으로 반전되어 나타난다. (단, 셀 범위를 지정했을 때 첫 셀은 반전이 되지 않는다.) 셀 범위 표시는 일반적으로 첫 셀과 마지막 셀로 표시되는데 그 가운데에 " : "가 들어가게 된다. 앞에서 선택한 셀 범위는 B2:E2이다.

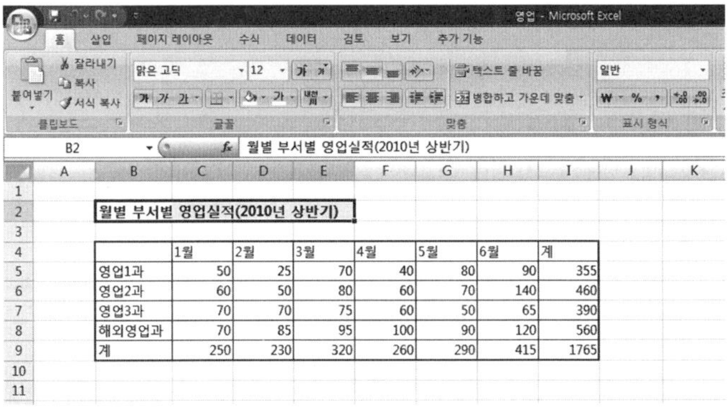

[그림 1.7] 셀 범위 선택

② 병합하고 가운데 맞춤 ▾ 을 누른다. 제목이 셀 범위 B2:E2의 가운데로 오게 된다. 이제 글자 크기를 바꾸고 굵게 표시해 보자.

③ 셀 범위를 지정한 상태에서 **굵게** 버튼 가 을 누른다.

④ 글자 크기 상자를 열기 위해서는 글꼴 리본 오른쪽의 글자 크기 선택 화살표를

눌러 상자를 펼친다.

⑤ 글자 크기를 12 포인트로 확대하기 위해서 12를 누른다.

⑥ 지정한 셀 범위를 해제하고 서식을 적용한 결과를 보려면 아무 셀에다 마우스를 놓고 누른다.

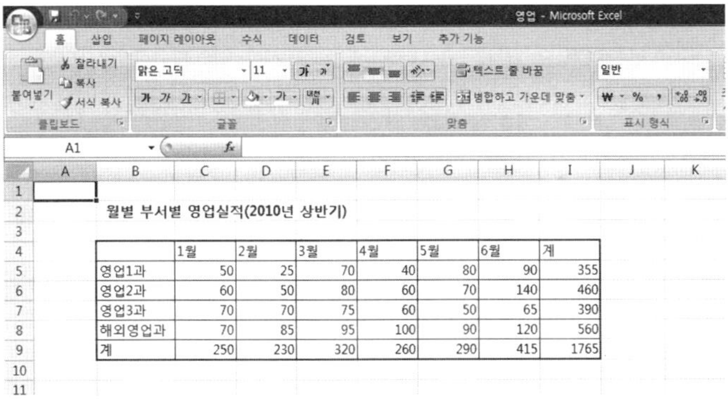

	1월	2월	3월	4월	5월	6월	계
영업1과	50	25	70	40	80	90	355
영업2과	60	50	80	60	70	140	460
영업3과	70	70	75	60	50	65	390
해외영업과	70	85	95	100	90	120	560
계	250	230	320	260	290	415	1765

[그림 1.8] 셀 서식 적용

4 수식과 함수의 입력

함수와 수식은 계산을 수행하기 위해 반드시 셀에 입력해야 하는 핵심적인 엑셀 기능이다. 엑셀에서 수식의 입력은 항상 등호(=)로 시작하고, 그 뒤에는 숫자나 참조영역(셀 이름)을 포함시킬 수 있다. 대부분의 수식은 +, −, *, /, 또는 ^ 등과 같은 연산자를 포함하는데 각각은 더하기, 빼기, 곱하기, 나누기, 그리고 승수를 나타내는 것이다. 예를 들어, 수식 =20*2가 의미하는 것은 20×2를 계산하라는 것이며, 그 결과로 40이 도출된다. 또한 수식 =C5+C6이 의미하는 것은 셀 C5와 C6의 입력 값을 더하라는 것이다. 만약 셀에 입력된 수식을 보고자 한다면 해당 셀을 눌러 활성화시킨다. 그러면 수식입력줄에 수식 내용이 나타나고 셀에는 계산된 값이 나타나게 된다.

수식입력에 대한 내용을 구체적으로 살펴보기 위해서 **영업** 파일에 있는 **실적** 워크시트를 이용해 보도록 하자.

    ① **홈▶편집▶찾기 및 선택▶이동**을 누른다.

    ② **참조영역**에 I5를 입력한다.

    ③ **[Enter]**키를 누른다.

이동 명령을 실행하면 사용자가 지정한 셀(여기서는 I5)로 활성 셀이 이동하게 된다. (절차 ①, ②, ③ 대신에 셀 I5를 마우스로 직접 눌러도 같은 결과가 나타난다.)

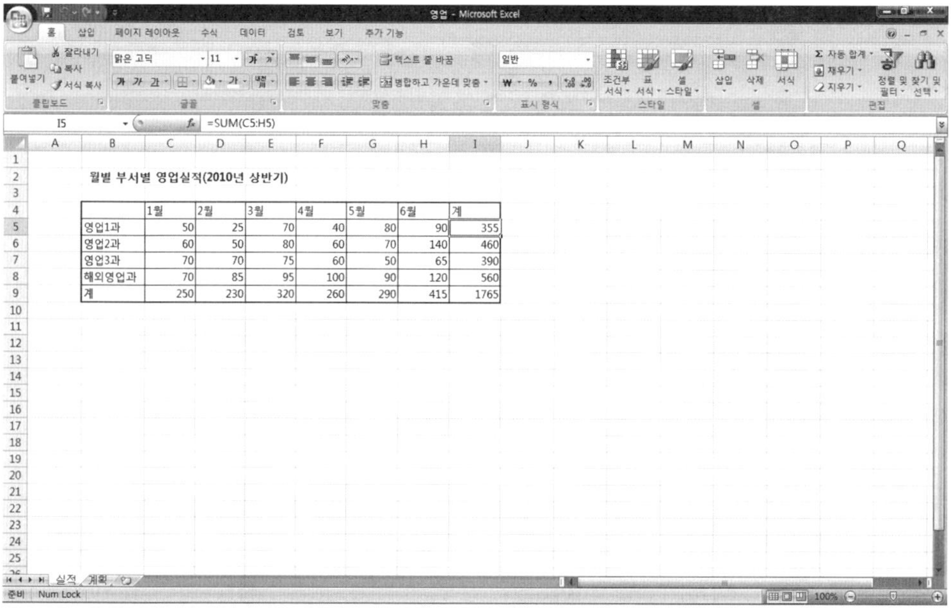

[그림 1.9] 수식 입력줄 확인

수식입력줄에는 =SUM(C5:H5)이 나타난다. 이 함수가 의미하는 것은 셀 C5에 입력되어 있는 50부터 셀 H5에 입력되어 있는 90까지를 모두 더하여 그 결과를 I5에 나타내라는 것이다. 여기서 등호(=)는 셀 I5에 수식이나 함수가 입력되어 있음을 뜻하며, 수식이나 함수를 구성하는 셀의 값이 변경되면 자동적으로 셀 I5의 값도 바뀌게 된다. 셀 자체는 수식이나 함수의 계산 결과를 보여주는 반면 수식입력줄은 수식이나 함수의 내용을 보여준다.

엑셀에서 수식계산은 같은 워크시트, 통합 문서 내의 여러 워크시트, 그리고 서로 다른 통합 문서와 연결하여 수행할 수도 있다.

▶▶ 함수마법사

함수의 이름이나 구성인자들을 보다 쉽게 찾도록 하기 위해 엑셀은 함수마법사 기능을 제공하고 있다. 함수마법사는 필요한 함수를 선택하는 대화상자를 제공한다. 영업 1과의 월평균 실적을 계산하기 위해 함수 마법사를 이용해 보자.

평균을 계산하여 셀 **J5**에 입력하기 위해서는 다음과 같은 과정을 따른다.

① 셀 **J4**를 누르고 **평균**을 입력한다. [Enter]키를 누르면 내용이 입력되고 활성 셀은 **J5**로 이동하게 된다.

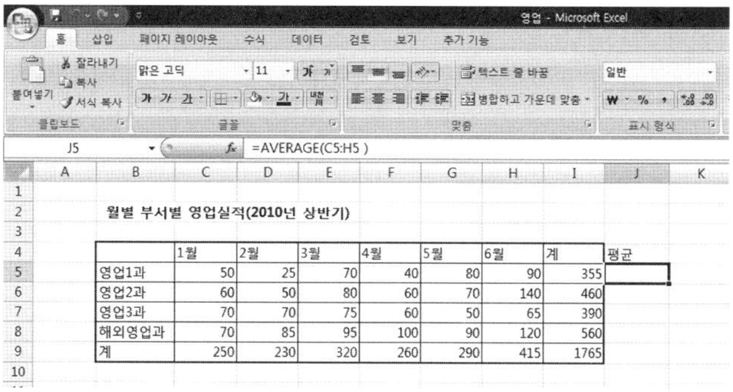

[그림 1.10] 평균 구하기

② 수식입력줄 왼쪽의 함수마법사 버튼 *fx* 을 누르거나 수식▶ 을 누른다. 그러면 [그림 1.11]과 같은 함수마법사 2단계 중 1단계 대화상자가 나타난다.

엑셀에서는 함수를 사용 분야에 따라 재무, 날짜/시간, 수학/삼각, 통계 등으로 구분해 놓고 있다. 함수의 범주를 선택하면 그 범주에 속한 함수들이 아래 창에 나타난다. 특정 함수를 선택해 보자. 그러면 대화상자 아래에는 선택한 함수 이름과 함수의 구성 인자들, 그리고 함수에 대한 간단한 실명이 나타난다.

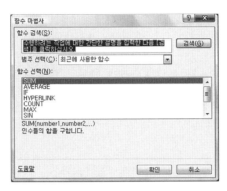

[그림 1.11] 함수마법사 1단계 대화상자

③ **범주 선택** 메뉴에서 **통계**를 누른다.

④ **함수 선택** 메뉴에서 **AVERAGE**를 누른다. 대화상자 아래에 해당 함수에 대한 설명이 나옴을 알 수 있다.

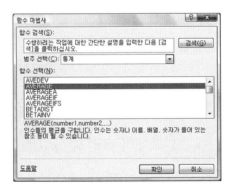

[그림 1.12] 함수 마법사 2단계 대화상자

⑤ **확인** 버튼을 누른다. **AVERAGE** 함수에 대한 모든 선택 사항을 포함하는 대화상자가 [그림 1.13]과 같이 나타난다.

⑥ Number1 상자에 C5:H5를 입력한다. 그러면 Number1 상자 오른쪽에는 입력한 셀 범위에 들어 있는 숫자들이 나타나며, 그 아래에 이들 숫자들의 평균값이 계산된다.

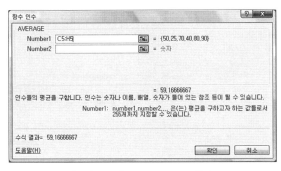

[그림 1.13] AVERAGE 함수

⑦ 확인 버튼을 누른다. 그러면 [그림 1.14]와 같이 셀 J5에 평균값 59.16667이 나타난다. 이 값은 영업 1과의 2010년 상반기 실적의 월평균을 의미한다.

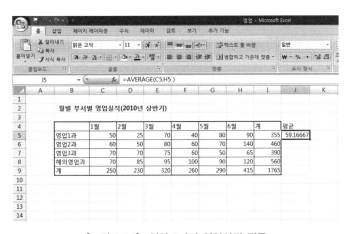

[그림 1.14] 영업 1과의 영업실적 평균

엑셀에서 함수를 입력하는 방법으로는 함수마법사를 이용하거나 해당 셀에 함수를 직접 입력하는 방법 두 가지가 있다. 함수마법사를 이용할 경우 사용자는 함수를 구성하는 인자의 배열이나 내용에 대해 참고를 할 수 있는 반면 직접 입력할 경우는 함수 이름과 인자 배열에 관한 사항을 사전에 알고 있어야 한다.

⑤ 워크시트의 인쇄

워크시트를 인쇄하기 위해서는 다음의 과정을 따른다.

① [이미지] ▶인쇄를 누른다. 그러면 [그림 1.15]와 같은 인쇄 대화상자가 나타난다.

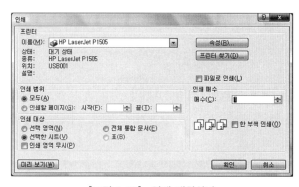

[그림 1.15] 인쇄 대화상자

인쇄 대화상자에서 사용자는 특정한 영역을 지정하여 그것만을 인쇄할 수도 있고 전체 문서를 인쇄할 수도 있다. **인쇄 매수**는 인쇄할 내용을 여러 번 반복해서 인쇄하는 경우에 지정하는 것이다. 그리고 **미리 보기** 버튼은 인쇄 대상을 프린터로 출력하기 전에 화면에서 미리 볼 수 있게 하는 기능이다. **인쇄 범위, 인쇄 대상, 인쇄 매수** 등을 설정한 후 확인 버튼을 누르면 인쇄가 실행된다.

② **확인** 버튼을 누른다.

⑥ 저장하기

엑셀에서 작업 중인 통합 문서를 저장하는 방법은 두 가지가 있다. 하나는 **저장** 명령을 이용하는 것인데 이것은 현재 저장되어 있거나 기본으로 설정되어 있는 파일 이름으로 통합 문서를 저장하는 경우에 사용하는 것이다. 다른 하나는 기존의 이름과는 다른 새로운 이름으로 통합 문서를 저장하라는 명령을 이용하는 것이다. 이는 새로운 문서를 저장하거나 기존에 저장되어 있던 파일 이름과는 다른 이름으로 해당 문서를 추가로 저장할 때 이용하는 것이다.

영업 파일을 **영업1**이라는 이름으로 **문서** 폴더의 하위 폴더인 **활용예제** 폴더에 저장하기 위해서는 다음과 같은 과정을 따른다.

① 🔘 ▶**다른 이름으로 저장**을 누르면 **다른 이름으로 저장** 대화상자가 [그림 1.16]과 같이 나타난다.

[그림 1.16] 다른 이름으로 저장 대화상자

② **문서** 디렉토리에 있는 폴더 중에서 **활용예제** 폴더를 찾아 더블클릭한다.

③ **파일 이름** 입력상자를 누르고, **영업1**이라는 새로운 파일 이름을 입력한다.

④ **확인** 버튼을 누른다.

그러면 엑셀은 자동적으로 확장자가 **.xlsx**인 파일로 저장해 준다. 그리고 엑셀 제목
줄에는 방금 저장한 파일 이름이 나타난다.

7 엑셀 종료

엑셀 작업을 끝내기 위해서는 현재 작업 중인 파일들을 저장하고 난 다음
▶ 닫기ⓒ 를 누르거나 종료 아이콘 을 누른다. 만일 현재 작업 중인 파일들을
저장하지 않고 종료할 경우에는 이 파일들을 저장할 지의 여부를 엑셀이 물어온다.

제 **2** 장
데이터의 입력과 조작

자료는 정제 과정(refinement process)을 거쳐 정보로 변환된다. 본 장에서는 엑셀 워크시트에 자료를 입력하는 방법, 입력된 자료를 서식을 이용하여 꾸미는 방법, 셀 범위에 이름을 지정함으로써 셀 범위를 셀 주소 대신 알기 쉬운 이름으로 나타내는 방법, 셀 참조영역을 상대 참조, 절대참조, 혼합참조 등으로 지정함으로써 해당 셀의 내용을 다른 셀에 복사할 때 특정 셀 주소는 변하도록 하는 반면 특정 셀 주소는 고정시키는 방법, 새로운 자료를 기존 자료 중간에 삽입하는 방법, 자료를 사용자가 원하는 기준에 따라 정렬하는 방법 등 자료의 기본적인 정제 과정에 대하여 학습한다.

제1절
자료의 입력

　　다음에 제시된 표는 강북 도심에 위치한 9개 주유소의 일일 평균 휘발유 판매액과 기타 유류 판매액에 대한 자료를 요약한 것이다. 이 표에는 주유소, 휘발유, 기타의 세 가지 변수가 있는데 휘발유와 기타 변수는 수량 자료로서 일일 평균 판매액을 의미한다. 주유소 변수는 범주형 자료로서 번호가 특정 순서를 의미하는 것은 아니다.

 표 2.1　　주유소 자료

(단위: 1,000원)

주유소	휘발유	기 타
1	3,415	2,211
2	3,499	2,500
3	3,831	2,899
4	3,587	2,488
5	3,719	2,111
6	3,001	1,281
7	4,567	8,712
8	4,218	7,056
9	3,215	2,508

본 장에서는 워크시트에 위의 자료를 입력하고 조작하는 과정을 학습한다. 〈표 2.1〉에서 주유소, 휘발유, 기타와 같은 입력 사항을 엑셀에서는 목록이라고 한다. 목록이란 관련 데이터 요소들의 순서적인 집합으로 행으로 된 자료를 의미한다. 즉, 위 주유소 자료의 경우 각 행은 주유소 하나에 대한 일련번호와 휘발유 일일 평균 판매액, 그리고 기타 유류의 일일 평균 판매액 자료를 나타내고 있다.

주유소 자료를 워크시트에 입력하기 위해서는 다음과 같은 과정을 따른다.

① 엑셀을 실행시킨다. 제목줄에 Book1 – Microsoft Excel이라는 이름의 빈 통합 문서가 나타난다.
② 셀 A1을 누르고 **주유소**라고 입력한다. [Enter]키를 누른다. 셀 A1에 내용이 입력되고 활성 셀은 A2로 옮겨진다.
③ 셀 A2에 1을 입력하고 [Enter]키를 누른다.
④ 셀 A3에 2를 입력하고 [Enter]키를 누른다.

Tip 여기서 주유소 번호를 모두 위와 같이 입력하는 방법도 생각할 수 있으나 엑셀에서 자동 채우기라는 유용한 기능이 있어 연속적인 자료, 예를 들어 요일, 12간지, 자연수, 배수, 급수 등을 한 번의 작업으로 원하는 수까지 매우 쉽게 입력할 수 있다. 이후의 과정은 자동 채우기를 이용하여 설명하고자 한다.

⑤ 셀 A2를 누른 채 A3까지 끌기 하여 셀 범위 A2:A3을 지정한다. A2와 A3의 영역이 지정되면 마우스 버튼을 놓는다.
⑥ 여기서 마우스를 지정된 영역의 오른쪽 하단에 갖다 대면 마우스 포인터의 모양이 +형으로 바뀌는데 이것을 **채우기 핸들**이라고 한다.
⑦ 채우기 핸들을 누르고 A10까지 끌기 한다.
⑧ 마우스 버튼을 놓고 셀 범위 A2:A10까지 자동 채우기 된 내용을 [그림 2.2]와 같이 확인한다.

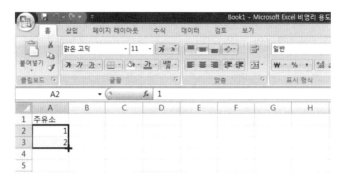

[그림 2.1] 채우기 핸들

이제 주유소별 휘발유 판매액과 기타 유류 판매액을 입력해보자. 엑셀에서는 입력하고자 하는 내용이 들어갈 셀 범위를 미리 지정해 놓고 [Enter]키나 [Tab]키를 이용하여 자료를 그 범위 안에 순차적으로 입력할 수 있다.

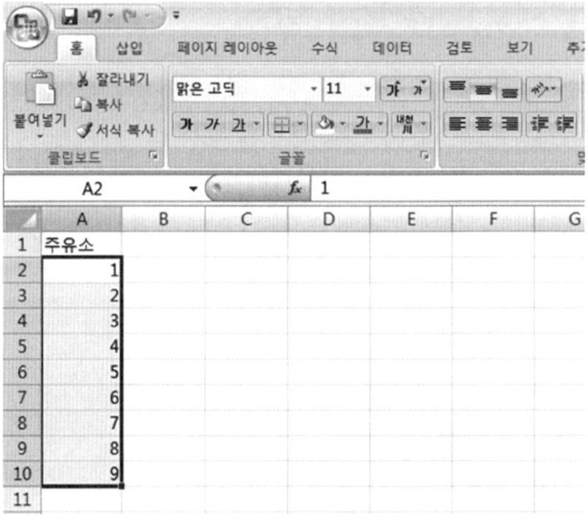

[그림 2.2] 자동 채우기 결과

셀 범위 B1:C10에 휘발유와 기타 유류 판매액 자료를 입력하기 위해서는 다음과 같은 과정을 따른다.

Tip [Tab]키를 누르면 활성 셀은 오른쪽으로 이동하고, [Enter]키를 누르면 활성 셀이 아래로 이동한다. 반면 [Shift]+[Tab]키를 누르면 활성 셀은 왼쪽으로 이동하고, [Shift]+[Enter]키를 누르면 활성 셀은 위로 이동한다. 즉, [Shift]키를 이용하면 [Tab]과 [Enter]키를 눌렀을 때의 진행 방향과 반대로 이동하므로 이전에 입력한 내용을 수정할 수 있다. 물론 원하는 셀을 직접 눌러 활성 셀로 만들 수도 있다.

① [그림 2.2]에서 셀 범위 **B1:C10**을 지정한다.
② 셀 **B1**에 휘발유를 입력하고 [Tab]키를 누른다. 셀 **C1**이 활성화된다.
③ 셀 **C1**에 **기타**를 입력하고 [Tab]키를 누른다. 셀 **B2**가 활성화된다.
④ 셀 **B2**에 **3415**를 입력하고 [Enter]키를 누른다. 이번에는 셀 **B3**이 활성화된다. 입력을 잘못했을 때에는 [Shift]+[Enter]키를 누르거나 [Shift]+[Tab]키를 눌러 이전의 행이나 열로 이동하여 입력 내용을 고친다.
⑤ 셀 **B3**에 **3499**를 입력하고 [Enter]키를 누른다.
⑥ 현재의 워크시트인 **Sheet1**에 앞서 제시한 표의 내용을 위의 방법으로 모두 입력한다.
⑦ 지정한 영역을 해제하기 위해서 임의의 셀을 누른다. 입력한 내용은 [그림 2.3]과 같다.

[그림 2.3] 주유소 자료 입력 결과

제2절 자료에 서식 적용하기

판매액을 입력할 때 원단위 표시(₩)를 하지 않았는데, 이러한 표시는 자료에 특정 서식을 적용함으로써 가능하다. 서식이란 셀의 값을 바꾸는 것이 아니라 자료의 표시 유형을 바꾸는 것이다. 엑셀에서는 여러 가지 자료 표시 형식을 제공하는데 통화유형을 지정하면 자동적으로 숫자의 표시 형식이 원단위(₩)로 바뀌게 된다.

판매액 자료에 통화 스타일 서식을 적용하기 위해서는 다음과 같은 과정을 따른다.

① 셀 범위 B2:C10을 지정한다.
② **홈▶표시 형식**에서 통화 스타일 버튼(₩)을 누른다.
③ 엑셀은 [그림 2.4]와 같이 각 숫자마다 ₩를 붙여주고, 천 단위마다 콤마(,)를 넣어 표시해준다.
④ 임의의 셀을 눌러 지정한 범위를 해제한다.

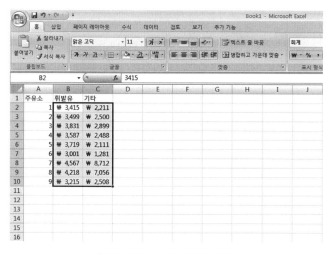

[그림 2.4] 통화 스타일 적용

제3절

범위 이름 지정하기

데이터 분석을 위해 엑셀을 이용할 때 셀 범위(B2:B10)보다는 해당 범위의 이름(**휘발유**)을 이용하는 것이 편리하다. 즉, 계산을 할 때 복잡한 셀 범위를 이용하는 것보다는 이름을 정해 놓고 이를 이용하면 훨씬 편하다는 것이다.

예를 들어, 휘발유 판매액의 주유소별 평균을 구하기 위해서는 AVERAGE 함수를 이용할 수 있는데, 만약 셀 범위 B2:B10에 휘발유라는 이름을 지정하였다면 = AVERAGE(B2:B10)보다는 =AVERAGE(**휘발유**)가 이해하기가 쉽다.

통합 문서에서 셀 범위를 대표하는 이름을 만들기 위해서는 다음과 같은 과정을 따른다.

① 셀 범위 **A1:C10**을 선택한다.
② 이름 만들기 대화상자를 열기 위해서 **수식▶정의된 이름▶선택 영역에서 만들기**를 누른다.

[그림 2.5] 수식▶정의된 이름▶선택 영역에서 만들기

그러면 [그림 2.6]과 같이 **선택 영역에서 이름 만들기** 대화상자가 화면에 나타난다.

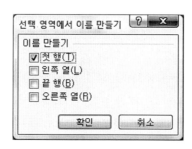

[그림 2.6]   이름 만들기 대화상자

엑셀은 사용자가 이미 입력한 자료의 이름, 예를 들어, 주유소 자료의 경우 **주유소,
휘발유, 기타**와 같은 이름(이 경우, 이름 만들기의 위치는 첫 행)으로 셀 범위 이름을 자동
으로 만들어준다.

③ **이름 만들기**에서 **첫 행**을 선택한다.
④ **확인** 버튼을 누른다.

정의된 범위 이름과 이 범위 이름이 대표하는 셀 범위를 확인하기 위해서는 다음과
같은 과정을 따른다.

① **수식▶정의된 이름▶이름 관리자**를 누른다.

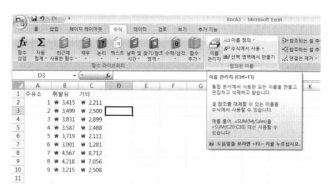

[그림 2.7]   수식▶이름 관리자

그러면 [그림 2.8]과 같이 **이름 관리자** 대화상자가 나타난다. 이 대화상자에는 통합 문서에서 정의한 모든 이름들이 나타나는데, 앞에서 정의한 이름, 즉, **주유소, 휘발유, 기타**가 있음을 알 수 있다. 이름 정의 대상에는 워크시트뿐만 아니라 차트, 공식 등도 포함된다.

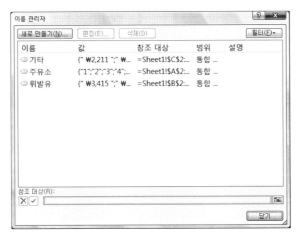

[그림 2.8] 이름 관리자 대화상자

② 그리고 원하는 이름을 마우스로 누르면 **이름 관리자** 대화상자의 하단 **참조 대상**에는 각 이름이 대표하는 셀 참조 영역이 나타난다. **휘발유**를 누르고 휘발유 변수가 참조하는 셀 범위가 어디인지 확인한다. 사용자는 이 대화상자에서 정의된 이름을 삭제하거나 새 이름을 추가할 수도 있다.

③ 대화상자를 닫기 위해서는 **닫기** 버튼을 누른다.

④ 이제 워크시트에서 아무 셀이나 누르면 지정된 범위가 해제된다.

이름 관리자 대화상자를 이용하는 방법 외에 사용자는 워크시트의 이름상자 A1 를 이용하면 보다 빨리 정의된 이름을 찾거나 이름을 지정할 수 있다.

⑤ [그림 2.9]와 같이 이름상자 옆에 있는 화살표를 누르면 이미 정의된 이름들이 나타나는데 이 중에서 **휘발유**를 선택한다.

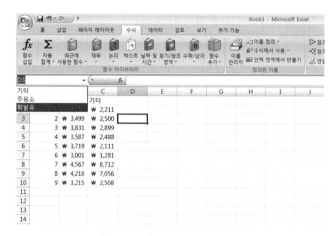

[그림 2.9] 이름상자의 이용

⑥ 그러면 엑셀은 [그림 2.10]과 같이 **휘발유** 이름이 참조하는 셀 범위를 음영으로
   나타내 준다.

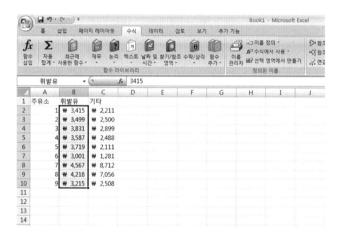

[그림 2.10] 휘발유 이름이 참조하는 셀 범위

셀 참조 영역

앞서 제시한 **이름 관리자** 대화상자를 다시 한 번 살펴보자.

[그림 2.11] 이름 관리자 대화상자

휘발유라는 이름이 참조하는 셀 영역을 보면 달러 표시($)가 있음을 알 수 있다. 참조 영역에 $표시가 있는 경우를 절대참조라고 한다. 셀 참조 영역에는 세 가지 종류가 있는데 상대참조, 절대참조, 혼합참조가 그것이다. 상대참조는 $표시가 없는 것으로서 셀 주소(A1, B2 등)의 행과 열 번호가 다른 셀 주소와의 상대적 위치에 따라 변하는 것을 의미하고, 절대참조는 $표시가 셀 주소의 행 번호와 열 번호 앞에 각각 붙어있는 것으로서(A1, B2 등) 그 위치가 다른 셀 주소와는 관계없이 항상 그 위치에 있는 것을 의미한다. 혼합참조는 $표시가 행 번호나 열 번호 앞에 하나만 붙어 있는 것으로서 ($A1, B$2 등) $표시가 있는 행 번호나 열 번호만 위치가 변하지 않는 것을 의미한다.

새로운 자료의 삽입

주유소 예제에서 정유회사가 10번째 주유소를 새로 신설했다고 하면 A11:C11에 새로운 자료를 입력하고 **주유소, 휘발유, 기타** 등 셀 범위 이름의 참조 영역을 이름 만들기 명령을 이용하여 A2:C11로 다시 정의해야 한다. 하지만 기존의 셀 범위 A2:C10에 새로운 행을 삽입하고 새로운 자료를 입력하면 범위 이름에 해당하는 참조 영역을 자동으로 갱신해 주는 편리한 엑셀 기능이 있다.

주유소 목록에 새로운 주유소 자료를 추가해 보자.

① 셀 범위 A10:C10을 지정한다.
② 셀 범위에 마우스 포인터를 대고 마우스 오른쪽 버튼을 누른다. 그러면 [그림 2.12]와 같이 단축메뉴가 화면에 나타난다.

[그림 2.12] 단축메뉴에서 삽입 선택

Tip 엑셀에서는 워크시트뿐만 아니라 차트에서 원하는 명령을 빠르게 실행할 수 있도록 단축
메뉴를 제공하는데, 이 단축메뉴에는 현재 상태에서 실행할 수 있는 명령들이 나타난다.
현재 상태에서 실행할 수 없는 명령들은 메뉴에서 흐리게 나타난다. 단축메뉴는 마우스
의 오른쪽 버튼을 누르면 나타난다.

③ **삽입**을 누른다. 그러면 다음 그림과 같은 **삽입** 대화상자가 화면에 나타난다.

[그림 2.13] 삽입 대화상자

④ **셀을 아래로 밀기**를 선택한다.
⑤ **확인** 버튼을 누른다.

그러면 엑셀은 [그림 2.14]와 같이 셀 범위 A10:C10에 있는 값들을 A11:C11로 옮겨
주고, 원래의 A10:C10은 빈 행으로 남게 된다.

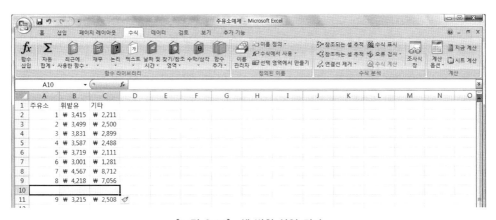

[그림 2.14] 셀 범위 삽입 결과

⑥ 셀 A10에 10을 입력하고 [Tab]키를 누른다.

⑦ 셀 B10에 3995를 입력하고 [Tab]키를 누른다.

⑧ 셀 C10에 1938을 입력하고 [Enter]키를 누른다.

방금 입력한 내용들은 자동적으로 통화 스타일을 가지게 되는데, 이는 서식이 적용된 범위 안에 새로운 내용을 입력했기 때문이다.

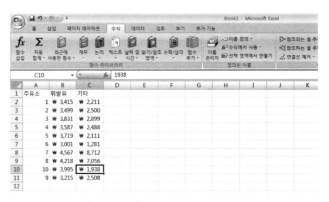

[그림 2.15] 새로운 자료의 입력

⑨ 이름상자에 있는 화살표를 누르고 **휘발유**를 선택한다. 그러면 **휘발유**라는 이름이 참조하는 새로운 자료가 추가된 셀 범위 B2:B11가 화면에 나타난다.

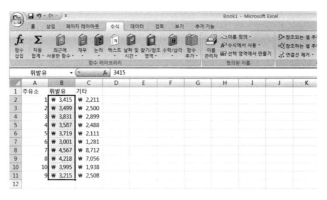

[그림 2.16] 이름 정의의 자동갱신

주유소예제라는 이름으로 입력한 내용을 저장하기 위해서는 다음과 같은 과정을 따른다.

① 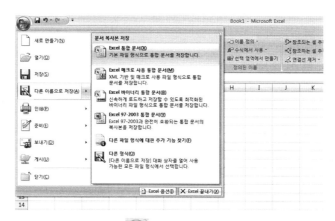 ▶**다른 이름으로 저장**을 누른다.

[그림 2.17] ▶다른 이름으로 저장 선택

② **다른 이름으로 저장** 대화상자가 [그림 2.18]처럼 나타난다. **저장 위치** 이름상자 오른쪽에 있는 화살표를 누른다.

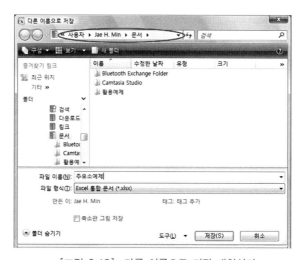

[그림 2.18] 다른 이름으로 저장 대화상자

③ **저장 위치** 이름상자에서 **문서▶활용예제** 폴더를 선택한다. (물론 **다른 이름으로 저장** 대화상자의 왼쪽에 있는 폴더 메뉴에서 원하는 폴더를 눌러 바로 이동해도 된다.)

④ **파일 이름** 입력 상자를 누르고, **주유소예제**라고 입력한다.

⑤ **저장** 버튼을 누른다.

자료의 정렬

사용자는 엑셀에서 제공하는 정렬 기능을 이용하여 자료를 특정 항목을 기준으로 빠르게 정렬할 수 있다.

예를 들어, 자료를 휘발유 판매액에 따라 정렬하기 위해서는 다음과 같은 과정을 따른다.

① 셀 범위 **A1:C11** 내에 있는 임의의 셀을 선택한다.

② **데이터▶정렬 및 필터▶정렬**을 누른다. 그러면 [그림 2.20]과 같은 **정렬** 대화상자가 워크시트에 나타나면서 엑셀은 이름을 제외한 전체 데이터 범위 **A2:C11**을 자동으로 지정해 준다.

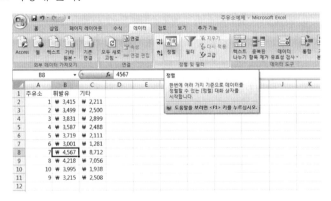

[그림 2.19] 데이터▶정렬 선택

③ 정렬 대화상자에서 **내 데이터에 머리글 표시**가 체크되어 있는지 확인한다. **첫째 기준** 상자에 있는 화살표를 눌러 **휘발유**를 선택하고, **오름차순**을 선택한다.

[그림 2.20] 정렬 대화상자

Tip
• 오름차순이란 작은 수치에서 큰 수치 순으로 데이터를 정렬하는 것을 말하며, 내림차순 이란 반대로 큰 수치에서 작은 수치 순으로 데이터를 정렬하는 것을 말한다.
• 내 데이터에 머리글 표시란 선택한 범위의 첫 행(여기서는 주유소, 휘발유, 기타)은 정 렬의 대상에서 제외하는 옵션이다. 이 옵션을 체크하지 않으면 선택한 범위의 첫 행도 정렬의 대상이 된다.

④ **확인** 버튼을 누른다. 그러면 [그림 2.21]과 같이 휘발유 판매액이 낮은 주유소에서

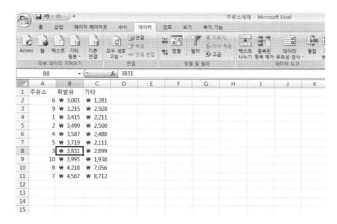

[그림 2.21] 데이터 정렬 후 화면

높은 주유소 순으로 자료가 정렬되어 화면에 나타난다.

⑤ 이미 저장한 **주유소예제**라는 이름으로 방금 변경한 내용을 저장하기 위해 **저장** 버튼 🖫을 누른다.

제 3 장

데이터의 정리 및 요약

본 장에서는 원자료(raw data)를 일목요연하게 정리하고, 자료의 특성을 수치로 요약하는 기술통계학(descriptive statistics)에 관하여 학습한다. 기술통계학이란 원자료를 표나 그림으로 정리 · 요약하여 자료의 분포를 시각적으로 쉽게 알 수 있도록 하고 자료의 분포 특성을 하나의 수치로 집약하여 기술하는 방법으로, 방대한 원자료를 축소시키고 자료를 이용 목적에 맞도록 정리하여 간결하고도 의미있는 형태로 나타내도록 한다. 본 장에서는 첫째, 자료를 정리하는 방법으로 엑셀을 이용한 도수분포표와 히스토그램의 작성 방법에 대해 학습하고, 둘째, 자료의 특성을 요약하는 주요 통계량의 도출방법과 그 의미에 대하여 논의하며, 셋째, 두 변수의 연관도, 즉, 두 변수가 어떠한 관계에 있는 지를 시각적으로 보여주는 산점도와 이를 수치로 표현한 공분산 및 상관계수에 대하여 다룬다.

제1절 자료의 정리

자료의 정리란 기술통계학의 출발이 되는 것으로 수집한 자료의 분포와 그 특성을 쉽게 이해할 수 있도록 표나 그림으로 원자료를 일목요연하게 나타내는 것을 말한다. 본 절에서는 자료를 정리하는 도구로 가장 많이 이용되는 **도수분포표**(frequency distribution table)와 **히스토그램**(histogram)을 중심으로 설명한다.

1 도수분포표와 히스토그램의 시작

수많은 관측치들로 구성된 원자료의 전체적인 윤곽을 파악하기 위해서는 계급구간을 임의로 나누고, 각 계급구간에 몇 개의 관측치가 있는 지를 파악하는 것이 가장 기본적인 절차이다. 그러나 전문적인 통계분석 프로그램을 사용하지 않는 이상 자료를 계급구간에 따라 분류하고, 이를 히스토그램으로 나타내기란 힘든 일이다. 엑셀에서는 분석 도구라는 특수한 기능을 제공하는데, 이 기능을 사용하여 도수분포표와 히스토그램을 편리하게 작성하는 방법을 배워보도록 하자.

예제 파일인 **재무실적.xlsx**를 연다. 그러면 [그림 3.1]과 같은 화면이 나타난다. 현재 data 워크시트에는 거래소 상장 기업들 중 50개 기업의 200X년 상반기 재무실적 자료(매출액, 매출액증감률, 영업이익, 영업이익증감률, 경상이익, 경상이익증감률, 당기순이익, 당기순이익증감률, 매출액 영업이익률, 부채비율)가 입력되어 있다.

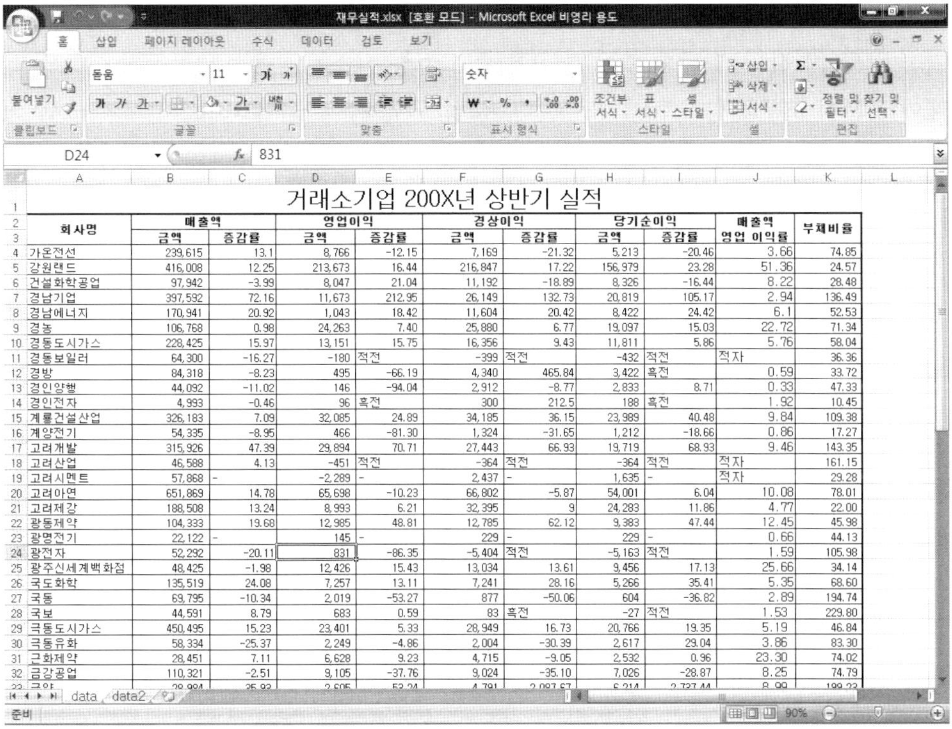

거래소기업 200X년 상반기 실적

회사명	매출액		영업이익		경상이익		당기순이익		매출액	부채비율
	금액	증감률	금액	증감률	금액	증감률	금액	증감률	영업 이익률	
가온전선	239,615	13.1	8,766	-12.15	7,169	-21.32	5,213	-20.46	3.66	74.85
강원랜드	416,008	12.25	213,673	16.44	216,847	17.22	156,979	23.28	51.36	24.57
건설화학공업	97,942	-3.99	8,047	21.04	11,192	-18.89	8,326	-16.44	8.22	28.48
경남기업	397,592	72.16	11,673	212.95	26,149	132.73	20,819	105.17	2.94	136.49
경남에너지	170,941	20.92	1,043	18.42	11,604	20.42	8,422	24.42	6.1	52.53
경농	106,768	0.98	24,263	7.40	25,880	6.77	19,097	15.03	22.72	71.34
경동도시가스	228,425	15.97	13,151	15.75	16,356	9.43	11,811	5.86	5.76	58.04
경동보일러	64,300	-16.27	-180	적전	-399	적전	-432	적전	적자	36.36
경방	84,318	-8.23	495	-66.19	4,340	465.84	3,422	흑전	0.59	33.72
경인양행	44,092	-11.02	146	-94.04	2,912	-8.77	2,833	8.71	0.33	47.33
경인전자	4,993	-0.46	96	흑전	300	212.5	188	흑전	1.92	10.45
계룡건설산업	326,183	7.09	32,085	24.89	34,185	36.15	23,989	40.48	9.84	109.38
계양전기	54,335	-8.95	466	-81.30	1,324	-31.65	1,212	-18.66	0.86	17.27
고려개발	315,926	47.39	29,894	70.71	27,443	66.93	19,719	68.93	9.46	143.35
고려산업	46,588	4.13	-451	적전	-364	적전	-364	적전	적자	161.15
고려시멘트	57,868	-	-2,289	-	2,437	-	1,635	-	적자	29.28
고려아연	651,869	14.78	65,698	-10.23	66,802	-5.87	54,001	6.04	10.08	78.01
고려제강	188,508	13.24	8,993	6.21	32,395	9	24,283	11.86	4.77	22.00
광동제약	104,333	19.68	12,985	48.81	12,785	62.12	9,383	47.44	12.45	45.98
광명전기	22,122	-	145	-	229	-	229	-	0.66	44.13
광전자	52,292	-20.11	831	-86.35	-5,404	적전	-5,163	적전	1.59	105.98
광주신세계백화점	48,425	-1.98	12,426	15.43	13,034	13.61	9,456	17.13	25.66	34.14
국도화학	135,519	24.08	7,257	13.11	7,241	28.16	5,266	35.41	5.35	68.60
국동	69,795	-10.34	2,019	-53.27	877	-50.06	604	-36.82	2.89	194.74
국보	44,591	8.79	683	0.59	83	흑전	-27	적전	1.53	229.80
극동도시가스	450,495	15.23	23,401	5.33	28,949	16.73	20,766	19.35	5.19	46.84
극동유화	58,334	-25.37	2,249	-4.86	2,004	-30.39	2,617	29.04	3.86	83.30
근화제약	28,451	7.11	6,628	9.23	4,715	-9.05	2,532	0.96	23.30	74.02
금강공업	110,321	-2.51	9,105	-37.76	9,024	-35.10	7,026	-28.87	8.25	74.79

[그림 3.1] 예제 파일

사용자의 편의를 위해 각 자료의 범위를 대표하는 이름을 미리 지정해 놓았다. 예를 들어, 매출액의 데이터 범위는 B4:B53인데 이 범위를 **매출액**이라는 이름으로 지정해 둠으로써 사용자가 셀 범위 대신에 **매출액**이라는 이름을 대신 쓸 수 있도록 하였다. 물론 데이터 범위 이름대신에 셀 범위를 직접 이용해도 무방하다.

② 분석 도구의 추가

엑셀은 기본설정에서 도수분포표와 히스토그램을 작성할 수 있는 기능을 제공하지 않는다. 하지만 **추가 기능**을 이용하면 이러한 기능을 추가시킬 수 있다. **추가 기능**이란 엑셀에 내장되어 있는 특수한 기능으로, 사용자가 필요로 하는 항목들을 엑셀의 기본 기능에 포함시킬 수 있도록 하는 것이다. **추가 기능**에는 본 장에서 다루고자 하는 **통계 데이터 분석 도구(분석 도구)**를 제공한다. **분석 도구**에는 다음에 소개할 히스토그램 작성 기능을 포함하고 있다.

사용자의 엑셀에 **분석 도구** 항목이 있는 지의 여부를 알기 위해서는 다음과 같은 과정을 따른다.

① 좌측 상단 모서리의 **Office 단추** 를 누른다. 그러면 [그림 3.2]와 같이 메뉴가 펼쳐진다.

[그림 3.2] Office 단추 메뉴

② 펼쳐진 메뉴에서 우측 하단의 **Excel 옵션** 단추를 누른다. 그러면 Excel 옵션 화면으로 넘어가는데, 여기서 왼쪽에 있는 여러 가지 메뉴 중 **추가 기능**을 선택하면 [그림 3.3]과 같은 화면이 나타난다.

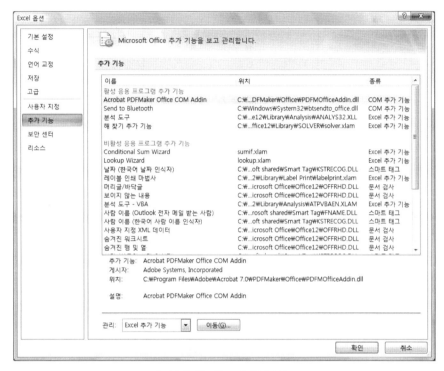

[그림 3.3] Excel 추가 기능

③ 여기서 하단부의 **Excel 추가 기능** 이동(G)... 버튼을 누른다. 그러면 [그림 3.4]와 같은 **추가 기능** 대화상자가 나타난다. **추가 기능** 대화상자에는 사용자가 엑셀을 처음 설치한 방법에 따라 조금씩 다른 선택 항목들이 나타날 수 있다.

④ **분석 도구**가 체크되어 있는지 살펴보고, 체크되어 있지 않다면 해당 난을 체크한다. 만약 엑셀을 처음 설치할 때 분석 도구 추가 기능을 설치하지 않은 경우, 해당 난을 선택하면 설치 지시 화면이 나타나게 된다. 이 경우 설치 CD를 넣고 진행과정을 따르면 된다.

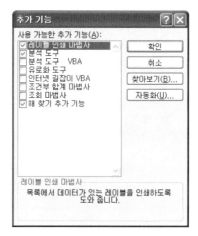

[그림 3.4] 추가 기능 대화상자

⑤ **추가 기능** 대화상자를 닫기 위해 [그림 3.4]의 **확인** 버튼을 누른다. **분석 도구**의
   추가는 [그림 3.5]와 같이 **데이터** 메뉴의 **분석** 리본에 **데이터 분석**이라는 새로운
   항목을 추가시키게 된다.

[그림 3.5] 데이터 분석 도구

③ 도수분포표와 히스토그램의 작성

이제 엑셀의 **데이터 분석**을 이용하여 자료의 특성을 분석할 준비가 되었다. 예를 들
어, 재무실적 자료 중 매출액 자료의 도수분포표와 히스토그램을 작성하기 위해서는
다음과 같은 과정을 따른다.

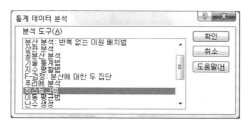

[그림 3.6] 통계 데이터 분석 대화상자

① **데이터 분석**을 선택한다. 그러면 [그림 3.6]과 같은 **통계 데이터 분석** 대화상자가
   나타난다.

② **분석 도구**에 있는 **히스토그램**을 선택하고 **확인** 버튼을 누른다. 그러면 [그림 3.7]
   과 같은 **히스토그램** 대화상자가 나타난다.

③ **입력 범위**에 **매출액**을 입력한다. 사용자의 편의를 위해 매출액을 나타내는 데이
   터 범위의 이름을 매출액으로 이미 지정해 놓았기 때문에 데이터 범위인
   B4:B53를 입력할 필요는 없다. (물론 사용자가 원하면 데이터 범위의 이름대신에 데
   이터 범위를 직접 입력해도 된다.) **계급 구간**은 공란으로 남겨둔다.

④ 여기서 **이름표** 난은 선택하지 않는다. (여기서 이름표 난을 선택하면 매출액이라는
   이름으로 설정된 셀 범위 B4:B53의 첫 번째 수치 즉, B4에 입력된 수치는 문자열로 취급
   된다.)

⑤ **새로운 워크시트**를 선택하고 **매출액 히스토그램**이라고 입력한다. 그러면 매출액

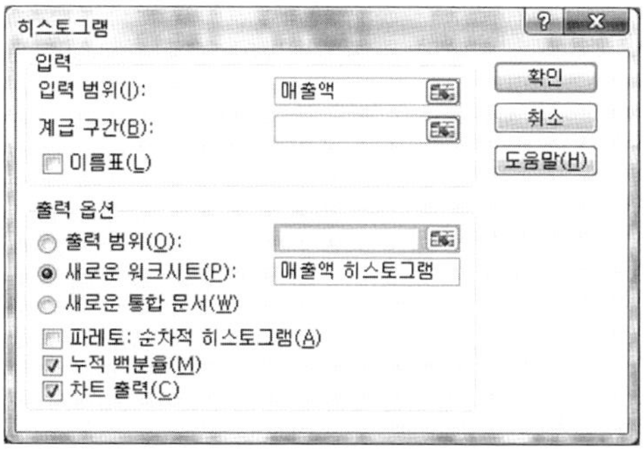

[그림 3.7] 히스토그램 대화상자

히스토그램이라는 이름의 워크시트에 매출액 자료의 히스토그램이 작성된다. (현재의 워크시트에 히스토그램을 작성하려면 **출력 범위**를 선택하고 출력이 시작되기를 원하는 셀을 입력난에 지정한다.)

⑥ 누적도수다각형(ogive, "오지브"라고 읽는다.)을 히스토그램에 나타내기 위해 **누적 백분율**을 선택한다.

⑦ 히스토그램을 작성하기 위해 **차트 출력**을 선택한다.

⑧ **확인** 버튼을 누른다.

엑셀은 [그림 3.8]과 같은 **매출액 히스토그램**이라는 이름의 새로운 워크시트를 만들어 준다.

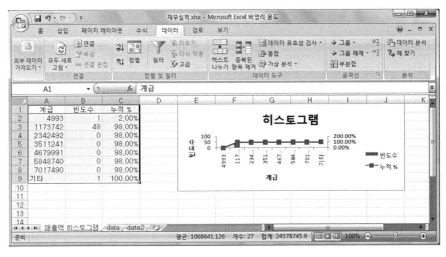

[그림 3.8] 매출액 자료에 대한 도수분포표와 히스토그램(계급구간 미설정)

셀 범위 A1:C9에 도수분포표가 보이는데, A열은 엑셀이 임의로 나눈 계급구간을 나타내는 것으로 각 계급의 상한치가 표시되어 있다. 즉, 매출액의 첫 번째 계급의 계급구간은 4993 이하이며, 두 번째 계급의 계급구간은 4993 초과 1173742 까지이다. B열은 이러한 계급구간에 포함되는 매출액의 빈도수를 나타낸다. 그리고 C열은 누적 상대도수를 나타내는데, 전체 관측치 수(총도수) 대비 각 계급구간까지 포함된 관측치의 수(누적도수)의 비율을 백분율(%)로 나타낸 것이다. 도수분포표의 오른쪽에 있는 히스토그램은 도수분포표를 그림으로 표현한 것으로, 각 막대의 높이는 계급별 빈도를 나타내고 누적도수다각형(ogive)의 각 점은 각 계급의 누적상대도수를 나타낸다.

Tip 엑셀의 히스토그램 기능을 이용하여 도수분포표를 만들 경우, 계급구간을 설정하지 않으면 항상 짝수 개의 계급이 추출되는데, 매출액 예제의 경우 8개의 계급 구간을 추출하였음을 [그림 3.8]에서 확인할 수 있다. 계급구간을 설정하지 않으면 계급구간은 자료의 최소값과 최대값을 기준으로 하여 임의로 추출된다.

사용자는 히스토그램 기능을 이용하여 나타낸 출력 결과에 서식을 적용함으로써 자료의 분포를 보다 쉽게 파악할 수 있다.

도수분포표에 서식을 적용하기 위해서는 다음과 같은 과정을 따른다.

① 데이터의 길이가 셀 너비보다 길어 화면에 데이터가 보이지 않을 경우에는 셀 너비를 넓혀 준다. 예를 들어, A열에 있는 각 계급의 상한치의 길이가 길어 데이터가 보이지 않고 "####"로 나타날 경우에는 마우스 포인터를 상단 A열과 B열의 경계선에 놓고 더블클릭한다. 그러면 A열의 셀 너비가 데이터 길이에 맞게 조정된다.
② 셀 범위 A2:A8을 선택하고 홈 메뉴의 통화 스타일 버튼 ₩ ▾ 을 누른다.
③ 히스토그램이 화면에 전부 나타나지 않거나 판별하기 힘들 경우 차트의 크기를 마우스를 이용하여 조정하여 준다.

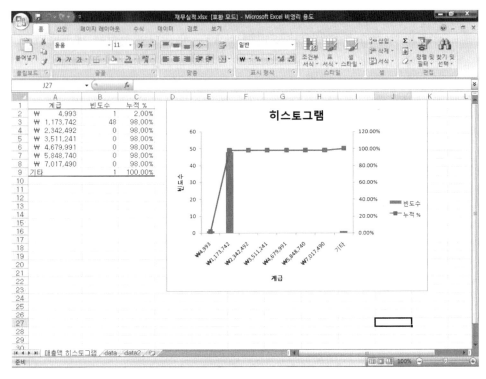

[그림 3.9] 도수분포표와 히스토그램의 서식 지정

Tip 도수분포표와 히스토그램은 서로 연결되어 있기 때문에 도수분포표의 데이터나 서식을
수정하게 되면 히스토그램도 따라서 자동으로 수정된다.

④ 계급구간의 설정

앞서 제시한 도수분포표 및 히스토그램의 경우 원자료를 이용하여 엑셀이 임의로
계급구간을 나눈 결과를 도출하였다. 그러나 사용자의 기호나 도수분포표 작성의 목적
에 따라 도수분포표 작성 시 계급구간을 직접 지정하는 것이 보다 일반적인 경우이다.
예를 들어, 매출액 자료의 경우 계급구간을 ₩100,000에서 ₩200,000, ₩200,000에서

₩300,000 등과 같이 ₩100,000을 계급의 폭으로 하여 도수분포표를 만드는 것이 자료의 분포를 보다 쉽게 파악할 수 있도록 한다.

새로운 계급구간을 설정하여 도수분포표와 히스토그램을 작성하기 위해서는 먼저 사용자가 원하는 계급구간을 입력해 주어야 한다. 그 밖의 과정은 앞의 경우와 동일하다.

① data 워크시트를 누른다.
② 셀 L3을 누르고 **계급구간**이라고 입력한 뒤 [Enter]키를 누른다.
③ 셀 L4에 100000을 입력하고 [Enter]키를 누른 후 셀 L5에 200000을 입력한다.
④ 셀 범위 L4:L5를 선택하고, 셀 L5 오른쪽 하단에 있는 **채우기 핸들**을 누른 채 셀 L13까지 마우스로 끌기(드래그)한 다음 마우스 버튼을 놓는다. 그러면 각 셀에 100000 단위로 수치가 자동적으로 입력되는 것을 확인할 수 있다.

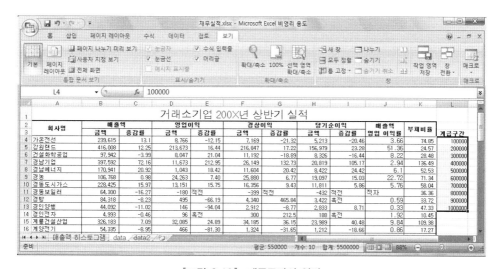

[그림 3.10] 계급구간의 입력

이제 사용자가 원하는 계급구간에 맞추어 도수분포표 및 히스토그램을 작성할 준비가 되었다.

⑤ **데이터▶분석▶데이터 분석**을 누르고 나타나는 **분석 도구** 대화상자에서 **히스토 그램**을 더블 클릭한다. (또는 **히스토그램**을 선택한 후 **확인** 버튼을 누른다.)

⑥ 입력 범위에 **매출액**을 입력하고 [Tab]키를 누른다.

⑦ 셀 범위 L4:L13을 마우스로 선택하여 자동으로 계급 구간을 지정하도록 하거나 직접 계급 구간에 L4:L13을 입력한다.

⑧ **이름표**는 선택하지 않는다.

⑨ 새로운 워크시트에서 제목을 매출액 **히스토그램2**로 바꾼다.

⑩ **누적 백분율**과 **차트 출력**을 체크한다.

⑪ **확인** 버튼을 누른다.

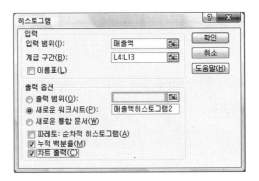

[그림 3.11] 계급구간 설정을 이용한 히스토그램 작성

그러면 사용자가 원하는 계급구간별로 정리된 도수분포표와 히스토그램이 **매출액 히스토그램2** 워크시트에 나타난다.

⑩ 도수분포표의 계급 데이터에 통화 스타일 서식을 적용하고 히스토그램의 크기를 적당히 조정한 후의 출력결과는 [그림 3.12]와 같다.

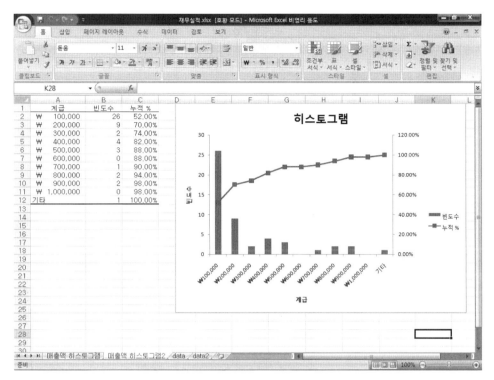

[그림 3.12] 계급구간 설정을 이용한 도수분포표와 히스토그램

한편, 통계학 강의에서 히스토그램의 막대 사이의 간격은 없다고 배웠을 것이다. 따라서 히스토그램에서 각 계급의 빈도를 나타내는 막대 사이가 [그림 3.12]와 같이 벌어지게 하기보다는 막대 사이의 간격을 없애고 싶을 것이다. 막대 사이의 간격을 없애기 위해서는 다음과 같은 절차를 따른다.

① 히스토그램의 아무 막대에나 마우스 포인터를 두고 마우스 오른쪽 버튼을 누르면 [그림 3.13]과 같은 단축메뉴가 나타난다. 여기서 **데이터 계열 서식**을 클릭한다.

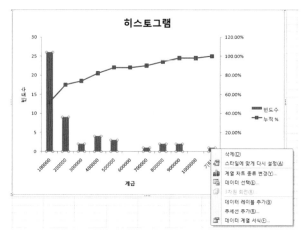

[그림 3.13] 히스토그램 막대의 단축메뉴

② 그러면 [그림 3.14]와 같이 데이터 계열 서식 대화상자가 나타난다. 여기서 간격 너비를 0%로 조정해준다.

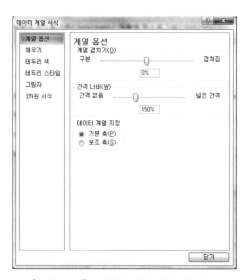

[그림 3.14] 데이터 계열 서식 대화상자

③ 그러면 [그림 3.15]와 같이 막대 사이의 간격이 없는 히스토그램이 만들어진다.

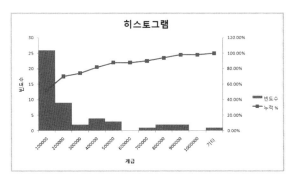

[그림 3.15] 막대 사이의 간격이 없는 히스토그램

Tip 도수분포표는 직접 =frequency(데이터 셀 범위, 계급구간 셀 범위) 함수를 이용하여 만들 수도 있다. 예를 들어, [그림 3.10]에서 셀 M3에 도수라고 입력하고, 셀 범위 M4:M13을 선택한다. 그런 다음, =frequency(매출액, L4:L13)을 입력하고, [Ctrl] + [Shift] + [Enter]를 누르면 각 계급에 속하는 관측값들의 수(도수)가 해당란에 기입된다. 또한 이 도수분포표에 해당하는 세로막대형 그래프를 차트기능을 이용하여 그리면 히스토그램을 만들 수 있다. 이 경우, 데이터와 도수분포표, 그리고 히스토그램은 모두 연결되므로 데이터를 변화시키면 도수분포표와 히스토그램은 따라서 변화한다.

제2절
자료의 요약

제1절에서는 자료를 도수분포표와 히스토그램으로 정리하는 방법에 대해 공부하였다. 원자료의 정리를 통해 우리는 자료 분포의 전체적인 윤곽과 특성을 이해할 수 있었다. 그러나 이러한 자료 분포의 특성을 수치로 요약해 나타낼 수 있으면 추가적인 분석이 가능하다. 본 절에서는 자료의 특성을 수치로 요약하는 방법을 배운다. 자료가 가지고 있는 여러 가지 특성을 표현한 수치를 **기술통계량**(descriptive statistic)이라고 하

는데, 엑셀은 기술통계량을 위한 70가지 이상의 함수를 제공하고 있다.

① 통계함수의 이용

매출액 자료의 분포 특성을 기술하기 위한 통계량 표를 만들기 위해 현재의 자료에
엑셀에서 제공하는 몇 가지 통계함수를 적용해 보자.

① data 워크시트를 누른다. 셀 범위 A60:A66의 각 셀에 다음의 내용을 하나씩 입
력하고 [Enter]키를 누른다.

셀 위치	입력 내용
A60	최소값
A61	5th Percentile
A62	25th Percentile
A63	중앙값
A64	75th Percentile
A65	95th Percentile
A66	최대값

② 셀 B59에 **매출액**이라고 입력하고 [Enter]키를 누른다.
③ 셀 범위 B60:B66의 각 셀에 다음과 같은 수식을 차례대로 입력하고 [Enter]키를
누른다. (물론, 수식에서 **"매출액"**이라는 이름 대신에 셀 범위 B4:B53을 직접 입력해도
무방하다.)

셀 위치	입력 수식	설 명
B60	=min(매출액)	매출액 자료의 최소값을 계산한다.
B61	=percentile(매출액, 0.05)	하위 5%에 해당하는 값을 계산한다.
B62	=quartile(매출액, 1)	하위 25%에 해당하는 값을 계산한다.
B63	=median(매출액)	중앙값을 계산한다.
B64	=quartile(매출액, 3)	상위 25%에 해당하는 값을 계산한다.
B65	=percentile(매출액, 0.95)	상위 5%에 해당하는 값을 계산한다.
B66	=max(매출액)	매출액 자료의 최대값을 계산한다.

계산된 값들은 [그림 3.16]에 나타나 있다.

	매출액	수식
58		
59		
60 최소값	4,993	=MIN(매출액)
61 5th Percentile	24,970	=PERCENTILE(매출액,0.05)
62 25th Percentile	47,518	=QUARTILE(매출액,1)
63 중앙값	92,551	=MEDIAN(매출액)
64 75th Percentile	296,848	=QUARTILE(매출액,3)
65 95th Percentile	819,829	=PERCENTILE(매출액,0.95)
66 최대값	8,186,239	=MAX(매출액)
67		

[그림 3.16] 기술통계량의 예

여기서 **최소값**(min), **1사분위수**(25th percentile 또는 1st quantile), **중앙값**(median), **3사분위수**(75th percentile 또는 3rd quantile), **최대값**(max)을 **5개의 주요 통계량**(five-number summary)이라고 한다.

② 기술 통계법의 이용

기술통계량을 함수를 이용하여 매번 구하는 것은 번거로운 작업이다. 엑셀의 **데이터 분석 도구** 중 **기술 통계법** 기능은 주요 통계량을 자동으로 계산하여 그 결과를 출력시켜 주는 기능을 가지고 있다.

기술통계량 표를 만들기 위해서는 다음과 같은 과정을 따른다.

① 예제 파일인 **재무실적.xlsx**를 연다.

② **데이터▶분석▶데이터분석**을 누른다.

③ **분석 도구** 대화상자에서 **기술 통계법**을 선택하고 **확인** 버튼을 누른다. 그러면
   [그림 3.17]과 같은 **기술 통계법** 대화상자가 나타난다.

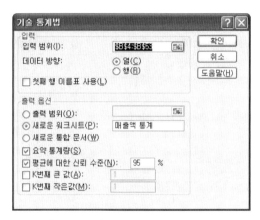

[그림 3.17] 기술 통계법 대화상자

④ **입력 범위**에 **매출액**을 입력한다. 누차 언급하였듯이 셀 범위 B4:B53을 입력해도
   되지만 사용자의 편의를 위해 미리 해당 셀 범위의 이름을 **매출액**으로 정의해 놓
   았다.(⑧에서 **평균에 대한 신뢰수준**을 선택하면 입력한 이름 **매출액**은 자동으로 다시 셀
   범위 B4:B53로 변경된다.)

⑤ 매출액 자료가 열 방향으로 되어 있으므로 **데이터 방향**이 **열** 옵션으로 선택되었
   는지 확인하고 **첫째 행 이름표 사용**은 여기서는 선택하지 않는다.

⑥ **출력옵션**으로 **새로운 워크시트**를 선택한 후 우측의 이름상자에 **매출액 통계**라고
   입력한다.

⑦ **요약 통계량**을 선택한다.

⑧ **평균에 대한 신뢰 수준**을 선택하고 우측의 기본값 95%는 그대로 둔다.(사용자가
   다른 신뢰수준을 원하면 해당 신뢰수준을 기본값 95% 대신에 입력하면 된다.)

⑨ **확인** 버튼을 누른다.

◢	A	B	C	D
1	Column 1			
2				
3	평균	358425.9		
4	표준 오차	163015.5		
5	중앙값	92550.5		
6	최빈값	#N/A		
7	표준 편차	1152693		
8	분산	1.33E+12		
9	첨도	45.87115		
10	왜도	6.65109		
11	범위	8181246		
12	최소값	4993		
13	최대값	8186239		
14	합	17921293		
15	관측수	50		
16	신뢰 수준(95.0%)	327591.9		
17				

[그림 3.18]   매출액 기술통계량

엑셀은 **매출액 통계**라는 이름의 새로운 워크시트에 [그림 3.18]과 같은 요약통계량 (기술통계량) 결과를 출력한다. 요약통계량의 제목으로 나타난 "Column1"은 사용자가 다른 이름(예를 들어, **매출액 기술통계량**)으로 수정할 수 있다.

- [그림 3.17]에서 문자열을 첫 행에 포함한 셀 범위를 입력범위로 지정하면, **첫째 행 이 름표 사용**을 선택해야 한다. 이 경우, 요약통계량의 제목은 자동적으로 입력범위 첫 행 의 문자열이 된다.

- [그림 3.17]에서 K번째 큰 값, K번째 작은 값 옵션은 사용자가 입력 데이터의 몇 번째 큰 값 또는 몇 번째 작은 값을 보고자 할 때 사용할 수 있다. 이 옵션을 선택하지 않으면 기본값으로 첫번째 큰 값인 최대값과 첫번째 작은 값인 최소값을 요약통계량에서 보여 준다.

- [그림 3.18]에서 #N/A(not applicable, 해당사항 없음)라는 메시지는 해당 결과가 없 음을 의미한다. 여기서는 50개 사의 매출액이 각기 달라 최빈값이 없음을 나타낸다.

[그림 3.18]에 나타난 기술통계량의 의미를 간단히 정리하면 〈표 3.1〉과 같다.

표 3.1 기술통계량의 의미

통계량	의 미
평균	해당 자료의 산술평균
표준오차	표본평균의 표준편차로서 자료의 표준편차를 관측치 개수의 제곱근으로 나누어 준 수치($s/\sqrt{n}$)를 말함. 평균의 표준오차(standard error of the mean)라는 이름으로 보통 많이 불림.
중앙값	자료를 크기 순서로 정렬했을 때 가운데에 위치하는 관측치
표준편차	자료의 흩어진 정도를 측정하는 수치로 분산의 양의 제곱근(표본의 표준편차)
분산	자료의 흩어진 정도를 측정하는 수치로 각 관측치와 평균의 차이를 제곱하여 모두 합한 후 이를 (관측치 개수 −1)로 나누어 준 수치(표본의 분산)
첨도	자료의 분포모양이 얼마나 뾰족한가를 측정하는 수치로 엑셀의 분석도구에서 계산하는 정규분포의 첨도(보통 첨도)는 0이다. 자료의 분포모양이 정규분포보다 뾰족하면 양(+)의 값을 갖고(높은 첨도, 달리 표현하면, 길고 두꺼운 꼬리분포: longer, fatter tails), 정규분포보다 편평하면 음(−)의 값을 갖는다(낮은 첨도, 달리 표현하면, 짧고 얇은 꼬리분포: shorter, thinner tails).
왜도	자료 분포의 비대칭도를 측정하는 수치이다. 자료의 분포가 오른쪽 꼬리분포일 경우, 즉 평균이 중앙값보다 크면 양(+)의 값을 갖고, 자료의 분포가 왼쪽 꼬리분포일 경우, 즉 평균이 중앙값보다 작으면 음(−)의 값을 갖는다.
범위	관측된 자료에서 가장 큰 관측치와 가장 작은 관측치의 차이
최소값	관측된 자료에서 가장 작은 관측치
최대값	관측된 자료에서 가장 큰 관측치
합	관측된 자료의 합계
관측수	관측치의 개수
신뢰수준	모집단평균에 대한 신뢰구간 길이의 반으로 표본오차(sampling error)를 나타낸다. 위 예제의 경우, 기술 통계법 대화상자를 보면 **평균에 대한 신뢰수준**이 기본값 95%로 지정되어 있으므로 모집단평균에 대한 신뢰구간 길이의 반은 $t_{0.025,49}\dfrac{s}{\sqrt{n}}$ 이다. 여기서 s는 표본의 표준편차를 나타내며, n은 관측치의 개수를 나타낸다.

두 자료의 연관도

1절과 2절에서는 단일 변수의 분포를 일목요연하게 나타내는 방법과 기본적인 요약 통계량에 대해 살펴보았다. 본 절에서는 두 가지 변수가 서로 어떻게 연관되어 있는지를 파악하는 방법에 대해 공부한다. 두 변수간의 관계를 개략적으로 살펴보는 방법으로 가장 손쉬운 방법은 차트를 이용하는 것이다. 두 변수간의 개략적인 관계를 그림으로 표현한 것을 산점도(scatter diagram)라고 하는데, 본 절에서는 우선 엑셀의 차트 기능을 이용한 산점도의 작성 방법을 익힌 후, 두 변수간의 선형관계(두 변수간의 선형관계의 유무, 방향, 강도)를 수치로 요약하는 방법(공분산분석, 상관관계분석)에 대하여 논의한다.

① 산점도의 작성

산점도를 이해하기 위해 두 변수간의 관계를 시각적으로 나타내는 단순 산점도로부터 출발해보자. 우선 엑셀을 실행시키고 **재무실적.xlsx**를 연다.

두 변수간의 산점도를 출력하는데 도움을 주기 위해서 엑셀은 **차트 마법사**라는 기능을 제공한다. 예를 들어, 부채비율과 당기순이익의 산점도를 그리기 위해 차트 마법사를 이용하려면 먼저 차트로 나타내고 싶은 셀 범위를 선택하고, 차트 마법사를 시작하여 단계별 지시 사항을 따르면 된다.

부채비율과 당기순이익간의 관계를 나타내는 산점도를 그리기 위한 과정을 설명하면 다음과 같다.

① 엑셀 화면의 **이름 상자** 옆에 있는 화살표를 누르면 셀 참조영역을 대표하는 이름들이 있는데, 여기서 **부채비율**을 선택한다. 그리고 [Ctrl]키를 누른 채 다시 이름

상자 옆에 있는 화살표를 눌러 **당기순이익**을 선택한다. 그러면 [그림 3.19]와 같이 불연속적인 셀 범위가 선택된다.

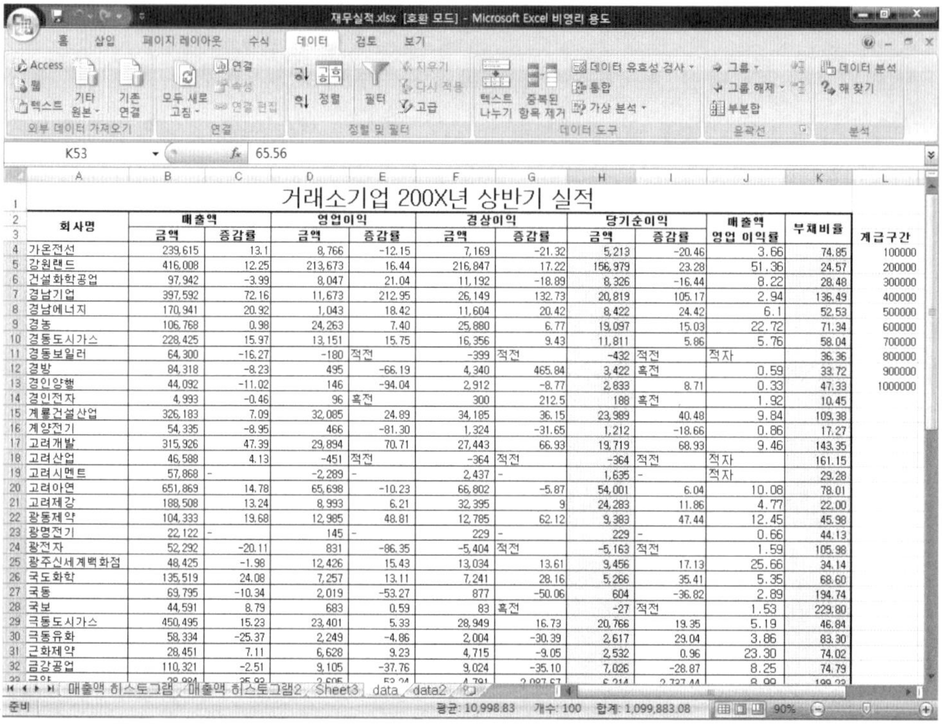

거래소기업 200X년 상반기 실적

회사명	매출액		영업이익		경상이익		당기순이익		매출액 영업 이익률	부채비율	계급구간
	금액	증감률	금액	증감률	금액	증감률	금액	증감률			
가온전선	239,615	13.1	8,766	-12.15	7,169	-21.32	5,213	-20.46	3.66	74.85	100000
강원랜드	416,008	12.25	213,673	16.44	216,847	17.22	156,979	23.28	51.36	24.57	200000
건설화학공업	97,942	-3.99	8,047	21.04	11,192	-18.89	8,326	-16.44	8.22	28.48	300000
경남기업	397,592	72.16	11,673	212.95	26,149	132.73	20,819	105.17	2.94	136.49	400000
경남에너지	170,941	20.92	1,043	18.42	11,604	20.42	8,422	24.42	6.1	52.53	500000
경농	106,768	0.98	24,263	7.40	25,880	6.77	19,097	15.03	22.72	71.34	600000
경동도시가스	228,425	15.97	13,151	15.75	16,356	9.43	11,811	5.86	5.76	58.04	700000
경동보일러	64,300	-16.27	-180	적전	-399	적전	-432	적전	적자	36.36	800000
경방	84,318	-8.23	495	-66.19	4,340	465.84	3,422	흑전	0.59	33.72	900000
경인양행	44,092	-11.02	146	-94.04	2,912	-8.77	2,833	8.71	0.33	47.33	1000000
경인전자	4,993	-0.46	96	흑전	300	212.5	188	흑전	1.92	10.45	
계룡건설산업	326,183	7.09	32,085	24.89	34,185	36.15	23,989	40.48	9.84	109.38	
계양전기	54,335	-8.95	466	-81.30	1,324	-31.65	1,212	-18.66	0.86	17.27	
고려개발	315,926	47.39	29,894	70.71	27,443	66.93	19,719	68.93	9.46	143.35	
고려산업	46,588	4.13	-451	적전	-364	적전	-364	적전	적자	161.15	
고려시멘트	57,868	-	-2,289	-	2,437	-	1,635	-	적자	29.28	
고려아연	651,869	14.78	65,698	-10.23	66,802	-5.87	54,001	6.04	10.08	78.01	
고려제강	188,508	13.24	8,993	6.21	32,395	9	24,283	11.86	4.77	22.00	
광동제약	104,333	19.68	12,985	48.81	12,785	62.12	9,383	47.44	12.45	45.98	
광명전기	22,122	-	145	-	229	-	229	-	0.66	44.13	
광전자	52,292	-20.11	831	-86.35	-5,404	적전	-5,163	적전	1.59	105.98	
광주신세계백화점	48,425	-1.98	12,426	15.43	13,034	13.61	9,456	17.13	25.66	34.14	
국도화학	135,519	24.08	7,257	13.11	7,241	28.16	5,266	35.41	5.35	68.60	
국동	69,795	-10.34	2,019	-53.27	877	-50.06	604	-36.82	2.89	194.74	
국보	44,591	8.79	683	0.59	83	흑전	-27	적전	1.53	229.80	
극동도시가스	450,495	15.23	23,401	5.33	28,949	16.73	20,766	19.35	5.19	46.84	
극동유화	58,334	-25.37	2,249	-4.86	2,004	-30.39	2,617	29.04	3.86	83.30	
근화제약	28,451	7.11	6,628	9.23	4,715	-9.05	2,532	0.96	23.30	74.02	
금강공업	110,321	-2.51	9,105	-37.76	9,024	-35.10	7,026	-28.87	8.25	74.79	

[그림 3.19] 당기순이익과 부채비율 데이터의 선택

② **삽입** 메뉴의 차트 리본에서 우측 모서리 화살표를 누른다.

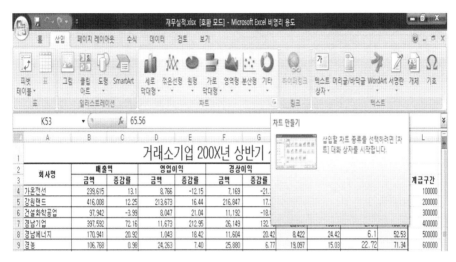

[그림 3.20] 삽입 ▶ 차트

③ 그러면 [그림 3.21]과 같이 **차트 삽입** 대화상자가 나타난다. 여기서 차트 종류는
분산형을 선택하고 세부 종류로는 첫 번째 차트를 선택한 후 **확인** 버튼을 누른다.

[그림 3.21] 분산형 차트의 선택

④ 그러면 워크시트에 [그림 3.22]와 같이 분산형 차트가 나타난다. (참고: 두 가지 데
이터 중 왼쪽 열에 있는 데이터는 횡축, 즉, X축에 위치하고, 오른쪽 열에 있는 데이터는
종축, 즉, Y축에 자리 잡게 된다.)

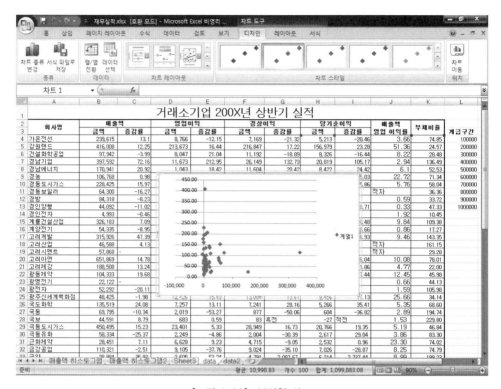

[그림 3.22] 분산형 차트

⑤ 다음으로, **차트 도구▶디자인▶차트 레이아웃**에서 첫 번째 옵션을 선택하면 [그림 3.23]과 같이 차트에 차트 제목, 횡축 및 종축의 축제목이 추가됨을 볼 수 있다.

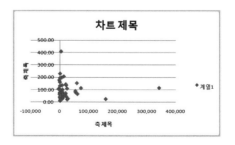

[그림 3.23] 차트 도구 ▶ 디자인 ▶ 차트 레이아웃

⑥ 이 차트에서 차트 제목을 더블 클릭하여 **'당기순이익 대비 부채비율'** 이라고 바꾸고, 축제목도 마찬가지로 X축 제목을 **'당기순이익'**, Y축 제목을 **'부채비율'** 로 바꾸어준다. 차트의 우측 부분에 있는 범례는 마우스 왼쪽 버튼으로 누른 후, **[delete]** 키를 눌러 삭제한다. (이 경우, 자료의 비교가 필요하지 않으므로 범례는 필요 없기 때문이다.)

⑦ 차트 주변에 있는 **핸들**을 이용하여 크기를 조정하거나 끌어서 놓기를 이용하여 산점도를 이동시킬 수도 있다. 결과적으로 워크시트에는 [그림 3.24]와 같은 산점도가 나타난다.

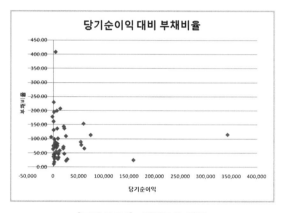

[그림 3.24] 산점도의 완성

2 산점도의 수정

(1) 차트의 스케일 조정

앞서 완성한 [그림 3.24]의 산점도를 보면 데이터들이 왼쪽 하단에 몰려 있어 오른쪽 상단에 여백이 많이 생겼음을 알 수 있다. 이것은 차트를 작성할 때 엑셀에서 제공하는 기본 스케일이 X축과 Y축의 시작점을 동시에 0으로 하기 때문에 발생한 것이다. 그러나 사용자에 따라 특정 구간의 데이터만 보고 싶다거나 필요 없는 공백 부분을 없애고 데이터가 있는 부분만 화면에 나타내고 싶은 경우가 있을 것이다. 엑셀은 이러한 경우를 위해 축의 스케일을 조정해 주는 기능을 제공하고 있다.

X축의 스케일을 조정하기 위해서는 다음과 같은 과정을 따른다.

① 차트를 선택한다. 차트가 활성화되면 X축 위에 마우스 포인터를 놓고 오른쪽 버튼을 눌러 단축메뉴를 부른 후 **축 서식**을 선택한다. (참고: 단축메뉴란 현 상태에서 이용할 수 있는 명령을 모아둔 메뉴이다.)

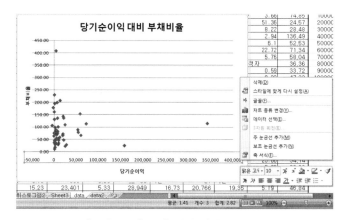

[그림 3.25] X축 서식 명령의 선택

② 그러면 [그림 3.26]과 같은 **축 서식** 대화상자가 나타난다. **축 서식** 대화상자에서 **축 옵션**을 선택한다.

③ 최대값이 400000으로 미리 자동으로 지정되어 있는데, **고정** 단추를 선택하고, 오른쪽에 있는 입력상자를 클릭하여 400000을 80000으로 바꾸어 준다. 또한 **주 단위**를 10000으로, **보조 단위**를 5000으로 바꾸어 준다.

[그림 3.26] X축 눈금 조정

④ **닫기** 버튼을 누른다.

이제 X축의 스케일이 −50000～400000에서 −10000～80000으로 조정된 것을 확인할 수 있다. X축 스케일을 조정한 것과 마찬가지 방법으로 Y축의 최대값을 450에서 250으로 조정해 준다. X축과 Y축의 스케일을 모두 조정한 후, 닫기 버튼을 누르면 [그림 3.27]과 같이 스케일이 조정된 산점도가 나타난다.

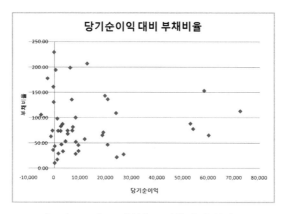

[그림 3.27] 스케일을 조정한 후의 산점도

[그림 3.27]에서 보는 바와 같이 X축과 Y축의 스케일을 적절히 조정해 주면 불필요한 여백 없이 보기 좋은 산점도를 작성할 수 있다.

(2) 데이터 레이블의 활용

산점도는 앞서 본 바와 같이 두 변수간의 전체적 관계를 시각적으로 표현할 수 있다는 장점이 있지만 한 가지 불편한 점이 있다. 그것은 각 점들이 도대체 어느 기업의 자료를 나타내는 것인지 파악하기가 곤란하다는 점이다. 이미 만들어진 차트에 데이터 레이블을 넣어주려면 다음과 같은 과정을 따른다.

① 데이터 레이블을 넣어주기 위해 차트의 크기를 확대한다.

Tip 차트의 크기를 확대하면 X축 제목, X축 값, Y축 제목, Y축 값 등이 모두 크게 변한다. 그러면 차트가 볼품이 없어지므로 이럴 경우 해당 개체를 선택해서 글꼴 크기를 조정해 준다.

② 차트 위의 임의의 점을 마우스로 선택하면 모든 점들이 동시에 선택된다. 이 상태에서 마우스 오른쪽 버튼을 눌러 나타나는 단축메뉴 중에 **데이터 레이블 추가**를 선택한다.

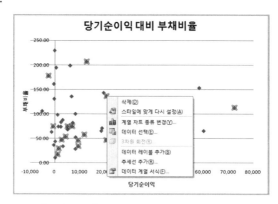

[그림 3.28] 데이터 레이블 추가 단축메뉴

③ 그러면 [그림 3.29]와 같이 산점도의 각 점들 옆에 해당 부채비율 값(Y축 변수의 값)이 나타난다.

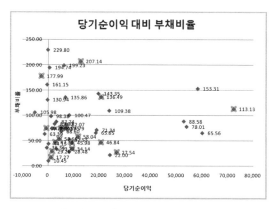

[그림 3.29] 데이터 레이블 추가

④ 임의의 부채비율 값을 더블 클릭하면 부채비율 주변으로 사각형이 생기는데, 이 사각형을 다시 클릭하면 내용을 바꿀 수 있는 입력 모드로 바뀐다. 이제 해당 점 이 어느 기업의 데이터인지 파악한 후 직접 내용을 바꾸어 주면 된다. ([그림 3.30]의 원내 문자열 참조.)

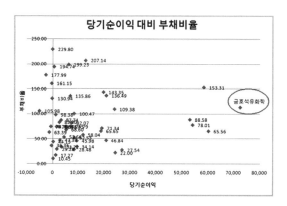

[그림 3.30] 데이터 레이블 수정

③ 공분산과 상관계수

두 변수의 **연관도**(measures of association)란 두 변수 간 선형관계의 유무와 방향, 그리고 그 강도를 나타내는 것으로, 이를 측정할 수 있는 대표적 척도로는 **공분산** (covariance)과 **상관계수**(coefficient of correlation)가 있다. 엑셀의 **분석 도구** 중 **공분산 분석**과 **상관 분석** 기능은 두 변수간의 공분산과 상관계수를 계산하여 그 결과를 출력해주는 기능이다. 공분산과 상관계수는 엑셀 함수를 이용하여 직접 구할 수도 있다.

(1) 공분산

예제 파일 **재무실적.xlsx**를 열어 **data2** 시트를 선택하면 [그림 3.31]과 같은 화면이 나타난다.

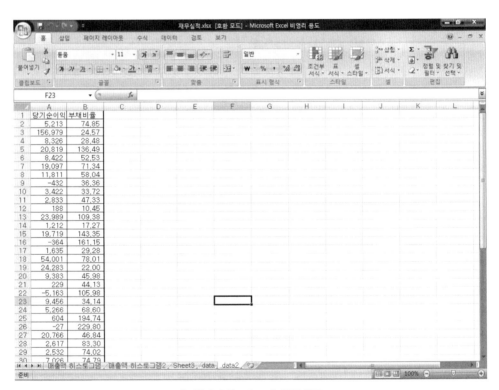

[그림 3.31] data2 워크시트

우선, 엑셀의 **분석 도구** 중 **공분산 분석**을 이용하는 과정을 설명하면 다음과 같다.

① **데이터▶분석▶데이터 분석**을 누른다.
② **통계 데이터 분석** 대화상자가 [그림 3.32]와 같이 나타나면, **분석 도구** 중에서 **공분산 분석**을 선택하고 **확인** 버튼을 누른다.

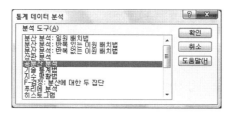

[그림 3.32] 통계 데이터 분석 대화상자

③ 이제 [그림 3.33]과 같이 **공분산 분석** 대화상자가 나타나면, 입력범위를 A1:B51로 지정하고, 첫째 행 이름표 사용을 선택한다. (이 경우, **첫째 행 이름표 사용**을 선택하는 이유는 입력범위의 첫 행인 A1:B1이 각 자료가 무엇인지를 나타내는 문자열이기 때문이다.) **출력옵션**으로 **새로운 워크시트**를 클릭하고, 오른쪽 칸에 **공분산분석**이라고 입력한 후, **확인**을 누른다.

[그림 3.33] 공분산 분석 대화상자

그러면 [그림 3.34]와 같이 **공분산분석**이라는 새로운 시트에 당기순이익과 부채비율 사이의 **공분산 행렬**이 계산되어 나온다. 여기서 당기순이익과 부채비율의 공분산은

"−87711.4"이다.(공분산 행렬에서 공란은 동일한 공분산 값이 생략되었음을 나타낸다.)

[그림 3.34] 공분산 행렬

다음으로, 엑셀 함수를 이용하여 당기순이익과 부채비율의 공분산을 구하는 방법을 알아본다. **data2** 시트를 선택하여 들어가서 D1 셀에 **공분산**이라고 입력한다. 그리고 D2에 ＝COVAR(A2:A51,B2:B51)을 입력하고 [Enter]를 누른다. 그러면 [그림 3.35]와 같은 결과가 나타난다. 공분산 결과는 **분석 도구**의 **공분산 분석**을 이용한 결과와 동일한 것을 알 수 있다.

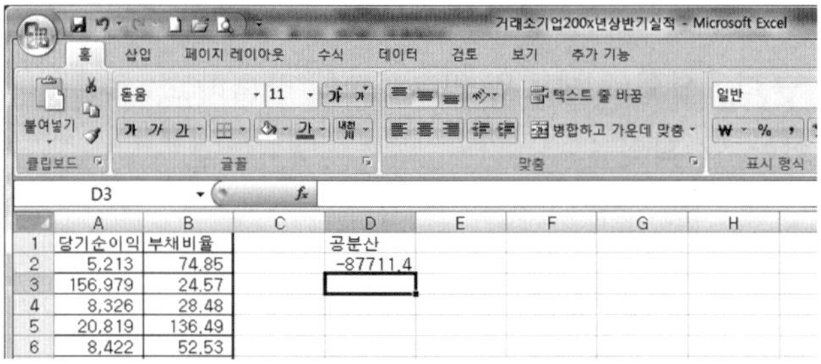

[그림 3.35] 엑셀 함수를 이용한 공분산 계산

공분산 결과를 해석하면 다음과 같다. 공분산(covariance)이 양수(＋)이면, 두 변수는 정(正, ＋)의 선형관계(비례관계)에 있고, 음수(−)이면, 두 변수는 부(負, −)의 선형관계(반비례관계)에 있으며, 공분산이 "0"에 가까우면, 두 변수 간에는 선형관계가 없음을 나타낸다.

공분산은 두 변수 간 선형관계의 유무 및 방향은 나타내 줄 수 있지만, 일반적으로 선형관계의 강도는 나타내 주지 못한다. (왜냐하면 자료의 측정단위를 변화시키면 동일한 자료라도 공분산의 크기가 달라지기 때문이다.) 이러한 공분산의 단점은 **상관계수(coefficient of correlation)**에 의해 극복될 수 있다.

(2) 상관계수

재무실적.xlsx를 열고 **data2** 시트를 선택한다. **데이터 분석 도구**에서 **상관 분석** 기능을 이용하여 당기순이익과 부채비율의 상관계수를 구하는 과정을 설명하면 다음과 같다.

① **데이터▶분석▶데이터 분석**을 누른다.
② **통계 데이터 분석** 대화상자가 [그림 3.36]과 같이 나타나면, 분석 도구 중에서 **상관 분석**을 선택하고 **확인** 버튼을 누른다.

[그림 3.36] 통계 데이터 분석 대화상자

③ [그림 3.37]과 같이 상관 분석 대화상자가 뜨면 **입력 범위**에 A1부터 B51까지를

[그림 3.37] 상관 분석 대화상자

끌기하여 입력한 후, **첫째 행 이름표 사용**을 선택하고, **새로운 워크시트**의 이름을 **상관분석**이라고 입력한 후 **확인**을 누른다.

그러면 [그림 3.38]과 같이 상관분석 시트에 당기순이익과 부채비율의 **상관계수 행렬**이 계산되어 나온다. 여기서 당기순이익과 부채비율의 상관계수는 "−0.02386"이다.(상관계수 행렬에서 공란은 동일한 상관계수 값이 생략되었음을 나타낸다.)

[그림 3.38] 상관계수 행렬

다음으로, 엑셀 함수를 이용하여 당기순이익과 부채비율 사이의 상관계수를 구하는 방법을 알아보자. data2 시트를 선택하여 들어가서 D4 셀에 **상관계수**라고 입력한다. 그리고 D5에 =CORREL(A2:A51,B2:B51)을 입력하고 [Enter]를 누른다. 그러면 [그림 3.39]와 같은 결과가 나타난다. 상관계수 결과는 **분석 도구**의 **상관 분석** 기능을 이용

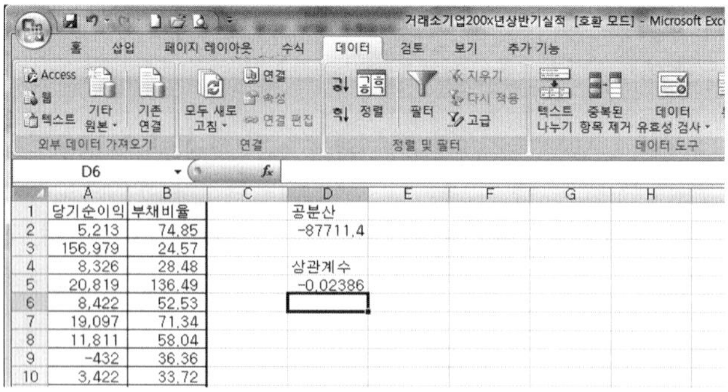

[그림 3.39] 엑셀 함수를 이용한 상관계수 계산

한 결과와 동일함을 알 수 있다.

상관계수(coefficient of correlaton)는 -1에서 $+1$ 사이의 값을 가지며, 상관계수의 값이 양수($+$)인 경우, 두 변수는 정(正, $+$)의 선형관계(비례의 관계)에 있고, 음수($-$)인 경우에는 부(負, $-$)의 선형관계(반비례의 관계)에 있으며, 상관계수의 값이 "0"에 가까운 경우에는 두 변수 간에는 선형관계가 없음을 나타낸다. 또한 상관계수의 절대값이 1에 가까울수록 선형관계의 강도는 세 짐을 의미한다.

두 변수 간에 선형관계의 강도가 세다는 것은 두 변수의 관계를 하나의 직선으로 보다 잘 표현할 수 있음을 나타낸다. 극단적인 예로 두 변수간의 선형관계가 $+1$이나 -1인 경우에는 두 변수의 관계를 각각 양의 기울기 또는 음의 기울기를 갖는 하나의 직선으로 완벽하게 표현할 수 있음을 나타낸다. 앞에서 배운 산점도를 이용하여 이를 표현하면 산점도 상의 점들이 일직선상에 존재함을 나타낸다.

제 **4** 장

통계적 추측

일반적으로 모집단의 크기가 클 경우 인구조사 등 특별한 경우를 제외하고는 모집단 전체를 직접 조사하는 것은 매우 드문 일이다. 대신 모집단을 잘 대표할 수 있는 표본을 추출하여 표본이 가지고 있는 정보를 우선 파악한 후, 이를 근거로 우리가 직접 조사는 하지 않았지만 원래 관심을 갖고 있었던 모집단의 특성을 추측한다. 이러한 행위를 **통계적 추측(statistical inference)**이라고 하는데, 통계적 추측이란 부분적인 정보(표본정보)를 근거로 전체(모집단)의 특성을 파악하기 때문에 추측 결과는 항상 오차를 수반하게 되며, 이러한 오차를 **표본오차(sampling error)**라고 한다. 통계학에서는 이러한 오차를 확률적으로 통제하게 된다.

통계적 추측에서 다룰 두 가지 중요한 주제는 **신뢰구간 추정(interval estimation)**과 **가설검정(hypothesis test)**이다. 신뢰구간 추정과 가설검정을 이해하기 위해서는 **표본분포**에 대한 지식이 반드시 필요하므로 독자들은 우선 표본분포에 대한 개념을 학습할 것을 권장한다. 신뢰구간의 추정과 가설검정은 표본분포에 이론적 기반을 두고 있기 때문이다.

신뢰구간 추정이란 우리가 관심을 갖는 **모수(population parameters)**가 실제로 존재하리라 생각하는 범위를 일정한 **신뢰도(level of confidence, 확신의 정도)**로 추정하는 것을 말한다. 예를 들어, 모집단평균(μ)의 95% 신뢰구간이 (100, 200)이라면, 이 범위 내에 실제 μ가 존재하리라 확신하는 정도가 95%이고, 이 범위 내에 실제 μ가 존재하지 않을 가능성도 5%임을 의미한다. 표본평균의 분포를 이용하면 미지의 모집단평균이 특정한 신뢰도로 어떠한 범위에 존재하는지를 추측할 수 있다.

가설검정은 두 개의 상호배반적인 가설(기본가설과 대립가설)을 설정하고, 이 중 현재의 상태(staus quo)를 나타내는 **기본가설**이 참이라는 가정 하에 **대립가설**이 주장하는 바가 표본조사를 통해 입증될 수 있는지를 검정하여, 두 가설 중 어느 가설이 통계적으로 타당한 지를 결정하는 기법이다.

표본분포

표본분포(sampling distribution)란 통계량(sample statistic)의 분포를 말하는 것으로, 표본평균($\overline{X}$)의 분포나 표본비율($\hat{p}$)의 분포를 예로 들 수 있다. 구체적으로, 표본평균의 분포는 표본평균이 취할 수 있는 값과 그 값을 취할 확률을 표나 그래프, 수식 등을 이용하여 일목요연하게 정리한 것을 말하고, 표본비율의 분포는 표본비율이 취할 수 있는 값과 그 값을 취할 확률을 표나 그래프, 수식 등을 이용하여 일목요연하게 정리한 것을 말한다. 그런데 학생들이 가장 혼란스러워하는 개념이 바로 표본분포이다. 그 이유는 모집단으로부터 표본을 추출하고, 이 표본으로부터 표본의 평균이나 표본의 비율을 계산하면 이는 하나의 값으로 나타나는데 어떻게 분포라는 개념이 적용될 수 있는가 하는 것이다. 이러한 의문은 다음의 예를 보면 쉽게 풀릴 수 있다.

① 표본분포의 개념

예제

항아리에 다섯 개의 공이 들어있다고 하자. 다섯 개의 공에는 각각 1, 3, 5, 7, 9라는 숫자가 적혀있다. 이제 이 다섯 개의 공을 모집단이라고 가정하고, 항아리에서 두 개의 공을 표본으로 추출하여 그 공에 적혀있는 숫자의 평균을 구해보자. 그리고 이 평균의 분포를 나타내 보자.

이 예제에서 항아리에서 추출된 두 개의 공은 표본이 되며, 표본의 크기(n)는 2가 된다. 이 경우, 표본의 평균은 항아리에서 어떤 공 2개를 표본으로 추출했느냐에 따라 달라질 것이다. 예를 들어, 표본으로 추출된 2개의 공에 적혀진 숫자가 1과 3이라면 그때의 표본평균은 2가 되고, 표본으로 추출된 2개의 공에 적힌 숫자가 3과 5라면 표본평균은 4가 된다. 이처럼 동일한 크기의 표본이라 할지라도 표본을 구성하는 개체가 무엇이냐에 따라 표본평균의 값은 달라지므로 표본평균은 여러 가지의 값을 가질 수 있는 **확률변수(random variable)**라고 말할 수 있으며, 따라서 표본평균의 분포가 존재하는 것이다.

위의 예에서, 표본을 추출하는 방법이 **비복원추출**(sampling without replacement)일 경우 우리가 취할 수 있는 표본의 종류와 그때의 표본평균($\overline{X}$)을 정리하면 〈표 4.1〉과 같다.

● 표 4.1 비복원추출일 경우의 표본과 표본평균

표본	표본평균($\overline{X}$)
(1,3)	2
(1,5)	3
(1,7)	4
(1,9)	5
(3,5)	4
(3,7)	5
(3,9)	6
(5,7)	6
(5,9)	7
(7,9)	8

〈표 4.1〉에서 크기가 2인 표본은 모두 10가지를 추출할 수 있으며, 모집단에서 각 표본을 추출할 확률은 0.1임을 알 수 있다. (〈표 4.1〉에서 표본 (1,3)과 표본(3,1), 표본(1,5)와 표본(5,1) 등은 동일한 표본으로 간주하였다.) 〈표 4.1〉에서 보듯이 모집단에서 크기가 2인 표본을 추출하였을 때 표본을 구성하는 개체가 무엇이냐에 따라 그 평균(표본평균)은 달라짐을 알 수 있다. 따라서 이 경우, 표본평균($\overline{X}$)은 확률변수가 되며, 〈표 4.2〉와 같이 표본평균의 분포를 나타낼 수 있다. 〈표 4.2〉는 표본평균이 취할 수 있는 값과 그 값을 취할 확률을 일목요연하게 정리해 놓고 있다. 여기서 $\overline{X}$는 확률변수를 나타내고, $p(\overline{x})$는 확률변수 $\overline{X}$가 특정한 값 $\overline{x}$를 취할 확률을 나타낸 것으로 $P(\overline{X}=\overline{x})$를 간단히 표시한 것이다.

표 4.2 표본평균의 분포

$\overline{X}$	$p(\overline{x})$
2	0.1
3	0.1
4	0.2
5	0.2
6	0.2
7	0.1
8	0.1

〈표 4.2〉를 보면 표본평균은 2부터 8까지 7가지의 값을 가지며, 각 값을 취할 확률은 〈표 4.1〉의 경우를 고려하여 계산한 것이다. 예를 들어, 표본평균이 4의 값을 가질 경우는 표본이 (1,7)이나 (3,5)가 추출될 경우이므로 표본평균이 4의 값을 가질 확률은 0.2가 된다.

이제 독자들은 표본분포의 개념이 어떻게 성립하는지를 살펴보았다.

② 복원추출과 비복원추출

모집단에서 크기가 n인 표본을 무작위 추출하는 경우를 생각해보자. 표본의 **무작위추출**(random sampling)이란 동일한 모집단으로부터 표본을 구성하는 개체를 하나씩 독립적으로 추출함을 의미한다. 이러한 표본을 **무작위표본**(random sample) 또는 **독립적이며 동일한 분포를 하는 표본**(independent and identically distributed sample 또는 간단히 *i.i.d.* sample)이라고 한다.

모집단으로부터 표본을 구성하는 개체를 하나씩 무작위로 추출할 때 두 가지 방법을 고려할 수 있다. 하나는 표본의 개체로 추출된 모집단의 기본단위를 다시 모집단에 되돌려 놓고 그 다음 개체를 추출하는 방법이 있는데 이를 **복원추출**(sampling with replacement)이라고 한다. 즉, 표본의 개체를 추출할 때 모집단의 크기는 항상 원래와 동일하다. 예를 들어, 앞에서 언급한 예제에서 복원추출을 이용하게 되면 (1,1), (3,3) 등과 같은 표본도 가능하다. 또한 복원추출을 이용할 경우, 모집단에서 추출되는 표본의 개체들은 독립성이 유지된다.

반면에 일단 표본으로 추출된 개체는 다시 모집단으로 되돌려 놓지 않고 표본을 추출하는 방법이 있는데, 이를 **비복원추출**(sampling without replacement)이라고 한다. 앞에서 언급한 예제의 표본추출방법을 말한다. 이 방법을 이용할 경우, 모집단의 크기는 표본의 개체가 하나씩 추출될 때마다 줄어들게 된다. 비복원추출의 경우에는 한번 표본의 개체로 추출된 모집단의 기본단위는 복원되지 않고 나머지 기본단위들로 구성된 모집단에서 표본의 개체가 추출되므로 표본으로 추출되는 표본의 개체들은 독립성이 유지되지 않음을 알 수 있다.

크기가 N인 모집단에서 복원추출에 의해 크기가 n인 표본을 추출할 경우, 가능한 표본의 가지 수는 N^n이고, 비복원추출에 의해 표본을 추출할 경우, 가능한 표본의 가지 수는 ${}_N C_n{}^{1)}$이다. 앞의 예제의 경우, $N=5$, $n=2$이므로 비복원추출의 경우, 표본의 가지 수는 ${}_5 C_2 = 10$개이고, 복원추출의 경우에는 $5^2 = 25$개가 된다.

③ 표본평균의 기대값과 분산

앞서 표본평균이 확률변수의 역할을 하고, 표본평균의 분포가 성립됨을 알았으니 이제, 표본평균의 평균(확률변수의 평균은 보통 확률변수의 기대값이라고 칭함)과 분산을 구해보자.

---

1) ${}_N C_n = \dfrac{N!}{(N-n)!\,n!}$ 이다. 여기서 $N!$은 N팩토리얼(factorial)이라고 읽고, $N! = N(N-1)(N-2)\cdots 2 \cdot 1$ 이다. 예를 들어, ${}_5 C_2 = \dfrac{5!}{(5-2)!\,2!} = \dfrac{5 \cdot 4 \cdot 3 \cdot 2 \cdot 1}{(3 \cdot 2 \cdot 1)(2 \cdot 1)} = 10$이다.

통계학에서 학습한 기대값의 법칙을 이용하여 〈표 4.2〉의 표본분포에 대한 $\overline{X}$의 평균($E\overline{X}$, $E(\overline{X})$, 또는 $\mu_{\overline{X}}$로 표기)을 구하면 다음과 같다.

$$E(\overline{X}) = \mu_{\overline{X}}$$
$$= 2(0.1) + 3(0.1) + 4(0.2) + 5(0.2) + 6(0.2) + 7(0.1) + 8(0.1) = 5$$

또한 $\overline{X}$의 분산($Var(\overline{X})$ 또는 $\sigma_{\overline{X}}^2$로 표기)은 다음과 같다.

$$Var(\overline{X}) = \sigma_{\overline{X}}^2 = E(X^2) - (EX)^2$$
$$= 2^2(0.1) + 3^2(0.1) + 4^2(0.2) + 5^2(0.2) + 6^2(0.2) +$$
$$7^2(0.1) + 8^2(0.1) - 5^2 = 3$$

위의 결과를 표본크기가 n인 표본평균의 경우로 일반화시켜 보자. 크기가 n인 표본평균의 기대값은 다음과 같이 표현할 수 있다.

$$E(\overline{X}) = E\left(\frac{X_1 + X_2 + \cdots + X_n}{n}\right)$$

여기서 n은 표본의 크기, $X_j(j = 1, 2, \cdots, n)$는 표본에 포함된 개체를 나타낸다.

또한 모든 X_j는 동일한 모집단에서 무작위로 추출되었으므로, 표본이 추출된 모집단의 평균이 μ, 분산이 σ^2이라면 $E(X_j) = \mu$, $Var(X_j) = \sigma^2$이다.

따라서 표본평균의 기대값은 다음과 같이 표현된다.

$$E(\overline{X}) = E\left(\frac{X_1 + X_2 + \cdots + X_n}{n}\right)$$
$$= \frac{1}{n}[EX_1 + EX_2 + \cdots + EX_n]$$
$$= \frac{1}{n}(n\mu) = \mu$$

또한 표본평균의 분산은 다음과 같다.

$$Var(\overline{X})=Var\left(\frac{X_1+X_2+\cdots+X_n}{n}\right)$$

$$=\frac{1}{n^2}[Var(X_1)+Var(X_2)+\cdots+Var(X_n)]$$

(여기서 표본추출방법은 복원추출을 가정하여 표본의 구성개체인 X_i는 모두 독립이라고 가정하자.)

$$=\frac{1}{n^2}(n\sigma^2)=\frac{\sigma^2}{n}$$

따라서 위의 결과로부터 우리는 표본평균의 기대값(평균)은 모평균과 같고, 표본평균의 분산은 모분산을 표본의 크기로 나눈 값과 같음을 알 수 있다.

> **Tip**
>
> 비복원추출일 경우, $Var(\overline{X})=Var\left(\frac{N-n}{N-1}\right)\frac{\sigma^2}{n}$이 되어, 복원추출일 경우보다 그 값이 조금 작게 나온다. 그러나 모집단의 크기(N)가 표본크기(n)보다 무척 큰 경우, 유한모집단 수정계수(finite population correction factor)라고 불리우는 $\left(\frac{N-n}{N-1}\right)$은 1에 가깝게 되어, 비복원추출의 경우에도 $Var(\overline{X})=\frac{\sigma^2}{n}$로 근사화 시킬 수 있다. 실제로 표본의 크기는 모집단의 크기보다 무척 작은것이 일반적이므로 앞으로 $E(\overline{X})=\mu$, $Var(\overline{X})=\frac{\sigma^2}{n}$으로 말해도 무방하다.
>
> 예를 들어, 앞의 예제에서 $N=5$, $n=2$, $\mu=5$, $\sigma^2=8$이므로
>
> $Var(\overline{X})=\left(\frac{N-n}{N-1}\right)\frac{\sigma^2}{n}=\left(\frac{5-2}{5-1}\right)\frac{8}{2}=3$으로 계산되어 앞서 우리가 표본평균의 분포를 이용하여 구한 값과 일치함을 알 수 있다.

④ 표본평균의 분포

앞서 우리는 표본평균($\overline{X}$)의 평균(기대값)은 모평균(μ)와 같고, 표본평균의 분산은 $\dfrac{\sigma^2}{n}$임을 알았다. 이제 이러한 평균과 분산을 갖는 표본평균이 어떠한 분포를 따르는지 알 수 있다면 우리는 표본평균이 취할 수 있는 값이 특정 범위에 존재할 확률은 어느 정도인지 구체적으로 파악할 수 있을 것이다.

표본이 추출된 모집단이 정규분포를 한다면, 표본평균의 분포는 당연히 정규분포를 할 것이다. 그러나 모집단이 정규분포를 하지 않더라도 표본의 크기가 충분히 클 경우, **중심극한정리**(The Central Limit Theorem)라는 통계학의 중요한 정리에 의해 표본평균은 정규분포에 근사하게 된다.

즉, 표본의 크기(n)가 충분히 클 경우, $\overline{X} \sim N\!\left(\mu,\ \dfrac{\sigma^2}{n}\right)$이라고 표현할 수 있으며, 이 분포는 [그림 4.1]과 같이 나타낼 수 있다. [그림 4.1]은 표본평균이 모평균을 중심으로 좌우로 $1.96\dfrac{\sigma}{\sqrt{n}}$ 범위 내에 값을 취할 확률이 95%임을 나타내고 있는데, 이는 표준정규변수 Z가 ±1.96 범위 내에 값을 취할 확률과 동일하다.

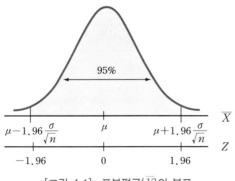

[그림 4.1] 표본평균($\overline{X}$)의 분포

> **Tip** 충분히 큰 표본의 크기
>
> 중심극한정리가 성립하기 위한 기본 가정은 표본의 크기(n)가 충분히 크다는 것이다. 일반적으로, 표본평균의 분포가 정규분포에 근사하기 위해서는 보통 n이 30이상이라는 경험적인 가이드라인을 제시하고 있다. 그러나 충분히 큰 표본의 크기란 표본이 추출된 모집단의 분포가 정규분포와 얼마나 흡사한가에 달려있다. 만일 모집단의 분포가 정규분포와 유사한 모습을 보인다면 n이 30보다 작아도 표본평균의 분포는 정규분포와 흡사한 형태를 보이게 된다. 하지만 모집단의 분포가 정규분포와 크게 다른 모습을 보인다면, n이 30일 경우에도 표본평균의 분포는 정규분포에 근사하지 않게 된다.

⑤ 대수의 법칙

대수의 법칙(law of large numbers)이란 표본의 크기가 크면 클수록 표본의 평균은 모집단 평균에 수렴한다는 것이다. 극단적으로 모집단 자체를 표본으로 삼게 되면 표본의 평균은 모평균과같게 된다. 다른 말로 표현하면, $E(\overline{X})=\mu$, $Var(\overline{X})=\dfrac{\sigma^2}{n}$이므로 n의 값이 증가하면, $Var(\overline{X})$는 작아지게 되어 $\overline{X}$가 취할 수 있는 값이 모평균(μ) 주위에 오밀조밀하게 분포하게 되는 것이다. 따라서 표본의 크기가 크면 클수록 표본평균이 모평균에 수렴할 확률이 1에 접근한다. 대수의 법칙은 무작위 표본(random sample)을 통하여 모집단의 특성을 추측할 수 있는 정당성을 제공해 주는 중요한 법칙으로, 표본의 크기가 크면 클수록 표본이 제공하는 정보는 위험이 작아지고, 따라서 표본의 결과로 모집단 특성을 보다 정확히 추정할 수 있다는 것이다.

⑥ 중심극한정리

X_1, X_2, $\cdots$, X_n을 동일한 분포를 하는 n개의 독립적인 확률변수라 하자. 여기서, $E(X_j)=\mu$, $Var(X_j)=\sigma^2$으로 표기하자. **중심극한정리**(The Central Limit Theorem)란 이러한 n개의 독립적이고 동일한 분포를 하는($i.i.d.$) 확률변수의 합은 n이 충분히 클 경우, 평균이 $n\mu$이고, 분산이 $n\sigma^2$인 정규분포에 근사한다는 것이다.

중심극한정리를 설명하기 위해 동일한 분포를 하는 n개의 독립적인 확률변수의 합을 W라고 하자. 즉, $W = X_1 + X_2 + \cdots + X_n$이라 하자.

만일 n이 충분히 크다면, 중심극한정리에 따라 $W \sim N(n\mu,\ n\sigma^2)$이다. 여기서 $E(W) = E(X_1 + X_2 + \cdots + X_n) = EX_1 + EX_2 + \cdots + EX_n = n\mu$이고, n개의 독립적인 확률변수들의 합의 분산은 개별 확률변수의 분산을 합한 것과 같으므로 $Var(W) = Var(X_1 + X_2 + \cdots + X_n) = Var(X_1) + Var(X_2) + \cdots + Var(X_n) = n\sigma^2$이다.

따라서 이 정리를 표본평균 ($\overline{X}$)의 경우에 적용하면 다음과 같다.

$$\overline{X} = \frac{X_1 + X_2 + \cdots + X_n}{n} \qquad\qquad \cdots\cdots\cdots ①$$

여기서 X_j는 동일한 모집단(평균 μ, 분산 σ^2)에서 무작위로 추출된 표본의 개체로 $E(X_j) = \mu$, $Var(X_j) = \sigma^2$이 된다.

그리고 중심극한정리에 의해 식 ①의 우변항의 분자는 n이 충분히 클 경우, 평균이 $n\mu$이고, 분산이 $n\sigma^2$인 정규분포를 따른다고 할 수 있다.

따라서 $\overline{X}$는 표본의 크기 n이 충분히 클 경우, 평균이 μ이고 분산이 $\dfrac{\sigma^2}{n}$인 정규분포를 따른다. 즉, $\overline{X} \sim N\left(\mu,\ \dfrac{\sigma^2}{n}\right)$이다.

Tip

$$E(\overline{X}) = E\left(\frac{X_1 + X_2 + \cdots + X_n}{n}\right)$$

$$= \frac{1}{n}[EX_1 + EX_2 + \cdots + EX_n] = \frac{1}{n}n\mu = \mu$$

$$Var(\overline{X}) = Var\left(\frac{X_1 + X_2 + \cdots + X_n}{n}\right)$$

$$= \frac{1}{n^2}[Var(X_1) + Var(X_2) + \cdots + Var(X_n)]$$

$$= \frac{1}{n^2}n\sigma^2 = \frac{\sigma^2}{n}$$

신뢰구간 추정

여러분은 정규분포를 따르는 확률변수 값의 95%는 (평균±1.96σ) 범위 내에 있으며, 표본평균이 정규분포를 할 경우, 크기가 n인 표본평균이 취할 수 있는 값의 약 95%는 (모평균 $\pm 1.96\dfrac{\sigma}{\sqrt{n}}$) 범위 내에 존재한다는 것을 알고 있다. 이러한 정보는 우리가 모평균의 **신뢰구간**(confidence interval)을 추정하는데 유용하게 이용된다. 예를 들어, 모평균(μ)의 95% 신뢰구간 추정이란 표본평균을 이용하여 모평균이 존재하리라 95% 확신하는 범위를 추정한 것을 말한다. 따라서 이 범위에 모평균의 실제 값이 존재할 가능성은 95%이고, 그렇지 않을 가능성도 5%는 됨을 의미한다.

① 신뢰구간의 이해

모평균의 신뢰구간은 표본평균의 분포로부터 구해진다. 만일 표본평균 $\overline{X}$가 정규분포를 따른다고 가정하자. 그러면 다음이 성립한다.

$$P\left(\mu - 1.96\frac{\sigma}{\sqrt{n}} \leq \overline{X} \leq \mu + 1.96\frac{\sigma}{\sqrt{n}}\right) = 0.95 \qquad \cdots\cdots\cdots ①$$

여기서, μ는 모평균, σ는 모표준편차를 나타낸다. 즉, 식 ①은 표본평균 $\overline{X}$가 모평균을 중심으로 $\pm 1.96\dfrac{\sigma}{\sqrt{n}}$ 범위 내에 값을 취할 확률은 95%라는 것이다.

이제 식 ①을 μ를 기준으로 정리하면 다음과 같은 식을 얻을 수 있다.

$$P\left(\overline{X} - 1.96\frac{\sigma}{\sqrt{n}} \leq \mu \leq \overline{X} + 1.96\frac{\sigma}{\sqrt{n}}\right) = 0.95 \qquad \cdots\cdots\cdots ②$$

식 ②는 모평균 μ가 표본평균 $\overline{X}$를 중심으로 $\pm 1.96\dfrac{\sigma}{\sqrt{n}}$ 범위 내에 존재할 가능성이

95%임을 의미한다. 즉, 식 ②의 괄호 안의 식이 바로 모평균에 대한 95% 신뢰구간을
나타낸다.

따라서 모평균의 95% 신뢰구간을 식으로 표현하면 다음과 같다.

$$\left(\overline{X} - 1.96 \frac{\sigma}{\sqrt{n}}, \ \overline{X} + 1.96 \frac{\sigma}{\sqrt{n}} \right)$$

일반적으로 $100(1-\alpha)$% 신뢰구간의 표현방법은 다음과 같다.

$$\left(\overline{X} - Z_{\alpha/2} \frac{\sigma}{\sqrt{n}}, \ \overline{X} + Z_{\alpha/2} \frac{\sigma}{\sqrt{n}} \right)$$

여기서 α는 **유의수준**(level of significance)이라고 하는데, 신뢰수준 $(1-\alpha)$와 유의수
준 α는 합하면 1이 되는 보합관계에 있음을 알 수 있다. 신뢰수준 앞에 100을 곱한 것
은 신뢰수준을 %로 나타내기 위함이다.

위 식으로부터 모평균의 신뢰구간은 **모평균의 점추정량**(point estimator) $\overline{X}$를 중심
으로 좌우로 $Z_{\alpha/2} \dfrac{\sigma}{\sqrt{n}}$ 만큼 떨어진 하한값과 상한값을 가지며, 이 신뢰구간이 모평균을
포함할 가능성은 $100(1-\alpha)$%가 된다. 여기서 $Z_{\alpha/2} \dfrac{\sigma}{\sqrt{n}}$를 **표본오차**(sampling error)라고
한다.

위의 신뢰구간 식은 표본평균 $\overline{X}$가 모평균(μ)을 중심으로 표준편차가 $\sigma/\sqrt{n}$인 정규
분포를 따른다는 사실로부터 유도된 것이다. 그리고 표본평균이 정규분포를 따른다는
사실은 앞서 표본분포에서 설명한 것처럼 표본의 크기 n이 충분히 클 경우, 중심극한
정리(The Central Limit Theorem)에 의한 것이다.

이제 [그림 4.2]의 $\overline{x_1}$처럼 만일 우리가 취한 표본의 평균이 $(\mu \pm 1.96\sigma/\sqrt{n})$ 범위 내
에 존재하게 되면(해당 확률은 95%), 이 표본평균을 이용해서 신뢰구간을 구할 경우, 이
신뢰구간은 미지의 모평균(μ)을 포함함을 알 수 있다. 그러나 불행하게도 우리가 취한

표본의 평균이 $\bar{x}_2$ 또는 $\bar{x}_3$ 처럼 $(\mu \pm 1.96 \dfrac{\sigma}{\sqrt{n}})$ 범위 밖에 존재하게 되면, 이 표본평균을 이용하여 구한 신뢰구간은 미지의 모평균을 포함하지 않게 된다.

그런데 우리는 모집단에서 하나의 표본을 취하고, 그 표본의 평균을 이용하여 신뢰구간을 구하게 되므로, 우리가 구한 신뢰구간이 미지의 모평균(μ)을 포함할 확률은 95%가 된다. 따라서 해당 신뢰구간을 95% 신뢰구간이라고 부르는 것이다.

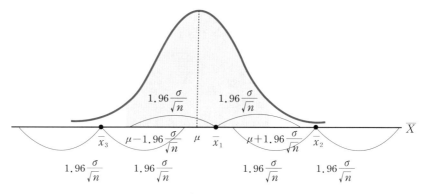

[그림 4.2] 다양한 표본평균에 대한 모평균 μ의 신뢰구간

[그림 4.3]은 신뢰수준이 $100(1-\alpha)$%인 신뢰구간의 폭을 보여주고 있다. 신뢰수준은 보통 90%, 95%, 99%를 많이 이용하는데, 각각의 경우, Z값은 1.645, 1.96, 2.58이 된다. 즉, 신뢰수준이 커질수록 신뢰구간의 폭은 넓어짐을 알 수 있다.

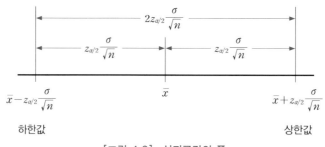

[그림 4.3] 신뢰구간의 폭

신뢰구간 폭의 반은 **표본오차(sampling error)**라고 한다. 표본오차란 우리가 모집단

전체를 조사하지 않고, 표본조사를 통하여 모집단의 특성을 추정하는 과정에서 발생하는 오차로 표본의 크기(n)가 커짐에 따라 줄어든다. 즉, 표본의 크기가 커짐에 따라 표본의 결과는 모집단의 특성을 보다 잘 반영하게 되므로 표본정보를 이용하여 모집단의 특성을 추정할 때 발생하는 판단착오의 위험을 줄일 수 있다는 것이다. 극단적으로 전수조사(모집단 전체를 조사하는 것)를 하게 되면 표본의 정보는 바로 모집단의 정보가 됨으로 표본오차는 사라지게 된다.

Tip 신뢰구간의 정밀도

일반적으로 신뢰구간의 폭은 좁은 것이 정보로서의 가치가 있다. 이를 신뢰구간의 정밀도(precision)라고 하는데, 신뢰구간의 정밀도를 높이기 위해서는, 즉, 신뢰구간의 폭을 줄이기 위해서는 표본의 크기를 증가시키거나 신뢰수준을 낮추는 방법이 있다. 그러나 신뢰수준을 낮추어 신뢰구간의 폭을 줄이게 되면 해당 신뢰구간 내에 모수의 값이 존재하리라는 확신이 그만큼 떨어지게 되어 이 방법은 바람직한 방법이 아니다. 따라서 표본의 크기를 증가시켜 신뢰구간의 폭을 줄이게 되는데, 표본의 크기를 늘리는 것은 시간과 비용의 상승을 의미하므로 적절한 신뢰수준 하에서 원하는 신뢰구간 폭을 얻기 위한 표본크기의 결정이 필요하다.

또한 신뢰구간을 구하는 식을 보면 표본오차는 신뢰수준을 감소시킴에 따라(또는 유

Tip 표본크기의 결정

특정 신뢰수준 하에서 모평균의 신뢰구간 폭을 2A 이내로 하기 위해서 표본의 크기는 어느 정도로 해야 하는가? 이 질문은 신뢰수준 $(1-\alpha)$ 하에서 표본오차의 크기를 A 이내로 하자는 말과 같으므로 $Z_{\frac{\alpha}{2}}\dfrac{\sigma}{\sqrt{n}} \leq A$ 로 표현할 수 있다. 따라서 $n \geq \left(\dfrac{Z_{\frac{\alpha}{2}} \cdot \sigma}{A}\right)^2$ 을 만족시키는 n의 값을 구하면 된다. 여기서 A를 **최대허용오차**(maximum probable error)라고 하며, 이는 표본오차의 허용 한도를 나타낸다. 예를 들어, 95% 신뢰수준에서 모평균의 신뢰구간 폭을 100 이내로 하기 위해 필요한 표본 크기를 구해보자. 과거의 경험 또는 수집한 자료로부터 모표준편차(σ)는 300으로 추정될 수 있다면, $n \geq \left(\dfrac{1.96 \cdot 300}{50}\right)^2 = 138.3$ 이 된다. 따라서 신뢰구간 폭을 100 이내로 하기 위해서 표본의 크기는 적어도 139가 되어야 한다.

의수준을 증가시킴에 따라) 줄어드는 것을 알 수 있다. 그러나 신뢰구간의 폭을 줄이기 위해 신뢰수준을 과도하게 낮게 설정하는 것은 바람직하지 않다. 왜냐하면 그 범위 내에 미지의 모수 값이 존재할 가능성이 그만큼 낮아지기 때문이다. 일반적으로 신뢰수준은 90% 이상으로 설정한다.

Tip 엑셀을 이용하여 $Z_{\alpha/2}$값을 계산하기 위해서는 함수 NORMSINV(x)를 사용한다. NORMSINV(x) 함수는 표준정규분포에서 왼쪽 면적이 x가 되는 Z값을 계산해주는 함수로, x는 0에서 1의 값을 가진다. 예를 들어, $\alpha=0.05$일 경우 NORMSINV($\alpha/2$)= NORMSINV(0.025)$=-1.96$이 되며, NORMSINV($1-\alpha/2$)=NORMSINV(0.975) $=1.96$이 된다. 따라서 엑셀을 이용하여 $Z_{\alpha/2}$를 계산하기 위해서는 NORMSINV($1-\alpha/2$)를 사용한다.

신뢰구간 식에서 $Z_{\alpha/2}$값은 표준정규분포에 근거한 값으로, 표준정규분포를 따르는 확률변수 X에 대해 $X \leq -Z_{\alpha/2}$ 또는 $X \geq Z_{\alpha/2}$를 만족하는 확률은 $\alpha/2$와 같다. 즉, 표준정규분포의 $\alpha/2$는 점 $-Z_{\alpha/2}$의 왼쪽 면적 또는 점 $Z_{\alpha/2}$의 오른쪽 면적에 해당한다. 예를 들어, 95% 신뢰구간에서 $\alpha=0.05$, $\alpha/2=0.025$, 그리고 $Z_{0.025}=1.96$이 된다.

② 신뢰구간의 추정방법

엑셀을 이용하여 모평균에 대한 신뢰구간을 추정하는 과정을 다음 예제를 이용하여 학습해보자.

예제

어떤 공장에서 생산하는 전구의 평균수명(μ)을 추정해보자. 과거의 경험에 의하면, 전구의 수명은 정규분포를 따르고, 전구수명의 모표준편차(σ)는 1,000시간이라고 한다. 생산한 모든 전구의 수명을 다 조사하여 평균수명을 구할 수는 없으므로(파괴실험의 예로서 만일 이렇게 한다면 시장에 내다 팔 전구는 없게 됨), 생산된 전구 중 50개의 전구만 표본으로 추출하여 수명을 조사하였다. 그 결과 표본평균($\overline{X}$)은 5,500시간으로 나타났다. 전구 평균수명의 90% 신뢰구간을 구해보자.

모집단(생산한 모든 전구)의 평균수명에 대한 90% 신뢰구간을 엑셀을 이용하여 추정하기 위해서는 다음과 같은 과정을 따른다.

① 엑셀을 실행시키고, 새로운 통합문서를 연다.

② 셀 A1에 **평균**이라고 입력하고 [Tab]키를 누른다.

③ 셀 B1에 **표준오차**라고 입력하고 [Tab]키를 누른다.

④ 셀 C1에 **하한값**이라고 입력하고, 셀 D1에 **상한값**이라고 입력한다.

⑤ 셀 A2를 선택하고 5500을 입력한다. 여기서, 5500은 표본평균이다.

⑥ 셀 B2를 선택하고 =1000/SQRT(50)이라고 입력한다. [Enter]키를 누른다.

⑥은 표본평균의 표준편차($\frac{\sigma}{\sqrt{n}}$)를 계산하는 식으로, 표본평균의 표준편차는 보통 **평균의 표준오차**(standard error of the mean)라고 부른다. 이제 신뢰구간을 추정하기 위해 필요한 수치들이 모두 계산되었다.

앞서 언급했듯이 엑셀의 NORMSINV(x) 함수를 이용하면 $Z_{\alpha/2}$의 값을 계산할 수 있다. 위의 예에서 모평균의 90% 신뢰구간을 추정하고자 하므로 $\alpha = 0.1$이다. 따라서 표준정규분포에서 왼쪽 꼬리면적 또는 오른쪽 꼬리면적이 $\alpha/2$가 되는 Z값은 NORMSINV(0.95)를 이용하면 1.645로 계산된다. 즉, $Z_{\alpha/2} = 1.645$이다.

⑦ 셀 C2와 D2에 각각 =A2−NORMSINV(0.95)*B2, =A2+NORMSINV(0.95)*B2을 입력한다. 엑셀은 [그림 4.4]와 같이 셀 C2와 D2에 (5267.383, 5732.617)이라는 전구 평균수명의 90% 신뢰구간을 계산해 준다.

	A	B	C	D	E	F
1	평균	표준오차	최저값	최고값		
2	5500	141.4214	5267.383	5732.617		
3						
4						

[그림 4.4] 전구의 평균수명에 대한 신뢰구간 계산

Tip 엑셀을 이용하여 모평균의 신뢰구간을 구하는 대안적 방법은 두 가지가 있다.
1. CONFIDENCE 함수를 이용하는 것이다. CONFIDENCE(alpha, standard_dev, n)는 $Z_{\alpha/2}\dfrac{\sigma}{\sqrt{n}}$를 계산해 주는 함수로 위의 절차 ⑦에서 NORMSINV(1-α/2)*B2를 계산해 준다. 함수에서 alpha는 유의수준 α를 나타내고, standard_dev는 σ, 그리고 n은 표본의 크기를 나타낸다.
2. 엑셀의 데이터 분석 도구 중 **기술통계법**을 이용하는 것이다. 50개의 전구수명을 표본자료로 하여 요약통계량을 구하면(이 경우, 기술통계법 대화상자에서 원하는 신뢰수준을 설정) 마지막 행에 신뢰수준이라는 이름으로 값이 나오게 되는데, 이 값이 표본오차(정확히는 추정된 표본오차)를 나타낸다. 이 값은 위의 절차 ⑦에서 NORMSINV(1-α/2)*B2를 계산한 값이다. 이 경우에는 모표준편차(σ)를 모른다는 가정 하에 표본의 표준편차를 대신 사용하여 계산된 표본오차이다. 따라서 이를 추정된 표본오차라고 한다.

③ 신뢰구간의 해석

신뢰구간이 의미하는 바를 정확히 이해하는 것은 매우 중요하다. 위의 예에서 전구의 평균수명에 대한 90% 신뢰구간은 (5,267시간, 5,733시간)으로 계산되었다. 이것이 의미하는 바는 미지의 모평균 μ가 이 구간에 존재할 가능성이 90%이고, 이 구간에 존재하지 않을 가능성도 10%는 된다는 것이다. 신뢰수준의 의미는 만약 우리가 50개의 전구를 계속 표본으로 추출하고 매번 추출한 표본의 평균을 중심으로 신뢰구간을 구하면 이 구간들 중 90%는 미지의 모평균 μ를 포함하고 나머지 10%는 포함하지 않는다는 의미이다. 그러나 우리는 표본을 하나만 추출하여 신뢰구간을 구하므로 그 구간이 모평균을 포함할 가능성은 90%가 되고, 이러한 구간을 90% 신뢰구간이라고 하는 것이다.

즉, 어느 특정 표본을 이용하여 모평균에 대한 신뢰구간을 구했을 때 이 구간이 모평균을 포함하는 90% 구간들 중의 하나인지 또는 그렇지 않은 10% 구간들 중의 하나인지는 모든 전구를 조사하지 않고서는 알 수 없기 때문에, 단지 90%의 확신을 가지고 구간 (5,267시간, 5,733시간)이 모평균을 포함한다고 이야기하는 것이다. 여기서 신뢰구간이 모평균을 포함하지 않을 가능성 10%는 위험부담을 나타내는 수치로 유의수준(α)이라고 한다.

④ 엑셀을 이용한 신뢰구간의 추정

엑셀을 이용하여 모평균에 대한 $100(1-\alpha)$% 신뢰구간을 계산하는 방법을 요약하면 다음과 같다.

(1) σ가 알려졌을 때 모평균에 대한 신뢰구간을 구하는 방법

▶ 모집단이 정규분포를 따르거나 또는 정규분포를 하지 않더라도 표본의 크기가 충분히 클 경우(일반적으로, $n \geq 30$)에는 중심극한정리에 의해 표본평균이 정규분포를 따르므로 $100(1-\alpha)$% 신뢰구간을 구하기 위해 $Z_{\alpha/2}$를 계산한다. 이를 계산하기 위해 NORMSINV$(1-\alpha/2)$ 함수를 이용한다.

▶ 평균의 표준오차는 $\sigma/\sqrt{n}$인데(σ는 과거의 경험에 의해 알려져 있다고 가정), 표본의 크기가 n일 때 $\sqrt{n}$을 계산하기 위해 SQRT(n) 함수(또는 $n{\wedge}0.5$)를 이용한다.

▶ 표본평균은 $\overline{X}$로 표현하는데, 이를 계산하기 위해 AVERAGE(range) 함수를 이용한다. 여기서, range는 A1:A10과 같은 표본으로 삼은 데이터의 범위를 가리킨다.

▶ $100(1-\alpha)$% 신뢰구간은 AVERAGE(range)$\pm$NORMSINV$(1-\alpha/2)$*σ/SQRT(n) 식을 이용하거나 또는 AVERAGE(range)$\pm$CONFIDENCE(α, σ, n)을 이용하여 구한다.

(2) σ가 알려지지 않았을 때 모평균에 대한 신뢰구간을 구하는 방법

▶ 모평균을 모를 경우에는 모표준편차(σ)도 모르는 것이 일반적이다.

▶ 이 경우, 표본의 크기가 클 경우에는(일반적으로, $n \geq 30$) 표본의 표준편차(s)가 모표준편차(σ)를 잘 대변할 수 있다고 가정하고 σ대신 s를 사용한다. 또한 이 경우, 중심극한정리에 의해 표본평균은 정규분포를 따른다고 볼 수 있으므로 $100(1-\alpha)$% 신뢰구간을 구하기 위해 $Z_{\alpha/2}$를 계산한다. 이를 계산하기 위해 NORMSINV$(1-\alpha/2)$ 함수를 이용한다.

▶ 만일 모표준편차를 모르고 표본의 크기도 작을 경우에는 모집단이 정규분포를 한다는 가정 하에 t분포를 이용하게 되며, 엑셀에서는 TINV(probability, deg_freedom) 함수를 이용한다. 여기서 probability는 유의수준 α를 나타내며, deg_freedom은 자유도를 나타내는 것으로, 이 경우 자유도는 (표본크기-1), 즉, $(n-1)$이다. TINV(probability, deg_freedom) 함수는 해낭 자유노에서 $t_{\alpha/2}$값을 계산해 주는 함수이다. 따라서 $100(1-\alpha)\%$ 신뢰구간은 AVERAGE(range)$\pm$ TINV(α, $n-1$)*s/SQRT(n)로 계산된다.

> **Tip** 모표준편차를 몰라 표본의 표준편차를 사용할 경우, 표본의 크기가 충분히 크더라도 t분포를 이용하여 신뢰구간을 추정하는 것이 바람직하다. 그러나 t분포는 표본의 크기가 증가함에 따라 Z분포(표준정규분포)에 근사함으로 표본의 크기가 클 경우에는 신뢰구간 계산에서 TINV(α, $n-1$)대신에 $Z_{\alpha/2}$를 사용해도 그 결과에는 큰 차이가 없다

제 3 절 가설검정

제2절에서는 모수의 값을 모를 경우 표본정보를 이용하여 모수의 실제 값이 어떤 범위에 있을 것이라고 짐작하는 추정 문제를 모평균에 대한 신뢰구간 추정을 중심으로 다루었다. 본 절에서는 모수의 실제 값이 얼마일 것이라고 가정한 후 표본정보를 이용하여 그 가정이 합당한지의 여부를 판단하는 가설검정에 대해 학습한다.

① 가설검정의 이해

가설검정은 두 가지 상호배반적인 가설, 즉, **기본가설(H_0)**과 **대립가설(H_1)** 중 어느 가설이 타당한지를 표본정보를 이용하여 판단하는 통계적 추측 방법으로, 두 가설 중 하나를 채택하게 된다. 여기서 기본가설은 현재의 상태(status quo)나 이론(current theory)을 나타내는 것이고, 대립가설은 새로운 이론(new theory)이나 연구대상 (research problem)을 나타내는 것으로 이해하면 된다.[2]

---

2) 기본가설(null hypothesis)은 귀무가설이라고도 하며, 대립가설(alternative hypothesis)는 연구가설(research hypothesis)라고도 한다.

가설검정에서는 새로이 주장하는 바를 대립가설로 설정하며 검정의 대상으로 삼는다. 즉, 표본정보가 대립가설을 입증할만한 충분한 증거가 되면 대립가설을 받아들이고(기본가설을 기각하고), 대립가설을 받아들일만한 충분한 증거가 없으면 현재의 상태인 기본가설을 받아들이는(대립가설을 기각하는) **의사결정규칙**을 갖고 있다. 여기서 한 가지 주의해야 할 사항은 기본가설을 받아들인다는 것은 기본가설이 참(true)이어서 받아들이기 보다는 대립가설을 입증할만한 충분한 증거가 없기 때문에 기본가설을 기각하지 못하고 현재의 상태를 받아들이는 것으로 이해해야 한다는 것이다. 따라서 "기본가설을 받아들인다(accept H_0)"라는 표현보다는 "기본가설을 기각할 수 없다(cannot reject H_0)"라는 표현이 보다 적절하다.

가설검정을 이해하기 위해 다음의 예제를 고려해 보자.

> **예제**
>
> 21세기 전기(주)는 공업용 특수 전선을 제조하는 회사이다. 이 회사에서는 5년 전 자동화 기계를 도입하여 제조된 전선을 50미터씩 하나의 스풀(spool)에 감아 창고에 보관하고 이를 스풀 단위로 도매상에 공급하고 있다. 이 회사 경영진은 5년 전에 도입한 이 기계가 과연 제대로 작동하고 있는지를 확인하고자 한다. 자동화 기계는 제조된 전선을 50미터씩 감도록 되어 있다. 그러나 자동화 기계라 할지라도 하나의 스풀에 감겨지는 전선의 길이에는 편차가 있게 마련이다. 과거 5년 동안의 기록을 볼 때 스풀에 감겨지는 전선의 길이는 개략적으로 표준편차가 10미터인 정규분포를 따른다고 한다. 기계가 제대로 작동하지 않을 경우에는 회사나 고객 모두에게 손실이 돌아간다. 즉, 스풀에 감겨지는 전선의 길이가 너무 길면 이는 회사 입장에서 손실이 될 것이며, 스풀에 감겨지는 전선의 길이가 너무 짧으면 이는 고객에게 손실이 될 것이다. 따라서 이 회사에서는 이 기계가 아직 제대로 작동하고 있는 지를 확인하기 위해 창고에서 25개의 스풀을 무작위로 추출하고, 스풀에 감겨 있는 전선의 길이를 검사한 결과 평균 47미터임을 알았다. 유의수준 $\alpha=0.05$로 하여 이 기계가 제대로 작동하는지, 즉 이 기계가 하나의 스풀에 감는 전선의 길이가 평균 50미터인지를 검정하라.

가설검정에서는 위의 내용을 다음과 같이 두 가지 가설로 기술하고 어느 가설을 채택할 것인지를 결정하게 된다. 특별한 증거가 없는 한 현재 기계는 제대로 작동한다는 것이 기본가설이다.

H_0: 자동화 기계는 제대로 작동한다.

H_1: 자동화 기계는 제대로 작동하지 않는다.

위의 가설을 보다 구체적으로 기술하면,

H_0: 스풀에 감겨지는 전선의 길이는 평균 50미터이다.

H_1: 스풀에 감겨지는 전선의 길이는 평균 50미터가 아니다.

즉,

H_0: $\mu = 50$

H_1: $\mu \neq 50$

② 가설검정의 기초

앞서 언급한 바와 같이 가설검정에서 여러분들은 대립가설을 지지하는 충분한 증거가 없을 경우에는 기본가설을 채택한다(기각하지 못하게 된다). 그러나 가설검정도 표본의 정보를 근거로 모집단의 특성을 추측하는 행위이기 때문에 표본정보에 근거한 우리의 판단은 잘못될 가능성을 항상 가지고 있다. 즉, 가설검정에서 우리는 기본가설이 참(true)인데도 불구하고 이를 기각하고 대립가설을 잘못 채택하는 오류(**제1종 오류**, type I error)를 범할 수도 있으며, 기본가설이 참이 아닌데도 불구하고, 이를 잘못 받아들이는 오류(**제2종 오류**, type II error)를 범할 수도 있다.

가설검정에서 제2종 오류는 모수의 값이 실제로 얼마라는 정보가 있어야 계산할 수 있는 반면, 제1종 오류의 가능성은 **유의수준(α)**을 이용하여 통제하게 된다. 유의수준이란 기본가설이 사실인데도 이를 잘못 기각할, 즉, 제1종 오류가 일어날 가능성의 최대값을 말한다. 유의수준은 의사결정자가 사전에 결정하며, 유의수준이 작으면 작을수록 대립가설은 채택되기가 힘들어진다. 따라서 유의수준은 가설검정 결과에 중요한 영향을 미치게 된다.

위의 예에서 유의수준은 5%로 설정하였는데, 이는 스풀에 감겨지는 전선 길이의 평균이 실제로 50미터임에도 불구하고, 이를 잘못 기각할 가능성의 최대값을 5%로 설정하였다는 것이다. 대부분의 가설검정에서 유의수준으로는 1%, 5%, 10%를 많이 이용한다.

위의 예에서는 표본의 크기는 작지만 모집단이 정규분포를 따른다고 하였으므로 기본가설이 참이라는 가정 하에 표본평균은 평균이 50이고, 표준편차가 2인 정규분포를 따른다. 여기서 표본평균의 표준편차, 즉, 평균의 표준오차 2는 모표준편차 10을 표본크기의 제곱근인 5로 나누어 계산된 것이다. 조사대상인 스풀의 개수가 25임으로 표본의 크기는 25이고, 이러한 표본으로부터 계산된 스풀에 감겨진 전선길이의 평균, 즉, 표본평균은 47이다.

③ 채택역과 기각역

가설검정에서 **기각역**이란 기본가설을 기각할 수 있는 **검정통계량**(test statistic, 가설검정에 사용하는 통계량)의 범위를 말한다. 검정통계량으로는 표본평균을 직접 이용할 수도 있고, 표본평균을 정규화시킨 표준정규변수 Z를 이용하기도 한다. 표본평균을 검정통계량으로 삼은 경우, 만약 표본으로부터 계산된 표본평균의 값이 기각역에 포함되면 기본가설을 기각하게 된다. 기각역은 기본가설이 참이라는 가정 하에 유의수준 α를 이용하여 계산한다.

예를 들어, 위의 예제에서 유의수준(α)은 5%이고, 기본가설에서 모평균은 50이라고 설정했으므로 기본가설이 사실이라면 이러한 모집단으로부터 추출된 표본의 평균은 평균이 50이고, 표준편차가 2인 정규분포를 따른다. 따라서 표본평균의 값이 모평균 50을 중심으로 좌우로 (1.96×2)의 범위 내에 존재할 가능성은 95%가 될 것이다. 이런 이유로 만일 표본의 평균이 $(50-3.92,\ 50+3.92)=(46.08,\ 53.92)$ 범위 내에 있다면, 모평균이 50이라고 판단하는 것이 타당하며, 만일 표본평균이 이 범위 밖에 존재한다면, 모평균은 우리가 기본가설에서 설정한 50이라기 보다는 50보다 작거나 크다고 판단하는 것이다.

　그러나 이러한 우리의 판단이 잘못될 경우도 있을 것이다. 예를 들어, 모평균은 50 이 맞으나 우리가 추출한 표본이 우연히 정상보다 길거나 또는 짧은 전선만을 가진 스풀들로만 구성되어 있어 표본의 평균이 위의 범위 밖에 존재할 가능성노 있을 것이다. 이 경우, 우리는 기본가설을 사실로 받아들여야 하지만, 표본평균을 보고 이러한 표본평균은 기본가설이 사실이라면 나올 가능성이 희박하다고 판단하여(이러한 경우는 기껏해야 5% 밖에 안 된다고 판단하여) 기본가설을 잘못 기각하게 되는 것이다. 그러나 이렇게 잘못 판단할 가능성은 다 합해야 최대 5% 밖에는 되지 않는다. 가설검정에서는 이렇게 사실의 기본가설을 잘못 기각할 확률의 최대값을 사전에 유의수준이라는 이름으로 설정해 놓고 제 1종 오류가 일어날 가능성을 통제한다.

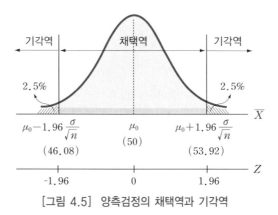

[그림 4.5] 양측검정의 채택역과 기각역

　기각역을 제외한 나머지 영역을 **채택역**이라고 하는데, 이는 귀무가설의 채택을 지지할 수 있는 검정통계량의 범위이다. [그림 4.5]를 보면 표본평균이 기각역에 있을 확률은 5%, 채택역에 있을 확률은 95%가 된다. 위 예의 경우, 표본평균으로 나타낸 채택역은 (46.08, 53.92)이다. 일반적으로 유의수준이 α일 경우, 귀무가설의 채택역은 표본평균을 검정통계량으로 할 경우, 다음 식에 의해 구해진다.

$$\left(\mu_0 - Z_{\alpha/2}\frac{\sigma}{\sqrt{n}},\ \mu_0 + Z_{\alpha/2}\frac{\sigma}{\sqrt{n}}\right)$$

　여기서 μ_0는 기본가설에서 설정한 모평균의 값이다.

만일 표본평균을 표준화한 표준정규변수 Z를 검정통계량으로 삼으면, 채택역은 다음과 같다.

$$(-Z_{\alpha/2},\ Z_{\alpha/2})$$

[그림 4.5]에서 Z값으로 나타낸 채택역은 $(-1.96,\ 1.96)$이다.

채택역과 기각역의 경계값을 **임계값**(critical value)이라고 하는데, 위 예제에서 표본평균 값으로 나타낸 임계값은 각각 46.08, 53.92이고, 채택역의 길이는 7.84(53.92-46.08)가 된다. 그런데 표본평균의 값은 현재 47이므로 채택역에 포함되기 때문에 앞서 설정한 기본가설을 기각할 수 없으며, 따라서 스풀에 감겨지는 전선의 길이가 평균 50미터라는 기본가설을 기각할 근거가 없다고 결정하게 된다.

이러한 가설검정을 검정통계량을 Z로 하여 수행하면 다음과 같다. 표본평균의 Z값을 구하면 다음과 같다,

$$Z=\frac{\overline{X}-\mu_0}{\sigma/\sqrt{n}}=\frac{47-50}{10/\sqrt{25}}=\frac{-3}{10/\sqrt{25}}=-\frac{3}{2}=-1.5$$

이 값은 유의수준 5%에서 Z값으로 표현된 채택역 $(-Z_{\alpha/2},\ Z_{\alpha/2})=(-1.96,\ 1.96)$에 포함되므로 기본가설을 기각할 수 없다는 위와 동일한 결과를 낳는다.

위 가설검정은 **양측검정**(two-tailed test)으로 기각역은 좌측과 우측 양쪽에 존재하게 된다. 즉, 자동화 기계가 제대로 작동하지 않는다는 것은 스풀에 감겨지는 전선 길이의 표본평균이 원래 의도한 평균 길이(50m)와는 다른 비정상적인 수치를 보일 경우이므로 기본가설에서 설정한 모평균보다 무척 작거나 큰 경우 모두를 고려해야 한다. 반면 기각역이 좌측이나 우측 한 쪽에 존재하는 가설검정도 있는데, 이를 **단측검정**(one-tailed test)이라고 한다. 이 경우 대립가설은 기본가설에서 설정한 모수의 값보다 "크다" 또는 "작다"로 표현한다. 이에 대한 자세한 내용은 "⑤ 가설검정의 종류"에서

다루도록 한다.

④ p-값 (p-value)

p-값은 **관찰된 유의수준**(observed level of significance)으로 검정통계량의 값이 기본가설을 지지하지 않는 방향으로 기울어질 확률을 말한다. p-값은 가설검정에서 매우 유용하게 활용되는데, p-값을 유의수준과 비교함으로써 가설검정을 쉽게 수행할 수 있다. 즉, p-값과 유의수준 α를 비교하여 p-값이 α보다 작으면 기본가설을 기각하고 그렇지 않으면 기본가설을 기각할 수 없는 규칙을 갖고 있다.

위 예제에서 p-값을 구하기 위해서는 다음과 같이 표본평균의 Z값(Z-score)을 먼저 구한다.

$$Z = \frac{\overline{X} - \mu_0}{\sigma/\sqrt{n}} = \frac{47 - 50}{10/\sqrt{25}} = \frac{-3}{10/\sqrt{25}} = -\frac{3}{2} = -1.5$$

여기서 Z값은 $\overline{X}$를 표준화시킨 값으로(통계학 교재에서는 보통 이 값이 표본평균대신에 검정통계량으로 많이 사용된다), 표준정규변수 Z가 표본평균의 Z값보다 크거나 작을 확률을 구해 이것을 p-값으로 이용한다. 앞에서 언급한대로 p-값은 기본가설을 지지하지 않는 방향으로 검정통계량이 기울어질 확률이므로, 표본평균의 Z값이 양수일 경우에는 표준정규변수 Z가 그 값 이상의 값을 가질 확률을 구하고, 표본평균의 Z값이 음수일 경우에는 표준정규변수 Z가 그 값 이하의 값을 가질 확률을 구해야 한다.

본 예제의 경우 Z값이 음수(-1.5)이므로 표준정규변수 Z가 -1.5 이하의 값을 가질 확률을 우선 구한다. 엑셀에서는 표준정규변수의 누적확률을 계산해 주는 NORMSDIST(x) 함수를 제공하고 있다. 이 함수는 Z값이 x이하의 값을 가질 확률을 계산해 준다. 이 함수를 이용하여 표준정규변수가 -1.5이하의 값을 가질 확률, 즉 NORMSDIST(-1.5)를 구하면 0.066807이 된다.

그런데 현재의 가설검정은 기각역이 양쪽에 있는 양측검정이므로 p-값은 0.066807에 2를 곱한 값인 0.13361(13.361%)이 된다. 이렇게 계산된 p-값은 유의수준 5%보다 크므로 기본가설을 기각할 수 없게 된다. 이 결과는 위에서 기각역을 이용한 가설검정 결과와 일치한다. 즉, p-값이 유의수준보다 크다는 말은 검정통계량의 값이 기본가설을 받아들이는 채택역에 존재한다는 것이고, p-값이 유의수준보다 작다는 말은 검정통계량의 값이 기각역에 존재한다는 것이다.

⑤ 가설검정의 종류

앞에서는 양측검정을 이용하여 가설검정의 예를 살펴보았다. 가설검정에는 **양측검정**과 **단측검정**이 있다. 앞에서 언급하였듯이 양측검정은 기각역이 양쪽에 있는 검정이고, 단측검정은 기각역이 왼쪽이나 오른쪽 한 쪽에 있는 검정이다. 단측검정을 설명하기 위해 다음의 예를 들어보자.

> **예제**
>
> 특수 베어링을 생산하는 서강기계(주)는 품질관리를 위해 매일 생산하는 베어링의 결함 상태를 검사하고 있다. 과거의 자료를 조사한 결과, 불량품으로 판정된 베어링의 수는 일일 평균이 50이고 표준편차가 10인 정규분포를 따른다고 한다. 베어링의 불량률이 과다하다고 느낀 이 회사 경영진은 새해들어 새로운 공정을 도입하여 베어링을 생산하고 있다. 새로운 공정이 과연 불량률을 감소시키는지를 파악하기 위해 생산부서 책임자는 과거 25일 동안 새로운 공정을 이용하여 생산한 베어링의 불량품 개수를 조사하였고, 그 결과 일일 평균 45개의 불량품이 생산되었음을 알게 되었다. 새로운 공정의 도입으로 일일 평균 불량품 개수가 과거보다 줄어들었는지를 유의수준 5%로 검정하라.

위의 예에서 검정하고자 하는 대상(대립가설)은 "과연 새로운 공정을 도입하여 불량품의 평균 개수가 줄어들었는가"하는 것이다. 따라서 이 경우, 기본가설과 대립가설은 다음과 같이 설정할 수 있다.

$H_0 : \mu = 50$ (새로운 생산공정의 일일 평균 불량품 개수 $=50$)

$H_1 : \mu < 50$ (새로운 생산공정의 일일 평균 불량품 개수 <50)

위 가설의 경우 대립가설의 형태가 "$<$"이므로 **좌측검정**이라고 하고, 대립가설의 형태가 "$>$"인 경우는 **우측검정**이라고 한다. 좌측검정의 경우, 기각역은 검정통계량 분포(예를 들어, 표본평균의 분포 또는 Z 분포)의 왼쪽 꼬리 부분이 되는데, 이때 왼쪽 꼬리 부분의 면적은 유의수준이 된다. 마찬가지로 우측검정의 경우, 기각역은 검정통계량 분포의 오른쪽 꼬리 부분이 되고, 오른쪽 꼬리 부분의 면적은 유의수준이 된다.

즉, 유의수준이 α인 경우, 좌측검정의 임계값은 검정통계량을 표본평균으로 할 경우, $\mu_0 - Z_\alpha \dfrac{\sigma}{\sqrt{n}}$ 이고, 검정통계량을 Z로 표현하면 임계값은 $-Z_\alpha$이다. 따라서 좌측검정의 의사결정규칙은 표본으로부터 계산된 검정통계량의 값(예를 들어, 표본평균의 값 또는 표본평균을 표준화시킨 Z값)이 임계값보다 작으면 기본가설을 기각하고(대립가설을 받아들이고), 검정통계량의 값이 임계값보다 크면 기본가설을 받아들인다(대립가설을 기각한다). 좌측검정에서 검정통계량의 값이 임계값보다 작다는 것은 p-값이 유의수준보다 작다는 것과 같은 말이며, 검정통계량의 값이 임계값보다 크다는 것은 p-값이 유의수준보다 크다는 것과 동일한 말이다.

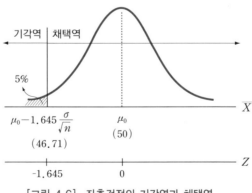

[그림 4.6] 좌측검정의 기각역과 채택역

우측검정인 경우의 의사결정규칙은 다음과 같다. 유의수준이 α인 경우, 우측검정의 임계값은 검정통계량을 표본평균으로 할 경우, $\mu_0 + Z_a \frac{\sigma}{\sqrt{n}}$이며, 검정통계량을 Z로 표현하면 임계값은 $+Z_a$이다. 따라서 우측검정의 의사결정규칙은 표본으로부터 계산된 검정통계량의 값이 임계값보다 크면 기본가설을 기각하고(대립가설을 받아들이고), 검정통계량의 값이 임계값보다 작으면 기본가설을 받아들인다(대립가설을 기각한다). 우측검정에서 검정통계량의 값이 임계값보다 작다는 것은 p–값이 유의수준보다 크다는 말이고, 검정통계량의 값이 임계값보다 크다는 것은 p–값이 유의수준보다 작다는 말이다.

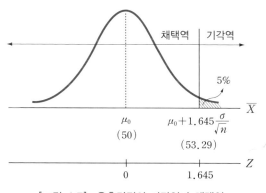

[그림 4.7] 우측검정의 기각역과 채택역

위의 단측검정 예제에서는 기본적으로(기본가설에서) 새로운 공정의 도입이 일일 평균 불량품 개수를 감소시키지 않는다는 가정을 하고 있다. 이 경우, 좌측검정이므로 임계값을 표본 평균 값으로 표현하면 $\mu_0 - Z_a \frac{\sigma}{\sqrt{n}} = 50 - 1.645(\frac{10}{\sqrt{25}}) = 46.71$이고, Z값으로 표현하면 $-Z_{0.05} = -1.645$이다. 그런데 표본으로부터 계산된 일일 평균 불량품 개수(표본평균)은 45로, 이는 기각역에 속하게 되므로 기본가설을 기각하고, 대립가설을 받아들이게 된다. 물론 이 경우, 이러한 판단이 잘못될 가능성도 최대 5%는 된다.

표본평균을 Z값으로 표준화시킨 후 임계값과 비교해도 마찬가지 결과가 나온다. 표본평균 45를 Z값으로 표준화 하면 다음과 같다.

$$Z = \frac{\overline{X} - \mu_0}{\sigma/\sqrt{n}} = \frac{45-50}{10/\sqrt{25}} = \frac{-5}{10/\sqrt{25}} = -2.5$$

이 값은 임계값인 $-Z_{0.05} = -1.645$보다 작으므로 기본가설은 기각되고, 새로운 공정의 도입으로 일일 평균 불량품 개수는 과거보다 줄어들었다고 유의수준 5%로 말할 수 있다.

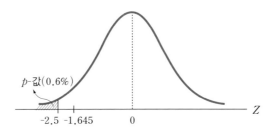

[그림 4.8] 좌측검정에서의 p-값

한편 위 예제의 경우, p-값을 이용하여 가설검정을 하면 다음과 같다. p-값은 표준정규변수 Z가 -2.5보다 작을 확률로 NORMSDIST(-2.5)를 이용하면 [그림 4.8]에서 보는 바와 같이 0.6%로 계산된다. 계산된 p-값은 유의수준 5%보다 작으므로 유의수준 5%하에서 귀무가설은 기각되고, 따라서 새로 도입한 생산공정의 일일 평균 불량품 개수가 50보다 작다는 대립가설을 유의수준 5%로 받아들이게 된다. 유의수준이 5%란 말은 이러한 통계적 결론이 잘못될 가능성도 최대 5%는 된다는 말이다.

엑셀에서 p-값을 구하는 방법

모평균 $\mu = \mu_0$라는 기본가설 하에 σ가 알려져 있을 경우

▶ p-값을 구하기 위해서 먼저 검정통계량 Z값을 구한다.

Z값은 $Z = (\text{AVERAGE(range)} - \mu_0)/(\sigma/\text{SQRT}(n))$ 식을 이용하여 구한다. 여기서, range는 A1:A10과 같은 데이터 범위, μ_0는 기본가설에서 설정한 모평균의 값, σ는 모표준편차, 그리고 n은 표본의 크기를 나타낸다.(표본의 크기가 충분히 클 경우, σ를 모르면 s를 대신 사용한다.)

▶ 좌측검정인 경우, p-값을 구하기 위해 Z값의 좌측 누적확률을 계산한다. 엑셀의 =NORMSDIST(z) 함수를 이용한다.

▶ 우측검정인 경우, p-값을 구하기 위해 Z값의 우측 누적확률을 계산한다. =1- NORMSDIST(z) 함수를 이용한다.

▶ Z값이 음수로 나타난 양측검정인 경우, p-값은 =2*NORMSDIST(z) 함수를 이용하여 구한다. 양측검정의 경우, 기각역이 양쪽에 존재하므로 좌측 누적확률에 2를 곱한다.

▶ Z값이 양수로 나타난 양측검정인 경우, p-값은 =2*(1-NORMSDIST(z)) 함수를 이용하여 구한다. 양측검정의 경우, 기각역이 양쪽에 존재하므로 우측 누적확률에 2를 곱한다.

제4절 *t* 분포를 이용한 가설검정

지금까지 우리는 모집단이 정규분포를 따르고 모집단의 표준편차 σ를 알고 있거나 또는 이를 모르더라도 표본의 크기가 충분히 커서 표본의 표준편차 s가 모표준편차 σ를 잘 대변해 준다고 가정하고 Z분포를 이용하여 가설검정을 수행하는 과정에 대하여 학습하였다. 그러나 만약 표본의 크기가 작은 경우, σ를 모른다면 어떻게 될까? 19세기에는 σ를 모를 경우 σ의 대리값으로 표본의 표준편차(s)를 사용하는 것이 일반적이었다. 물론 이 경우 표본의 크기가 충분히 크면 표본의 표준편차가 모표준편차를 잘 대변해 줄 수 있고, 또 중심극한정리(The Central Limit Theorem)에 의해 Z분포를 이용하여 검정을 수행해도 큰 무리가 없었다.

그러나 표본의 크기(n)가 작을 경우에는 표본의 표준편차가 모표준편차를 잘 대변해 줄 수 없고, 이렇게 잘못된 표준편차를 사용함으로써 발생하는 오차가 통계적으로 심각한 문제를 일으킬 수 있음이 20세기 초반 고셋(William S. Gosset)에 의해 지적되었다. 그가 발견한 것은 모표준편차 σ대신 표본의 표준편차 s가 사용될 때 표본평균의

표준화 변량은 정규분포가 아니라 소위 **_t_ 분포**를 따른다는 것이다.[3]

즉, 우리가 모표준변차(σ) 대신 표본의 표준편차(s)를 사용할 때 표본평균의 표준화 변량

$$t = \frac{\overline{X} - \mu}{s/\sqrt{n}}$$

는 표준정규분포(Z분포)가 아니라 t분포를 따르는 확률변수가 된다. t분포는 Z분포와 같이 평균을 0을 중심으로 좌우대칭인 종모양의 모습을 취하여 육안으로는 Z분포와 구별하기 어려우나 분산이 1인 Z분포보다 분산이 조금 더 큰 분포이다.[4]

t분포의 모양은 σ를 추정하는 통계량인 표본표준편차(s)의 정확성을 나타내는 모수에 의해 달라지는데, 이 모수를 **자유도(degrees of freedom)**라고 한다. 표본의 크기가 n일 때 t분포의 자유도는 $(n-1)$이 된다. 표본의 크기가 크면 클수록 자유도는 커지며, 이 경우 t분포는 Z분포와 매우 흡사한 형태를 취한다. 극단적으로 표본의 크기가 무한대일 경우 t분포는 Z분포와 일치한다.

이제 t분포를 이용하여 가설검정하는 과정을 다음의 예제를 가지고 설명해 보자.

> 예제

> 학교 당국은 학생들의 학기당 교재비 지출액은 평균 200(천원)이라고 발표하고 있으나 많은 학부모들이 학기당 교재비 지출액이 평균 200(천원)을 넘는다고 불평하고 있다. 이러한 학부모들의 불평이 근거가 있는 것인지를 파악하기 위해 학교 당국은 25명의 학생을 무작위로 추출하여 그 학생들이 이번 학기 교재비로 지출한 돈이 얼마인지 조사하였다. 조사결과 25명 학생들의 교재비 지출액의 평균은 230(천원)이고, 표본의 표준편차는 50(천원)이라고 한다. 이러한 표본정보를 근거로 학부모들의 불평이 근거가 있는지를 유의수준 5%로 검정하라.

---

3) t분포는 양조회사의 기술자였던 고셋이 "*Student*"라는 필명으로 발표한 분포로 "*Student t*분포"라고도 한다.
4) t분포의 분산은 자유도/(자유도 -2)로서 1보다 조금 더 크지만 표본의 크기가 커짐에 따라 t분포의 분산은 1에 가까워져, t분포는 Z분포에 수렴한다.

위 예제의 경우, 학부모들의 불평이 근거가 있는 것인지를 검정하고자 하므로 검정의 대상인 대립가설은 학생들의 학기당 교재비 지출액의 평균이 200(천원)을 초과한다는 것이다. 따라서 다음과 같은 기본가설과 대립가설을 설정할 수 있다.

H_0: $\mu = 200$ (학기당 평균 교재비 지출액은 200(천원)이다.)
H_1: $\mu > 200$ (학기당 평균 교재비 지출액은 200(천원)을 초과한다.)

본 가설검정은 학교당국이 발표한 교재비 지출액의 평균 200(천원)보다 실제 지출액의 평균이 더 많다는 것을 표본정보를 이용하여 증명하고자 하는 것이므로 분포의 오른쪽에 기각역을 가지는 우측검정이 된다.

위의 가설을 검정하는 두 가지 방법은 다음과 같다. 하나는 검정통계량의 값과 임계값을 비교하는 방법이다. 위 예제의 경우, 우측검정이므로 검정통계량의 값이 임계값을 초과할 경우 기본가설을 기각하고 대립가설을 받아들이게 된다. 검정통계량 t값을 구해보자. 기본가설이 사실이라는 가정 하에, 즉, 학기당 평균 교재비 지출액이 200(천원)이라는 가정 하에 t통계량의 값은 표본정보를 이용하여 다음과 같이 계산된다.

$$t = \frac{\overline{X} - \mu_0}{s/\sqrt{n}} = \frac{230 - 200}{50/\sqrt{25}} = \frac{30}{10} = 3$$

여기서, $s/\sqrt{n} = 50/\sqrt{25} = 10$은 평균의 추정된 표준오차이다. 우측 임계값은 $+t_{0.05,\,(n-1)} = t_{0.05,24} = 1.711$이다. 검정통계량 t값(3)이 우측 임계값(1.711)보다 크므로 표본정보는 대립가설을 지지하는 통계적으로 의미 있는 증거가 되며, 따라서 유의수준 5%로 기본가설을 기각하고 대립가설을 채택하게 된다. 즉, 학부모들의 불평은 근거가 있는 것으로 판단할 수 있다. 위 예제에서 우측 임계값은 엑셀의 =TINV(10%, 24) 함수를 이용하면 구할 수 있다.

다른 하나는 p-값을 이용한 가설검정이다. p-값과 유의수준을 비교하여 p-값이 유의수준보다 작으면 대립가설을 채택하고(기본가설을 기각하고), p-값이 유의수준보다 크면 기본가설을 받아들이는(대립가설을 기각하는) 규칙을 이용한다.

p-값을 계산하기 위해 우선 표본정보를 이용하여 t통계량의 값을 계산한다. 위에서 t통계량의 값은 3이 됨을 보았다. p-값이란 기본가설을 지지하지 않는 쪽으로(대립가설을 지지하는 쪽으로) 검정통계량이 기울어질 확률이므로 t분포를 하는 확률변수를 T로 표기하면 이 예제의 경우, p-값은 $P(T \geq 3)$이다.

이러한 p-값은 엑셀에서 제공하는 통계함수 TDIST(t, deg_freedom, tails)를 이용하여 구할 수 있다. TDIST(t, deg_freedom, tails) 함수에서 t는 t통계량의 값, deg_freedom은 자유도, 그리고 tails는 가설검정이 단측검정인지 양측검정인지를 나타내는 인자로, tails가 1이면 단측검정, 2이면 양측검정을 나타낸다. TDIST 함수는 $P(T \geq t)$를 계산해 준다.

이제 학기당 교재비 지출액의 평균이 200(천원)보다 크다는 대립가설을 검증하기 위해 자유도가 24인 t분포의 단측 확률 $P(T \geq t)$을 구하는 과정은 다음과 같다.

① 오피스 단추 [로고] 를 누른 후 메뉴에서 새로 만들기 버튼 [아이콘] 새로 만들기(N) (이전 엑셀 버전에서는 새 통합문서 버튼)을 누른다.
② 셀 A1(또는 임의의 셀)을 선택하고 =TDIST(3,24,1)을 입력하고 [Enter]키를 누른다.

TDIST 함수의 값은 0.003으로 계산되는데(소수점 넷째 자리에서 반올림), 이는 t통계량이 3이상의 값을 가질 확률로 p-값을 나타낸다. 0.003은 1%보다도 작은 수치이므로 유의수준 5%뿐만 아니라 유의수준 1%에서도 기본가설은 기각된다. 즉, 학부모들의 불평이 근거가 있다는 강한 증거를 표본정보가 제공하고 있는 것이다. 그러나 만일 유의수준이 매우 작게 설정되면 대립가설은 웬만해서는 받아들여지지 않는다. 예를 들어, 이 경우, 유의수준이 0.3%보다 작게 설정되면, 기본가설은 기각되지 않음을 알 수 있다.

t-검정: *p*-값을 계산하는 방법

모평균 $\mu = \mu_0$라는 기본가설 하에서 σ를 모르는 경우

▶ 검정통계량 $t = (\text{AVERAGE}(\text{range}) - \mu_0)/(\text{STDEV}(\text{range})/\text{SQRT}(n))$을 계산한다. 여기서 range는 데이터 범위, n은 표본크기, μ_0는 기본가설에서 설정한 모평균의 값을 나타낸다.

▶ 단측검정인 경우, *p*-값을 계산하기 위하여 $=\text{TDIST}(t, n-1, 1)$ 함수를 이용한다.

▶ 양측검정인 경우, *p*-값을 계산하기 위하여 $=\text{TDIST}(t, n-1, 2)$ 함수를 이용한다.

▶ 동일한 *t*값, 동일한 자유도 하에서 $=\text{TDIST}(t, n-1, 2)$의 값은 $=\text{TDIST}(t, n-1, 1)$ 값의 2배로 나타난다.

본 장에서는 두 모집단의 성과 차이를 비교하기 위한 가설검정을 다룬다. 제4장에서는 하나의 모집단 평균에 대한 가설검정을 다루면서 가설검정의 기본에 대해 학습하였다. 본 장에서는 이러한 단일 모집단에 대한 가설검정을 두 모집단의 경우로 확장하여 두 모집단의 성과 차이를 분석하고자 한다. 예를 들어, 두 공장 근로자의 생산성 차이를 비교한다든지, 새로이 개발된 두 치료약의 임상효과를 비교한다든지, 또는 다이어트 프로그램 도입 전후의 몸무게 차이를 비교하는 것 등이 예가 될 수 있다.

엑셀 데이터 분석 도구에는 이러한 차이 분석을 위한 4가지 도구를 제공하고 있다. z-검정: 평균에 대한 두 집단, t-검정: 등분산가정 두집단, t-검정: 이분산가정 두집단, 그리고 t-검정: 쌍체비교이다. 이 4가지 도구 모두는 두 모집단의 성과 차이를 분석해 줄 수 있는 가설검정 도구이나, 그 분석 방법에 있어 차이가 존재한다. 처음 3가지 검정 도구, 즉, z-검정: 평균에 대한 두 집단, t검정: 등분산가정 두집단, t검정: 이분산가정 두집단은 두 모집단에서 추출된 각 표본이 독립이라는 가정 하에 차이 분석을 수행하는 도구이며, t검정: 쌍체비교는 두 표본이 독립이 아니라는 가정 하에 차이 분석을 수행하는 도구이다. 각 도구의 구체적 적용 과정을 예제와 함께 살펴보자.

두 모집단 평균의 비교

두 모집단(모집단 1, 모집단 2)에서 추출한 표본을 각각 표본 1, 표본 2라고 하고 각 표본의 평균을 구해보자. 그리고 두 표본평균의 차이를 비교해보자. 만일 두 표본평균의 차이가 매우 크다면, 우리는 두 모집단의 평균도 차이가 있으리라 짐작할 수 있고, 만일 두 표본평균의 차이가 그리 크지 않다면 두 모집단 평균은 통계적으로 의미 있는 차이를 보이지 않을 것이라 추측할 수 있다. 물론 여기서 두 표본평균의 차이가 얼마나 커야 두 모집단 평균이 차이가 있다고 말할 수 있는 지는 객관적으로 평가해야 할 것이다

이러한 통계적인 판단을 가설검정이라는 방법을 통해 객관적으로 하기 위해서는 우

선 두 모집단 평균의 차이가 0이라는, 즉, 두 모평균은 차이가 없다는 기본가설을 설정하고, 이에 대한 대립가설로 두 모평균에 차이가 존재한다거나 또는 어느 한 쪽의 모평균이 더 크다는 가설을 설정하고 검정을 하게 된다. 전자를 양측검정, 후자를 단측검정이라 말한다. 앞서 4장에서 우리가 학습한 가설검정과 본 장에서 다루고자 하는 가설검정의 차이점은 4장에서는 검정하고자 하는 모수가 하나였으나, 본 장에서는 두 모수의 차이를 검정의 대상으로 한다는 것이다.

본 장에서 학습하고자 하는 두 모평균 차이에 대한 가설검정은 우선 두 표본이 독립적인지의 여부에 따라 두 가지로 분류된다. 두 표본이 독립적인 경우, 우리는 두 표본자료를 모두 검정에 사용하여 차이분석을 하게 된다. 반면, 두 표본이 독립적이 아닐 경우에는(구체적으로, 두 표본이 양의 상관관계를 가질 경우에는) 두 표본자료의 차이 자료를 검정에 사용한다.

예를 들어, 두 공장 근로자의 평균 생산성을 비교하는 문제의 경우, 두 공장에서 각각 표본으로 추출된 근로자의 생산성은 상호 영향을 미친다고 볼 수 없으므로 독립적이라는 가정이 타당할 것이다. 반면, 체중 조절이 필요한 피실험자를 표본으로 선정하여 이들에 대해 다이어트 프로그램을 적용하는 경우를 생각해보자. 이 경우, 다이어트 프로그램 적용 전의 몸무게와 다이어트 프로그램 적용 후의 몸무게를 측정하여 이를 근거로 다이어트 프로그램이 몸무게 감소에 효과가 있는지를 분석하고자 한다면, 표본으로 선정된 피실험자의 개개인의 다이어트 전 몸무게와 다이어트 후 몸무게는 독립이라고 가정할 수 없다. 이 경우에는 피실험자 개개인의 몸무게 차이 자료를 표본자료로 삼아 가설검정을 수행하게 된다.

제2절 독립 표본을 이용한 두 모평균 차이 검정

본 절에서는 두 표본자료가 독립적이라는 가정 하에 두 모평균 차이에 대한 가설검 정을 수행한다. 두 표본자료가 독립일 경우, 두 모평균 차이에 대한 가설검정을 수행하 는 엑셀의 통계 데이터 분석 도구는 3가지가 있다. 하나는 **z-검정: 평균에 대한 두 집 단**으로 두 모집단이 정규분포를 하고, 두 모집단의 분산이 알려져 있는 경우이다. 나머 지 2가지 도구인 **t-검정: 등분산가정 두 집단**과 **t-검정: 이분산가정 두 집단**은 두 모 집단이 정규분포를 하고, 두 모집단의 분산이 알려져 있지 않은 경우에 사용한다. 실제 로 두 모집단의 분산은 알려져 있지 않은 것이 일반적이므로 z-검정보다는 t-검정을 많이 사용한다.

여기서, 두 가지 t-검정의 차이는 미지의 두 모집단 분산이 동일한지의 여부에 따른 것이다. 두 모분산이 같을 경우에는 **t-검정: 등분산가정 두 집단**을 사용하고, 두 모분 산이 다를 경우에는 **t-검정: 이분산가정 두 집단**을 사용한다. 그렇다면 우리가 그 값 을 모르는 두 모집단의 분산이 같은지 혹은 다른지는 어떻게 알 수 있을까? 보통 경험 에 의한 가이드라인을 제시하면, 두 모집단 각각에서 추출된 두 표본의 크기가 크게 다 르지 않고, 두 표본의 분산이 크게 다르지 않으면 미지의 두 모분산은 같다고 판단한 다. 그러나 이러한 경험적 가이드라인은 사람에 따라 달리 평가될 수 있으므로 객관적 이라 할 수 없다. 따라서 소위 F-검정이라는 방법을 이용해서, 미지의 두 모분산이 동 일한지의 여부를 평가하게 된다.

① Z-검정: 평균에 대한 두 집단

두 모집단이 정규분포를 따르고, 두 모분산이 알려져 있는 경우의 두 모평균 차이에 대한 가설검정을 수행해 보자.

두 모집단이 정규분포를 하고, 두 모집단의 분산 σ_1^2와 σ_2^2가 알려진 경우, 두 모평균 차이 $(\mu_1 - \mu_2)$에 대한 가설검정은 다음과 같이 수행된다.

첫째, 해당 가설을 설정한다.

양측검정의 경우, 두 모평균 간에 차이가 D_0만큼 존재하느냐의 여부를 따지는 것이므로 가설은 다음과 같이 설정된다. 가설에서 D_0는 두 모평균 차이를 나타내는 상수이다. 만일 $D_0 = 0$이라면, 아래의 가설은 두 모평균 간에 차이가 있는지의 여부를 검정하는 가설이 된다.

$$\left[\begin{array}{l} H_0: \mu_1 - \mu_2 = D_0 \\ H_1: \mu_1 - \mu_2 \neq D_0 \end{array}\right.$$

단측검정은 두 가지로 나눌 수 있다. 기각역이 좌측에 있는 좌측검정의 경우, 가설은 다음과 같이 설정된다.

$$\left[\begin{array}{l} H_0: \mu_1 - \mu_2 = D_0 \\ H_1: \mu_1 - \mu_2 < D_0 \end{array}\right.$$

반면, 기각역이 우측에 있는 우측검정의 경우, 가설은 다음과 같이 설정된다.

$$\left[\begin{array}{l} H_0: \mu_1 - \mu_2 = D_0 \\ H_1: \mu_1 - \mu_2 > D_0 \end{array}\right.$$

둘째, 표본으로부터 검정통계량의 값을 계산한다. 두 모집단이 정규분포를 한다고 가정하였으므로, 두 모집단 각각에서 추출된 두 표본의 평균 차이는 정규분포를 따르게 된다. 따라서 기본가설이 참이라는 가정 하에 두 모평균 차이 검정에 사용되는 검정통계량은 표준정규변수인 Z로 검정통계량의 값은 다음과 같이 계산된다.

$$Z = \frac{(\overline{X}_1 - \overline{X}_2) - (\mu_1 - \mu_2)}{\sqrt{\dfrac{\sigma_1^2}{n_1} + \dfrac{\sigma_2^2}{n_2}}} = \frac{(\overline{X}_1 - \overline{X}_2) - D_0}{\sqrt{\dfrac{\sigma_1^2}{n_1} + \dfrac{\sigma_2^2}{n_2}}}$$

셋째, 임계값(critical value)을 계산한다. 검정통계량의 값과 이 임계값을 비교하여 통계적 의사결정을 수행한다. 유의수준이 α일 경우, 양측검정의 임계값은 $\pm Z_{\frac{\alpha}{2}}$, 좌측검정의 임계값은 $-Z_\alpha$, 우측검정의 임계값은 $+Z_\alpha$이다.

넷째, 검정통계량의 값과 임계값을 비교하거나 또는 p-값과 유의수준을 비교하여 통계적 의사결정을 수행한다.

① 검정통계량 값과 임계값의 비교

- 양측검정에서 만일 $Z < -Z_{\frac{\alpha}{2}}$ 또는 $Z > Z_{\frac{\alpha}{2}}$이면 기본가설을 기각한다.
- 좌측검정에서 만일 $Z < -Z_\alpha$이면 기본가설을 기각한다.
- 우측검정에서 만일 $Z > Z_\alpha$이면 기본가설을 기각한다.

② p-값과 유의수준의 비교

모든 검정에서 p-값이 유의수준보다 작으면 기본가설을 기각한다.

다음의 예제를 이용하여 우리가 지금까지 이야기한 내용을 복습해 보자.

> **예제**
>
> 모 자동차 회사의 서로 다른 두 공장에서 근무하는 근로자들의 생산성을 비교하는 문제를 고려해 보자. 공장 1과 공장 2의 근로자 31명씩을 무작위로 추출하여 그들의 일일 생산성을 조사한 결과, 공장 1 근로자 31명의 일일 생산성 평균은 75.31로 나타났고, 공장 2 근로자 31명의 일일 생산성 평균은 74.10으로 나타났다. 과거의 경험으로부터 공장 1 근로자 생산성의 분산은 21, 공장 2 근로자 생산성의 분산은 25라고 알려져 있다. 두 공장 근로자의 일일 생산성 평균에 차이가 존재하는지의 여부를 유의수준 5%로 검정해보자.

위 예제의 경우, 검정을 위한 가설은 다음과 같이 설정하게 된다.

$$
\begin{cases}
H_0: \mu_1 - \mu_2 = 0 \\
H_1: \mu_1 - \mu_2 \neq 0
\end{cases}
$$

검정통계량 값을 구하면

$$Z = \frac{(\overline{X}_1 - \overline{X}_2) - (\mu_1 - \mu_2)}{\sqrt{\frac{\sigma_1^2}{n_1} + \frac{\sigma_2^2}{n_2}}} = \frac{(75.31 - 74.10) - 0}{\sqrt{\frac{21}{31} + \frac{25}{31}}} = 0.99 이다.$$

우리가 두 공장 근로자의 일일 생산성 평균에 차이가 존재하는 지의 여부를 검정하고자 하였으므로 이는 양측검정에 해당되고, 따라서 유의수준이 5%일 경우, 임계값은 $\pm Z_{\frac{0.05}{2}} = 1.96$이다.

따라서 검정통계량의 값(0.99)은 채택역 $(-1.96, 1.96)$에 포함되므로 유의수준 5%로 "두 공장 근로자의 일일 생산성 평균은 차이가 없다"는 통계적 의사결정을 내리게 된다.

p-값과 유의수준을 비교해서도 동일한 결론이 나오게 된다. 양측검정의 p-값을 엑셀 함수를 이용해서 계산하면 다음과 같다.

$$p-값 = 2 \times P(Z > 0.99) = 2 \times [1 - NORMSDIST(0.99)] = 0.32$$

따라서 p-값이 유의수준 5%보다 크므로 기본가설을 기각할 수 없게 되며, 유의수준 5%로 "두 공장 근로자의 일일 생산성 평균은 차이가 없다"는 동일한 결론을 내리게 된다.

만일 위 예제에서 우측검정을 수행하고자 하면(즉, 공장 1 근로자의 일일 생산성 평균이 공장 2 근로자의 일일 생산성 평균보다 높다는 대립가설의 검정), 임계값은 $Z_{0.05} = 1.645$가 되고, p-값은 $P(Z > 0.99) = 1 - NORMSDIST(0.99) = 0.16$이 된다. 따라서 검정통계량 값 0.99는 임계값보다 작으므로 기본가설을 기각하지 못하는 결정을 내리게 된다. 또한 p-값도 16%로 유의수준 5%보다 크므로 동일한 결론을 얻게 된다. 이와 같은 우측검정의 결과는 양측검정에서 기본가설이 기각되지 않았으므로 나오게 되는 당연한 결과이다. 보통 단측검정은 양측검정에서 기본가설이 기각된 후에 수행하게 된다.

② 데이터 분석 도구를 활용한 Z-검정

이제 위의 예제를 엑셀의 통계 데이터 분석 도구를 이용하여 검정하는 과정을 학습해 보자. 공장 1과 공장 2의 근로자 31명씩을 무작위로 추출하여 그들의 생산성을 [그림 5.1]과 같이 생산성비교.xlsx 파일에 정리하였다.

	A 공장 1 근로자 생산성	B 공장 2 근로자 생산성
2	73.4	69.7
3	82.3	75.6
4	77.6	67.4
5	84.6	87.1
6	75.4	80.5
7	73.5	72.5
8	79.9	69.5
9	74.4	71.8
10	81.2	75.9
11	77.3	72.1
12	83	81.9
13	67.6	70.1
14	74.8	75.2
15	76.8	80.4
16	76.9	64.1
17	77.8	72.1
18	68.8	71.9
19	75.3	78.5
20	81.8	71.9
21	69.7	74.5
22	74.6	73.8
23	74.8	72.8
24	66.1	70.4
25	74.3	72.8
26	77.5	81.7
27	71.2	70.0
28	75.8	75.3
29	75.3	67.8
30	68.8	71.6
31	70.5	79.9

[그림 5.1] 생산성비교.xlsx

과거의 기록으로부터 공장 1 근로자 생산성의 분산은 21, 공장 2 근로자 생산성의 분산은 25라고 알려져 있다고 가정하자. 이제 두 공장 근로자의 평균 생산성 차이에 대한 분석을 z-검정: 평균에 대한 두 집단을 이용하여 수행해 보자.

Z-검정을 수행하기 위해 먼저, 데이터▶분석▶데이터 분석을 클릭한다. 그러면 [그

림 5.2]와 같이 **통계 데이터 분석** 창이 나타나는데, 여기서 *z*−**검정: 평균에 대한 두 집단**을 선택하고 **확인**을 누른다.

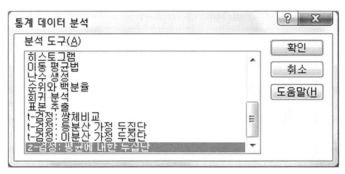

[그림 5.2] 통계 데이터 분석 창

그러면 [그림 5.3]과 같은 *z*−**검정: 평균에 대한 두 집단** 대화상자가 나타난다.

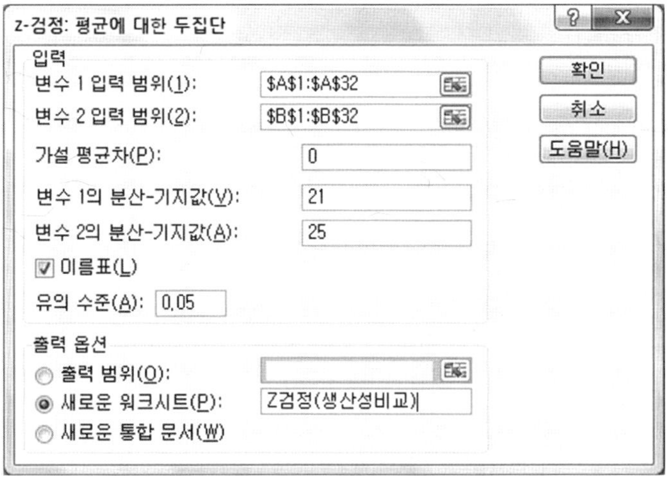

[그림 5.3] *z*−검정: 평균에 대한 두 집단 대화상자

z−**검정: 평균에 대한 두 집단** 대화상자에서 **변수 1 입력범위**에는 셀 범위 A1:A32를 드래그하여 선택하고, **변수 2 입력범위**에는 셀 범위 B1:B32를 드래그하여 선택한

다. "두 공장 근로자의 일일 생산성 평균은 차이가 없다"는 것이 기본가설이므로 **가설 평균차**에는 0을 입력하고, **변수 1의 분산-기지값**에는 21을 **변수 2의 분산-기지값**에는 25를 입력한다. 여기서 기지(既知)값이란 이미 알고 있는 값으로 과거의 기록 또는 경험으로부터 알고 있는 두 모분산의 값을 입력한다.

　한편, 변수 1과 변수 2에 대한 표본자료를 입력할 때 문자열부터 드래그하였으므로 **이름표**를 체크하고, **유의수준**은 0.05로 설정한다(유의수준은 사용자가 원하는 수준을 입력하면 된다). **출력 옵션**은 **새로운 워크시트**를 선택하고, 우측의 빈칸에 **Z검정(생산성 비교)**라고 입력한다. 사용자가 데이터가 있는 현재의 워크시트에서 출력 결과를 보고자 하면 **출력 범위**를 선택하고, 결과가 출력되기 원하는 시작 셀 번호를 지정하면 된다. 마지막으로 **확인**을 누르면 [그림 5.4]와 같이 **Z검정(생산성비교)**라는 시트가 생성되고, 여기에 Z-검정 결과가 나타나는 것을 볼 수 있다.

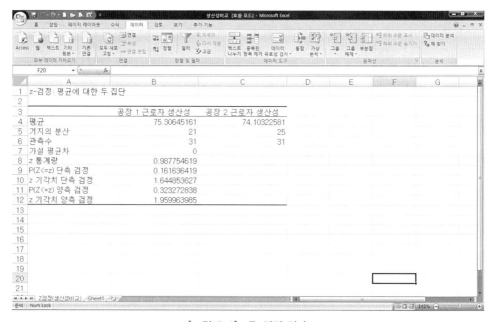

[그림 5.4] Z-검정 결과

[그림 5.4]의 결과를 해석하면 다음과 같다. 우선, **평균**이란 두 표본 각각의 평균, 즉, 표본평균을 말한다. **기지의 분산**이란 우리가 이미 알고 있어 [그림 5.3]의 대화상 자에 입력한 두 모집단의 분산을 말하고, **관측수**는 표본의 크기로 여기서는 동일하게 31이다. **가설 평균차**는 기본가설에서 설정한 두 모집단 평균의 차이를 말하는 것으로, 기본가설에서 두 모평균 차이를 "0"으로 설정했음을 알 수 있다. **z통계량**은 표본자료 로부터 계산된 검정통계량 값, 즉, Z값을 말한다. $P(Z<=z)$ **단측검정**은 단측검정에 서의 p-값을, $P(Z<=z)$ **양측검정**은 양측검정에서의 p-값을 말하며, **z기각치 단측 검정**은 단측검정에서 Z값으로 표현된 임계값을, **z기각치 양측검정**은 양측검정에서 Z 값으로 표현된 임계값을 나타낸다. 양측검정에서의 임계값은 양쪽에 존재하므로 $+1.96$과 -1.96으로 해석해야 한다. [그림 5.4]에 나타난 수치는 앞서 우리가 수작업 으로 계산한 결과와 일치함을 알 수 있다.

위의 출력결과를 이용하여 다음과 같은 판단을 내릴 수 있다. z통계량의 값(0.988)이 양측검정의 두 임계값 -1.96과 1.96 사이에 존재하므로, 이는 Z값이 채택역에 속함 을 의미한다. 따라서 우리는 유의수준 5%로 두 공장 근로자의 일일 생산성 평균이 같 다는 기본가설을 기각하지 못하는(받아들이는) 통계적 의사결정을 하게 된다. 이러한 통계적 의사결정은 p-값을 이용해도 마찬가지로 나오게 된다. [그림 5.4]에서 양측검 정의 p-값은 32.32%로 이는 유의수준 5%보다 크므로 기본가설을 기각하지 못하는 통 계적 결정을 내리게 된다.

만일 위 예제에서 양측검정의 결과, 두 공장 근로자의 일일 생산성 평균에 차이가 있다는 결론이 나올 경우에는 과연 공장 1 근로자의 일일 생산성 평균이 공장 2 근로 자의 일일 생산성 평균보다 높은지를 따지는 단측검정을 수행할 수 있다.

두 독립 집단에 대한 t-검정

독립적인 두 모집단에 대한 t-검정에서는 두 모집단 각각에서 독립적으로 추출된 두 독립 표본의 평균을 비교한다. 이에 대한 좋은 예로 직장 내 남녀사원의 월급 비교 나 두 가지 서로 다른 다이어트 방법을 도입한 이후의 체중 감소 효과의 비교 등을 들 수 있다. 여기서는 두 모집단의 평균을 비교하여 그 차이가 존재하는지 또는 어느 한쪽 이 더 큰지의 여부를 알아보는 것이 목적이므로 두 개의 독립 표본에 대한 통계량은 두 표본평균의 차이를 표준화시킨 t통계량이다. 검정통계량으로 t통계량을 이용하는 이유 는 두 모집단은 정규분포를 한다고 가정하나, 두 모집단의 분산은 모르기 때문이다. 실 제로 모평균을 모를 경우에는 모분산도 모르는 것이 일반적이므로, 두 모평균 차이 분 석을 위한 통계량으로 앞서 언급한 Z분포보다는 t분포를 많이 사용한다.

① 두 모평균 차이에 대한 t-검정

이제 $\overline{X}_1$과 $\overline{X}_2$를 독립적인 두 모집단에서 각각 추출한 두 표본의 평균이고, n_1과 n_2 는 두 표본의 크기, 그리고 μ_1과 μ_2는 두 모집단의 평균(모평균)이라면 t통계량은 다음 과 같이 정의된다. 여기서 두 모집단의 분산은 동일하다고 가정한다.

$$t = \frac{(\overline{X}_1 - \overline{X}_2) - (\mu_1 - \mu_2)}{s_p \sqrt{\dfrac{1}{n_1} + \dfrac{1}{n_2}}}$$

위 식의 분모에 있는 s_p는 두 표본의 표준편차를 통합한 **통합표본표준편차(pooled sample standard deviation)**로서 동일하다고 가정한 모표준편차(population standard deviation)의 추정치를 말한다. 만약 s_1이 첫 번째 표본의 표준편차, s_2가 두 번째 표본 의 표준편차라면 s_p는 다음과 같이 구해진다.

$$s_p = \sqrt{\frac{(n_1-1)s_1^2 + (n_2-1)s_2^2}{n_1+n_2-2}}$$

통합표본표준편차를 제곱한 값은 **통합표본분산**(pooled sample variance)이라고 하는데, 통합표본분산은 두 표본분산을 각각의 자유도로 가중평균한 값이다. 따라서 통합표본표준편차도 두 표본표준편차를 이용하여 계산한 일종의 가중평균으로 볼 수 있으며, s_p의 값은 항상 s_1과 s_2사이에 있게 된다. 만약 n_1과 n_2가 같다면 위 식의 제곱근 안에 있는 값은 두 표본분산의 산술평균이 되며, 다르다면 각 표본의 자유도 (n_1-1)과 (n_2-1)를 이용한 가중평균이 된다.

t통계량을 구하는 식이 보기에는 복잡해 보이나 그 논리는 한 가지 점을 제외하고는 단일 표본에서 t통계량을 구할 때와 동일하다. 다른 점이란 두 표본평균의 차이, 즉 $(\overline{X}_1 - \overline{X}_2)$를 이용하여 $(\mu_1 - \mu_2)$에 대한 가설검정을 수행한다는 것이다. $(\overline{X}_1 - \overline{X}_2)$를 구하고 기본가설에서 설정한 모평균의 차이 $(\mu_1 - \mu_2)$를 표본평균의 차이 $(\overline{X}_1 - \overline{X}_2)$에서 빼준 다음 $(\overline{X}_1 - \overline{X}_2)$의 추정된 표준오차로 나눈 것이다. 만약 두 모집단이 정규분포를 하고 두 모집단의 분산이 동일하다면 위에서 구한 t통계량은 자유도가 (n_1+n_2-2)인 t분포를 따르게 된다.

두 모평균 차이에 대한 가설검정을 구체적으로 설명하기 위해 다음의 예제를 고려해 보자.

예제

한 교육기관에서 컴퓨터 교육을 원하는 사람을 두 집단으로 나누어 다음과 같은 실험을 수행하였다. 한 집단은 애플 컴퓨터를 이용하여 워드프로세서 교육을 실시하고, 다른 집단은 IBM PC를 이용하여 워드프로세서 교육을 실시하였다. 각 집단은 25명의 학생으로 구성되었다. 워드프로세서 교육이 끝난 후 타자 시험을 실시하여 100점 만점으로 평가한 결과 애플 컴퓨터를 사용한 학생들의 평균점수는 75점, 표준편차는 8점으로 나타났다. 반면에 IBM PC를 사용한 학생들의 평균점수는 80점, 표준편차는 6점이었다. 이러한 표본정보를 근거로 두 집단 간 평균점수의 차이는 통계적으로 의미가 있다고 말할 수 있는가? 두 모집단의 분산은 동일하다고 가정한다.

애플 컴퓨터로 학습한 사람들의 모평균 점수를 μ_1, IBM PC로 학습한 사람들의 모평균 점수를 μ_2로 표시하면 귀무가설과 대립가설은 다음과 같이 설정할 수 있다.

$$\begin{cases} H_0: \mu_1 - \mu_2 = 0 \\ H_1: \mu_1 - \mu_2 \neq 0 \end{cases}$$

기본가설이 참이라는 가정 하에 t통계량의 값을 구해보자. t통계량 값을 구하기 위해서는 우선 s_p를 구해야 한다.(위 예제에서는 두 모집단의 모분산이 동일하다고 가정하였다.)

$$s_p = \sqrt{\frac{(n_1-1)s_1^2 + (n_2-1)s_2^2}{n_1 + n_2 - 2}} = \sqrt{\frac{(25-1)8^2 + (25-1)6^2}{25 + 25 - 2}} = \sqrt{50} = 7.07$$

따라서 t통계량의 값은 다음과 같이 구해진다.

$$t = \frac{(\overline{X_1} - \overline{X_2}) - (\mu_1 - \mu_2)}{s_p \sqrt{\frac{1}{n_1} + \frac{1}{n_2}}} = \frac{(75-80) - (0)}{7.07\sqrt{\frac{1}{25} + \frac{1}{25}}} = \frac{-5}{2} = -2.5$$

그렇다면 t통계량의 값 -2.5는 통계적으로 의미가 있는 값인가? 즉, t통계량의 값 -2.5는 두 집단 간 평균점수가 차이를 보인다는 대립가설을 지지할 정도로 큰 값인가? 이 질문에 답하기 위해 두 가지 방법을 취할 수 있다. 첫째는 검정통계량 값과 임계값을 비교하는 것으로, 이 경우 임계값은 $\pm t_{\frac{0.05}{2}, (n_1 + n_2 - 2)} = \pm t_{0.025, 48} = \text{TINV}$ $(0.05, 48) = \pm 2.01$이다. 따라서 검정통계량 값 -2.5는 기각역에 속하므로 기본가설은 기각되고, 두 모평균에 차이가 있다는, 즉, 두 집단의 타자실력은 다르다는 대립가설을 유의수준 5%로 받아들이게 된다.

두 번째 방법은 p-값과 유의수준을 비교하는 것으로, 우선 양측검정의 p-값을 구해보자. 이 경우 p-값은 t통계량이 -2.5보다 작을 확률과 2.5보다 클 확률을 합한 것으로 다음과 같이 엑셀 함수를 이용해 계산할 수 있다.

엑셀 워크시트에서 임의의 셀을 선택하고 엑셀 함수 =TDIST(2.5, 48, 2)을 입력한 후 [Enter]키를 누른다. 엑셀 함수식에서 검정통계량의 값인 −2.5를 입력하지 않음을 눈여겨보기 바란다. TDIST 함수는 p-값을 구하기 위해 t통계량의 양수 값만을 사용하므로 음수를 입력하면 에러 메시지가 뜬다. 자유도는 $(n_1+n_2-2)=(25+25-2)=48$ 이 되고, 양측검정이므로 TDIST 함수의 세 번째 인자로 2를 입력한다. 엑셀은 약 0.016이라는 확률값을 계산해 준다. 이 p-값은 유의수준 0.05보다 작으므로 유의수준 5%에서 두 모평균이 같다는 귀무가설을 기각하게 되고, 따라서 두 집단의 타자실력은 다르다는 결론을 내리게 된다.

② 데이터 분석 도구를 이용한 t-검정

이제 엑셀의 데이터 분석 도구를 이용하여 독립적인 두 집단의 모평균 차이 검정을 t분포를 이용하여 수행해 보자. 두 모집단의 분산이 알려져 있지 않다는 가정 하에 수행되는 독립적인 두 집단의 모평균 차이 검정은 다시 두 가지로 구분된다. 하나는 두 모분산을 모르지만 같다고 가정하는 경우고, 다른 하나는 두 모분산을 모르고 두 모분산이 같지 않다고 가정하는 경우이다. 전자에 해당하는 통계 데이터 분석 도구는 ***t*-검정: 등분산가정 두 집단**이고, 후자에 해당하는 분석 도구는 ***t*-검정: 이분산가정 두 집단**이다.

(1) 등분산 가정
모 대학에서 한국연구재단의 지원을 받아 수행 중인 프로젝트는 중력이 혈액순환에 미치는 효과를 규명하는 것이다. 남녀 간의 차이를 규명해 보기 위해 7명의 남자와 8명의 여자를 무작위로 선발하고 이들을 24일간 서로 격리시켜 개별적으로 중력의 효과를 실험하였다. 실험 결과, 무중력 하에서는 다리로부터 상반신으로 가는 혈액의 양이 감소함을 발견할 수 있었다. 남녀 집단에 대한 실험결과 중 일부를 정리한 데이터가 활용예제 폴더의 Space.xlsx 파일에 있다. 이 데이터를 이용하여 독립적인 두 집단의 t-검정 수행방법을 구체적으로 학습해보자.

활용예제 폴더의 Space.xlsx를 열면 [그림 5.5]와 같은 화면이 나타난다.

	A	B	C	D	E	F	G	H	I	J	K	L	M	N
1	실험자 번호		1일째		5일째		9일째		10일째		13일째		16일째	
2	남자	여자	남자	여자	남자	여자	남자	여자	남자	여자	남자	여자	남자	여자
3	70	87	165.9	212.1	169.5	217.2	154.3	230.4	181.4	254.9	193.1	245.5	172.4	248.2
4	71	89	210.3	203.5	188.3	210.3	191	202.8	220.6	263.1	205.8	249	215.6	253.6
5	72	90	166.8	210.3	163.6	241.5	163.4	202.8	181.6	279.8	159.1	245	191.6	247
6	76	94	182.3	228.4	173.2	218.9	168.6	216.8	187.3	259.6	204	243.9	198.3	250.7
7	77	97	182.1	206.2	180.8	190.5	187	192.9	197.1	245.5	196.2	231	212.5	245.7
8	78	99	218	203.2	221.4	205.1	200.4	194.4	244.9	225.1	223.1	204.8	236.2	188.8
9	80	101	170.1	224.9	162.3	214.3	162.5	211.7	185.9	256.5	188.1	244.3	188.1	254.6
10		102		202.6		190.4		178.3		251.2		245.3		247.2

[그림 5.5] Space.xlsx

19일째(열 O와 P) 남자와 여자의 혈액감소량을 비교하기 위해 두 집단 t-검정을 사용해 보자. 19일에서의 혈액감소량 데이터를 살펴보기 위해 수평이동버튼을 오른쪽 방향으로 누른다. 그러면 [그림 5.6]과 같은 화면으로 이동한다.

	I	J	K	L	M	N	O	P	Q	R	S	T	U
1	10일째		13일째		16일째		19일째		20일째		22일째		24
2	남자	여자	남자	여자	남자	여자	남자	여자	남자	여자	남자	여자	남자
3	181.4	254.9	193.1	245.5	172.4	248.2	179.8	236.3	161.7	227.7	164.8	227.8	164
4	220.6	263.1	205.8	249	215.6	253.6	213.5	236.3	179.3	205.3	181.5	194.5	185
5	181.6	279.8	159.1	245	191.6	247	190.3	252	171.6	217.5	163.7	188.1	176
6	187.3	259.6	204	243.9	198.3	250.7	190.3	242.9	182.4	221.3	188.6	202.6	164
7	197.1	245.5	196.2	231	212.5	245.7	209.2	240.3	194.2	191.9	179.6	164.2	198
8	244.9	225.1	223.1	204.8	236.2	188.8	231.4	224.8	200.4	188.2	221.6	163.7	191
9	185.9	256.5	188.1	244.3	188.1	254.6	188.4	254.9	163.9	241.8	176.9	213.1	175
10		251.2		245.3		247.2		206.5		171.6		180.7	

[그림 5.6] 19일째 데이터로 화면 이동

19일째의 남녀 간 혈액감소량 차이가 통계적으로 유의한지를(의미가 있는 것인지를) 조사하기 위해 두 집단 t-검정을 수행한다. 남자의 평균 혈액감소량(μ_1)이 여자의 평균 혈액감소량(μ_2)과 동일한 지의 여부를 검정하고자 함으로 기본가설과 대립가설은 다음과 같이 설정된다. 두 모집단의 분산(남자와 여자의 혈액감소량의 분산)은 동일하다고 가정하고, 유의수준은 5%로 하자.

$$\begin{bmatrix} H_0: \mu_1 - \mu_2 = 0 \\ H_1: \mu_1 - \mu_2 \neq 0 \end{bmatrix}$$

여기서는 두 집단 t-검정을 수행하기 위해서 데이터 분석 기능을 이용한다.

① **혈액감소량** 시트 탭을 누른다.

② **데이터▶분석▶데이터 분석**을 누른다.

③ **t-검정: 등분산 가정 두 집단**을 선택하고(여기서는 남녀 데이터의 모집단 분산이 동일하다고 가정하였다.) **확인** 버튼을 누른다. 그러면 [그림 5.7]과 같은 대화상자가 나타난다.

④ **변수 1 입력범위** 상자에 O2:O9를 드래그하여 입력하고, **변수 2 입력범위** 상자에는 P2:P10을 드래그하여 입력한다.

⑤ **가설 평균차** 상자에 0을 입력한다.

⑥ 입력한 데이터가 이름표(남자, 여자)를 포함하고 있으므로 **이름표** 난을 선택한다.

⑦ **유의수준**이 0.05로 되어 있는지 확인한다.

⑧ **출력옵션**으로 **새로운 워크시트**를 선택하고, 우측의 이름상자에 **19일째 검정**이라고 입력한다.

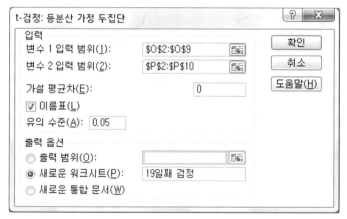

[그림 5.7] t-검정: 등분산 가정 두 집단 대화상자

⑨ **확인** 버튼을 누른다.

그러면 **19일째 검정**이라는 이름의 워크시트가 만들어지고, 그 워크시트에 두 집단 t-검정 결과가 [그림 5.8]과 같이 나타난다. 열 A를 넓혀(맨 윗줄의 셀 A와 셀 B 사이에 마우스 포인터를 놓고 너블클릭하면 열 A의 쪽이 내용에 맞게 조정됨) 제목이 모두 보이도록 하였다.

우선 [그림 5.8]에서 셀 B4와 C4에 있는 표본평균을 보면 여자가 남자보다 혈액감소량이 많음을 알 수 있다(200.41 < 236.75).

	A	B	C	D	E	F	G	H	I
1	t-검정: 등분산 가정 두 집단								
2									
3		남자	여자						
4	평균	200.4143	236.75						
5	분산	330.4048	238.6686						
6	관측수	7	8						
7	공동(Pooled) 분산	281.0084							
8	가설 평균차	0							
9	자유도	13							
10	t 통계량	-4.188152							
11	P(T<=t) 단측 검정	0.000531							
12	t 기각치 단측 검정	1.770933							
13	P(T<=t) 양측 검정	0.001063							
14	t 기각치 양측 검정	2.160369							

[그림 5.8] 등분산 가정 두 집단 t-검정 결과

다음으로 t통계량의 값은 -4.19(셀 B10)이고, 양측검정의 p-값은 0.001(셀 B13)인데, p-값이 유의수준 0.05보다 작으므로 두 집단의 모평균 차이는 유의수준 5%에서 통계적으로 의미가 있다고 판단한다. 따라서 남녀 간 혈액감소량에는 차이가 존재한다고 말할 수 있다. 이 같은 결론은 t통계량의 값과 임계값을 비교해서도 마찬가지로 내릴 수 있다. [그림 5.8]에서 양측검정의 임계값은 ± 2.16(셀 B14)이다. 따라서 t통계량 값인 -4.19는 채택역인 $(-2.16, 2.16)$ 밖에 존재하므로 기본가설을 기각하고 대립가설을 받아들이는 결론, 즉, 남녀 간 혈액감소량에는 차이가 존재한다는 결론을 내릴 수 있다.

(2) 이분산 가정

이번에는 두 집단의 모분산이 다르다고 가정하고 두 집단 t-검정을 수행해 보자. 두 표본의 크기가 많은 차이를 보일 때에는 작은 집단의 표준편차가 훨씬 크게 나타날 수 있기 때문에 두 집단의 모분산을 같다고 가정하고 t통계량 값을 구하게 되면 이 통계량은 t분포를 따르지 않게 되고, 의미 없는 차이가 의미 있게 나타날 수도 있다. 이렇게 두 모분산이 다르다고 가정할 경우에는 다음과 같이 t통계량을 구하는 식이 두 모분산이 같다고 가정할 때와 조금 다르게 정의된다.

$$t = \frac{(\overline{X}_1 - \overline{X}_2) - (\mu_1 - \mu_2)}{\sqrt{\dfrac{s_1^2}{n_1} + \dfrac{s_2^2}{n_2}}}$$

위 식에서 $(\overline{X}_1 - \overline{X}_2)$의 추정된 표준오차로는 $\sqrt{\dfrac{s_1^2}{n_1} + \dfrac{s_2^2}{n_2}}$ 가 사용되었는데, 그 이유는 동일하지 않은 미지의 두 모분산의 추정치로 두 표본분산을 각각 사용하기 때문이다. 이 경우, 위의 t통계량은 자유도 조정이 필요한데, 자유도를 추정하는 식은 다음과 같다.

$$\overline{\nu} \approx \frac{(s_1^2/n_1 + s_2^2/n_2)^2}{(s_1^2/n_1)^2/(n_1-1) + (s_2^2/n_2)^2/(n_2-1)}$$

즉, 두 모분산이 동일하지 않다고 가정할 경우, 표본으로부터 계산되는 t통계량은 위의 식으로 추정되는 자유도를 가지는 t분포에 근사한다.

엑셀의 데이터 분석 도구는 두 집단의 모분산이 다를 경우 t검정을 수행하는 **t-검정: 이분산가정 두 집단** 도구를 제공하고 있다.

엑셀의 데이터 분석 도구를 이용하여 두 모분산이 다르다고 가정할 경우(이분산을 가정할 경우) t검정을 수행하는 과정은 다음과 같다.

① **혈액감소량** 시트 탭을 누른다.

② **데이터 ▶ 분석 ▶ 데이터 분석**을 누른다.

③ ***t*-검정: 이분산 가정 두 집단**을 선택하고 **확인** 버튼을 누른다.

④ **변수 1 입력범위** 상자에 O2:O9를 드래그하여 입력하고, **변수 2 입력범위** 상자에
   는 P2:P10을 드래그하여 입력한다.

⑤ **가설 평균차** 상자에 0을 입력한다.

⑥ 데이터들이 이름표(남자, 여자)를 포함하고 있으므로 **이름표** 난을 선택한다. 그리
   고 유의수준이 0.05로 되어 있는지 확인한다.

⑦ **출력옵션**으로 **새로운 워크시트**를 선택하고, 우측의 이름상자에 **19일째 검정(이
   분산)**이라고 입력한다. **확인** 버튼을 누른다.

그러면 이분산 가정 두 집단의 t – 검정결과가 [그림 5.9]와 같이 나타난다.

	A	B	C	D	E	F	G	H	I
1	t-검정: 이분산 가정 두 집단								
2									
3		남자	여자						
4	평균	200.4143	236.75						
5	분산	330.4048	238.6686						
6	관측수	7	8						
7	가설 평균차	0							
8	자유도	12							
9	t 통계량	-4.139918							
10	P(T<=t) 단측 검정	0.000686							
11	t 기각치 단측 검정	1.782288							
12	P(T<=t) 양측 검정	0.001371							
13	t 기각치 양측 검정	2.178813							

[그림 5.9] 이분산 가정 두 집단 t-검정 결과

　　[그림 5.8]의 등분산 가정 결과와 [그림 5.9]의 이분산 가정 결과는 서로 유사함을
알 수 있는데, 두 표본의 분산과 표본의 크기가 크게 다르지 않으면 두 결과는 거의 유
사하게 나온다. [그림 5.9]에서 주목할 점은 이분산 가정을 하게 되면, 두 집단의 표본
분산이 이분산을 가정한 두 모분산의 추정치 역할을 하게 되며, 자유도는 등분산일 경
우의 $(n_1 + n_2 - 2) = 13$에서 12로 떨어진다는 것이다. 이분산 가정에서 앞서 언급한 t
통계량의 자유도 구하는 식을 이용하여 자유도를 계산하면 약 11.9가 나오는데, 이를

반올림한 정수값을 자유도로 취하게 된다.

제4절 두 모집단 분산의 비교: F-검정

제3절에서 학습한 바와 같이 두 모평균 차이에 대한 t-검정은 미지의 두 모분산이 같은지 또는 다른지에 따라 검정하는 방법이 조금 달라진다. 그러면 두 모집단 분산이 같은지 다른지는 어떻게 알 수 있을까? 상식적으로, 두 표본의 크기가 크게 다르지 않고, 두 표본분산의 크기가 크게 다르지 않으면 두 모집단의 분산이 같다고 가정할 수 있지만 이와 같은 판단은 개인에 따라 차이가 많아 매우 주관적이다. 따라서 두 모집단이 등분산인지 이분산인지를 보다 객관적으로 판단하기 위한 방법이 필요한데, 이는 F-검정을 통해 수행될 수 있다. F-검정에서 가정하는 가설은 다음과 같은 세 가지 형태를 취한다.

첫 번째 형태는 양측검정을 위한 가설로 두 모분산의 비율(σ_1^2/σ_2^2)이 1과 같은지의 여부를 검정하는 가설이다. 기본가설은 두 모분산이 같음을 나타낸다. 두 번째 형태는 좌측검정을 위한 가설로 모집단 1의 분산(σ_1^2)이 모집단 2의 분산(σ_2^2)보다 작은 지를 검정한다. 그리고 세 번째 형태는 우측검정을 위한 가설로 모집단 1의 분산(σ_1^2)이 모집단 2의 분산(σ_2^2)보다 큰지를 검정하는 가설이다.

$$\begin{bmatrix} H_0 : \dfrac{\sigma_1^2}{\sigma_2^2} = 1 \\[2mm] H_1 : \dfrac{\sigma_1^2}{\sigma_2^2} \neq 1 \end{bmatrix} \quad \text{(양측검정)}$$

$$\begin{bmatrix} H_0 : \dfrac{\sigma_1^2}{\sigma_2^2} = 1 \\[2mm] H_1 : \dfrac{\sigma_1^2}{\sigma_2^2} < 1 \end{bmatrix} \quad \text{(좌측검정)}$$

$$\begin{bmatrix} H_0: \dfrac{\sigma_1^2}{\sigma_2^2}=1 \\ \\ H_1: \dfrac{\sigma_1^2}{\sigma_2^2}>1 \end{bmatrix} \quad \text{(우측검정)}$$

그러나 엑셀의 데이터 분석 도구에서 제공하는 F-검정은 두 표본분산 s_1^2과 s_2^2의 크기를 컴퓨터가 자동으로 비교한 후, 이를 근거로 항상 단측검정을 수행한다. 예를 들어, s_1^2이 s_2^2보다 클 경우, F-검정은 σ_1^2이 σ_2^2보다 큰지를 검정하는 우측검정을 수행한다. 이러한 단측검정에서 기본가설이 기각되지 않으면 두 모분산은 같다고 판단하고, 기본가설이 기각되고 대립가설이 받아들여지면 두 모분산은 다르다고 평가한다.

F-검정의 검정통계량 F는 기본가설이 참이라는 가정(두 모분산이 같다는 가정) 하에 두 표본분산을 이용하여 다음과 같이 정의된다.[5]

$$F=\frac{s_1^2}{s_2^2}$$

이제 엑셀의 데이터 분석 도구를 이용하여 F-검정을 수행해 보자. F-검정을 설명하기 위해 앞 절에서 이용한 **Space.xlsx** 파일을 다시 이용하자.

① **혈액감소량** 시트 탭을 누른다.
② **데이터▶분석▶데이터 분석**을 누른다.

---

5) 원래 $F=\dfrac{s_1^2/\sigma_1^2}{s_2^2/\sigma_2^2}$으로 정의된다. 그런데 두 모분산이 같다는 기본가설이 사실이라면 $F=\dfrac{s_1^2}{s_2^2}$으로 단순화되어 검정통계량으로 사용된다.

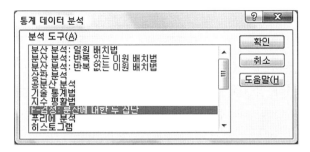

[그림 5.10] 통계 데이터 분석 창

③ 통계 데이터 분석 창이 뜨면, 데이터 분석 도구 중에서 **F-검정: 분산에 대한 두 집단**을 선택한 후 **확인**을 누른다.

④ 그러면 [그림 5.11]과 같이 **F-검정: 분산에 대한 두 집단** 대화상자가 화면에 나타난다. **변수 1 입력 범위**에는 O2:O9를 드래그하여 입력하고, **변수 2 입력 범위**에는 P2:P10을 드래그하여 입력한다. 데이터 범위에 문자열이 포함되어 있으므로 **이름표**는 체크해주고, **유의수준**은 0.05로 되어 있는지 확인한다. **출력 옵션**으로는 **새로운 워크시트**를 선택하고, 우측의 이름상자에는 **F-검정(19일째)**라고 입력한 후, 확인을 누른다.

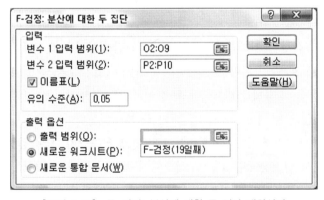

[그림 5.11] F-검정: 분산에 대한 두 집단 대화상자

⑤ 그러면 **F-검정(19일째)**라는 이름의 시트가 생성되고, [그림 5.12]와 같이 F-검

정 결과가 나타난다.

[그림 5.12]에 나타닌 F-검정 결과를 설명하면 다음과 같다. 우선, 남자 집단의 표본분산(330.40)이 여자 집단의 표본분산(238.67)보다 크므로 이 결과는 우측검정의 결과이다. 즉, 남성 집단의 혈액 감소량 분산이 여성 집단의 혈액 감소량 분산보다 큰지를 검정한 결과이다. 데이터 분석 도구의 F-검정을 이용할 경우, **F비**가 1보다 크면 (즉, s_1^2이 s_2^2보다 크면) 우측검정의 결과를, 1보다 작으면(즉, s_1^2이 s_2^2보다 작으면) 좌측검정의 결과를 보여준다. 다음으로 **F비**(1.38)는 검정통계량 F값을 나타내는데, 이는 남자 집단의 표본분산을 여자 집단의 표본분산으로 나눈 값(s_1^2/s_2^2)이다.

	A	B	C	D	E	F	G	H	I
	F14		f_x						
1	F-검정:분산에 대한 두 집단								
2									
3		남자	여자						
4	평균	200.4142857	236.75						
5	분산	330.4047619	238.6685714						
6	관측수	7	8						
7	자유도	6	7						
8	F 비	1.384366446							
9	P(F<=f) 단측 검정	0.337558219							
10	F 기각치:단측 검정	3.865968853							

[그림 5.12] F-검정 결과

F기각치: 단측검정은 임계값을, **$P(F<=f)$ 단측검정**은 p-값을 나타낸다. 여기서는 우측검정이므로 만일 F비가 임계값보다 크면 대립가설을 받아들이고, 두 모분산은 다르다는 결론을 내리게 된다. 또한 p-값이 유의수준보다 작으면 대립가설을 받아들이고, 그렇지 않으면 대립가설을 기각하는(기본가설을 받아들이는) 규칙도 마찬가지 결과를 가져온다. [그림 5.12]에서 **F비**는 1.38이고 **F기각치: 단측검정**이 3.87이므로 유의수준 0.05에서 검정통계량의 값은 채택역에 놓이게 된다. 따라서 유의수준 0.05에서 두 모집단의 분산이 같다는 기본가설은 기각할 수 없게 된다. 이 결과는 p-값을 유의수준과 비교해서도 확인할 수 있다. 즉, p-값은 0.338인데, 이는 유의수준 0.05보다 크므로 기본가설을 기각할 수 없으며, 두 모집단은 등분산을 가진다고 유의수준 5%로 말할 수 있다.

제5절
쌍대 t-검정

제3절에서는 두 모집단이 독립이고, 따라서 두 모집단에서 각각 추출된 두 표본도 서로 독립이라는 가정 하에 두 모평균 차이에 대한 가설검정을 수행하였다. 본 절에서는 두 표본이 독립이 아니라 서로 짝을 이루는 경우의 가설검정, 즉, **쌍대 t-검정** (matched pairs t-test)에 대하여 공부한다. 다음의 예를 고려해 보자.

> **예제**
>
> 서강의과대학의 한 연구원은 그가 새롭게 개발한 식이요법이 몸무게 감소에 효과가 있는지를 조사하고자 한다. 이 조사를 위해서는 동일한 피실험자를 대상으로 식이요법을 적용하기 전의 몸무게와 후의 몸무게를 비교하여야 한다. 각 피실험자에 대하여 식이요법을 적용하기 전과 후의 자료를 조사하게 되므로 이 두 값을 쌍대 또는 종속 데이터라고 한다. 특정 피실험자에 대한 두 관측값(식이요법 적용 전과 후의 몸무게)의 차이는 식이요법에 대한 피실험자의 반응 차이에 기인하기 때문에 이 차이 자료를 기초로 검정을 수행하면 식이요법 이외의 개인의 특성에 따른 요인의 영향을 제거할 수 있으며, 보다 순순하게 식이요법의 효과를 측정할 수 있다. 이와 같이 한 쌍으로 관측된 표본(쌍대 데이터)의 차이를 이용하여 두 모평균 차이를 검정하는 방법을 쌍대 t-검정이라 한다.

쌍대 데이터의 다른 예로 광고전후의 판매량이나 공해방지법 시행전후의 대기오염도 자료 등을 들 수 있다. 이는 광고나 공해방지법 시행과 같은 단일 처치(treatment)의 효과 여부를 알아보기 위해 처치 전후의 성과를 조사하여 이를 비교하는 것을 말한다.

쌍대 t-검정을 설명하기 위해 활용예제 폴더에 있는 Diet.xlsx 파일을 불러 보자. Diet.xlsx 파일은 피실험자 10명에 대한 식이요법 적용 전의 몸무게와 적용 후의 몸무게를 정리한 자료이다. 이러한 쌍대 데이터는 두 개의 열로 표현하는 것이 사용자가 분석하기에 편리하다. 피실험자 10명에 대한 식이요법 전과 후의 몸무게를 비교해보면, 식이요법의 적용으로 몸무게가 감소한 피실험자도 있지만 오히려 몸무게가 증가한 피실험자도 있음을 볼 수 있다. 그렇다면 식이요법은 과연 사람들의 몸무게 감소에 효과

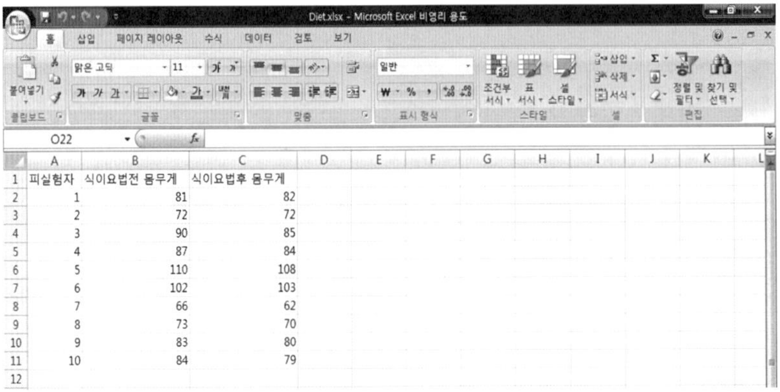

피실험자	식이요법전 몸무게	식이요법후 몸무게
1	81	82
2	72	72
3	90	85
4	87	84
5	110	108
6	102	103
7	66	62
8	73	70
9	83	80
10	84	79

[그림 5.13] Diet.xlsx

가 있다고 말할 수 있는가? 이 질문에 객관적으로 대답하기 위해 식이요법 적용 전과 후의 몸무게 차이에 대한 **쌍대 t-검정**을 수행해 보자.

1 쌍대 데이터의 차이 분석

식이요법 전 몸무게의 모평균을 μ_1이라 하고, 식이요법 후 몸무게의 모평균을 μ_2라고 하자. 그리고 두 모평균의 차이를 $\mu_D = \mu_1 - \mu_2$라고 정의하자. 식이요법이 몸무게 감소에 효과가 있는 지를 검정하기 위해 연구자는 다음과 같은 기본가설과 대립가설을 설정할 수 있을 것이다.

$$\begin{cases} H_0: \mu_D = 0 \\ H_1: \mu_D > 0 \end{cases}$$

고려하는 두 데이터는 쌍대 데이터이므로 식이요법을 제외한 피실험자 개인의 특성을 배제하기 위해 식이요법 적용 전과 후의 몸무게 차이를 하나의 열로 표현해 보자.

Tip 쌍대 t-검정에서는 쌍대 데이터의 차이 자료가 표본의 역할을 한다. 따라서 쌍대 데이터가 n개 있으면 t분포의 자유도는 $(n-1)$이 된다.

① [그림 5.14]에서 셀 D1를 선택하고, **차이**를 입력한 후 [Enter]키를 누른다.

② 셀 D2부터 D11까지를 마우스로 드래그하여 선택한다.

③ 이 상태에서 = B2−C2을 입력하고 [Ctrl]+[Enter]를 누른다. 셀 범위 D2:D11에 모든 차이 계산이 자동적으로 수행된다. 이제 이 차이 자료가 표본자료의 역할을 하여 검정에 사용된다.

④ 임의의 셀을 눌러 선택된 영역을 해제한다.

	A	B	C	D	E	F	G	H
1	피실험자	식이요법전 몸무게	식이요법후 몸무게	차이				
2	1	81	82	-1				
3	2	72	72	0				
4	3	90	85	5				
5	4	87	84	3				
6	5	110	108	2				
7	6	102	103	-1				
8	7	66	62	4				
9	8	73	70	3				
10	9	83	80	3				
11	10	84	79	5				

[그림 5.14] 식이요법 전과 후 몸무게 차이의 계산

쌍대 데이터 차이의 평균과 분산은 다음과 같이 구한다.

① 셀 C12를 선택하고 **평균**을, 셀 C13을 선택하고 **분산**을 입력한다.

② 셀 D12에 = AVERAGE(D2:D11)을, 셀 D13에 = VAR(D2:D11)을 입력한다.[6]

그러면 [그림 5.15]와 같이 차이 자료의 평균(표본평균)과 분산(표본분산)이 셀 D12와 셀 D13에 각각 나타난다.

Tip 데이터 분석 도구의 **기술통계법** 기능을 이용하여 차이 자료에 대한 요약통계량을 구하면 차이 자료의 평균과 분산뿐만 아니라 기타 여러 가지 요약통계량을 볼 수 있다.

[6] 엑셀함수 VAR은 표본분산을 계산하고, VARP는 모집단 분산을 계산한다. 마찬가지로 엑셀함수 STDEV는 표본의 표준편차를 계산하고, STDEVP는 모집단 표준편차를 계산한다. 여기서 수집한 자료는 표본자료이므로 표본분산을 구한다.

	A	B	C	D	E	F	G	H
1	피실험자	식이요법전 몸무게	식이요법후 몸무게	차이				
2	1	81	82	-1				
3	2	72	72	0				
4	3	90	85	5				
5	4	87	84	3				
6	5	110	108	2				
7	6	102	103	-1				
8	7	66	62	4				
9	8	73	70	3				
10	9	83	80	3				
11	10	84	79	5				
12			평균	2.3				
13			분산	5.122222				

[그림 5.15] 쌍대 데이터 차이의 평균과 분산

이제 엑셀 함수를 이용하여 쌍대 데이터 차이에 대한 통계적 유의성을 검정해 보자. 기본적인 검정 방법은 앞서 제4장에서 학습한 단일 모평균에 대한 t-검정과 동일하다. 쌍대 t-검정에서 t통계량은 다음과 같이 정의된다.

$$t = \frac{\overline{D} - \mu_{\mathrm{D}}}{s_{\overline{D}}} = \frac{\overline{D}}{s_D / \sqrt{n}}$$

여기서 D는 차이 자료, $\overline{D}$는 차이 자료의 평균, $s_{\overline{D}}$는 $\overline{D}$의 표준편차(표준오차)를 나타낸다. $s_{\overline{D}}$는 차이 자료의 표준편차 s_D를 표본크기의 제곱근으로 나눈 값($s_D/\sqrt{n}$)이다. 또한 기본가설에서 "식이요법 적용 전과 후의 몸무게 평균의 차이는 없다($\mu_{\mathrm{D}}=0$)"고 가정했으므로 검정통계량 t의 값은 $\dfrac{\overline{D}}{s_D/\sqrt{n}}$로 계산된다. 그리고 t분포의 자유도는 $(n-1)=(10-1)=9$가 된다.

이제 엑셀 함수를 이용하여 위 예제의 가설검정을 수행해 보자. 여기서, 유의수준은 5%로 하자.

① 검정통계량 t값을 구하기 위해서 셀 **A15**에 **t검정통계량**이라 입력하고, 셀 **B15**에 해당 함수인 **= D12/(SQRT(D13)/SQRT(10))**을 입력한다.

② 단측검정의 임계값을 구하기 위해서 셀 **A16**에 **t기각치(단측)**을, 셀 **B16**에는 해

당 함수인 = TINV(0.1,9)를 입력한다. 그리고 양측검정의 임계값을 구하기 위해서 셀 A17에 **t기각치(양측)**을, 셀 B17에 해당 함수인 = TINV(0.05,9)을 입력한다.

③ 단측검정의 p-값을 구하기 위해서 셀 A18에 **p-값(단측)**을, 셀 B18에 해당 함수인 = TDIST(B15,9,1)을 입력한다. 그리고 양측검정의 p-값을 구하기 위해서 셀 A19에 **p-값(양측)**을, 셀 B19에 = TDIST(B15,9,2)를 입력한다.

[그림 5.16]의 결과를 보면, 검정통계량 t의 절대값이 3.21이고, 이는 단측검정의 임계값인 1.83보다 크다. 따라서 t통계량의 값은 기각역에 속하게 되고, 유의수준 0.05에서 식이요법 적용 전후의 평균 몸무게 차이가 0이라는 기본가설은 기각되고, 식이요법 적용 전의 몸무게 평균이 적용 후의 몸무게 평균보다 크다는 대립가설을 받아들이는 결정을 내리게 된다. 이는 식이요법이 몸무게 감소에 효과가 있음을 의미한다. 그리고 이러한 결과는 단측검정의 p-값과 유의수준 0.05를 비교해도 마찬가지로 나온다. 즉, 단측검정의 p-값은 0.005인데, 이는 유의수준 0.05보다 작으므로 기본가설을 기각하고 대립가설을 받아들이는 통계적 의사결정을 내리게 된다. 유의수준이 사전에 설정되지 않은 경우에도 유의수준이 현재의 p-값보다 클 때는 항상 대립가설을 받아들이는 결정을 내리게 된다.

	A	B	C	D
1	피실험자	식이요법전 몸무게	식이요법후 몸무게	차이
2	1	81	82	-1
3	2	72	72	0
4	3	90	85	5
5	4	87	84	3
6	5	110	108	2
7	6	102	103	-1
8	7	66	62	4
9	8	73	70	3
10	9	83	80	3
11	10	84	79	5
12			평균	2.3
13			분산	5.122222
14				
15	t검정통계량	3.213650387	=D12/(SQRT(D13)/SQRT(10))	
16	t기각치(단측)	1.833112923	=TINV(0.1,9)	
17	t기각치(양측)	2.262157158	=TINV(0.05,9)	
18	p-값(단측)	0.005298355	=TDIST(B15,9,1)	
19	p-값(단측)	0.010596711	=TDIST(B15,9,2)	

[그림 5.16] 엑셀 함수를 이용한 쌍대 t-검정

Tip p-값을 이용한 가설검정은 유의수준이 사전에 명시되지 않은 경우에도 수행될 수 있다. p-값을 구한 다음, 만일 유의수준이 p-값보다 크다면 대립가설을 받아들이는 결정을 하게 되고, 유의수준이 p-값보다 작으면 대립가설을 기각하는(기본가설을 받아들이는) 결정을 내리게 된다.

② 데이터 분석 도구를 이용한 쌍대 데이터의 검정

엑셀 함수를 이용해서도 쌍대 t-검정을 효과적으로 수행할 수 있으나 엑셀의 데이터 분석 도구에 내장된 기능을 이용하면 쌍대 t-검정을 훨씬 쉽고 빠르게 수행할 수 있다. 데이터 분석 도구의 쌍대 t-검정 기능을 이용하면 쌍대 데이터만 필요할 뿐 그 외의 차이 자료 계산을 포함한 어떠한 사전 계산도 필요하지 않다.

쌍대 데이터에 데이터 분석 도구의 쌍대 t-검정 기능을 적용하기 위해서는 다음과 같은 과정을 따른다.

① Diet.xlsx 파일을 연다.
② **데이터▶분석▶데이터 분석**을 누른다.
③ **분석 도구** 대화상자에서 ***t*-검정: 쌍체비교**를 선택하고 **확인** 버튼을 누른다. 그러

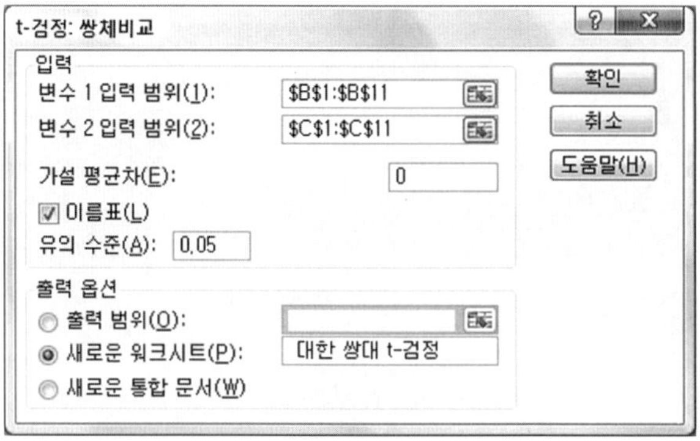

[그림 5.17] *t*-검정: 쌍체비교 대화상자

면 [그림 5.17]과 같은 t-검정: 쌍체비교 대화상자가 나타난다. t-검정: 쌍체비교 대화상자에서 사용자는 쌍대 데이터 각각의 범위만 입력해 주면 된다. (앞서 엑셀 함수를 이용하여 검정할 때에는 쌍대 데이터의 차이를 계산하여 이를 표본자료로 이용하였는데, 데이터 분석 도구를 사용할 경우에는 이러한 계산이 필요 없다.)

④ **변수 1 입력범위**에 식이요법 적용 전 몸무게 자료인 B1:B11을 입력하고 [Tab]키를 누른다.

⑤ **변수 2 입력범위**에 식이요법 적용 후 몸무게 자료인 C1:C11을 입력하고 [Tab]키를 누른다.

⑥ 기본가설이 "두 모평균이 차이가 없다(식이요법이 몸무게 감소에 효과가 없다)"는 것이므로 **가설 평균차** 상자에 0을 입력한다.

⑦ 변수 1과 변수 2 입력범위 상자에 쌍대 데이터 범위를 각각 입력할 때 **식이요법전 몸무게**와 **식이요법후 몸무게**라는 문자열을 포함하였으므로 **이름표**를 선택한다. 이 이름들은 출력결과에서 쌍대 데이터 각각의 이름으로 나타난다.

⑧ **유의수준**이 0.05로 되어 있는지 확인한다. 물론 사용자가 원하는 유의수준을 입력할 수 있다.

⑨ **출력 옵션**으로 **새로운 워크시트**를 선택하고, 우측의 이름상자에 **차이에 대한 쌍대 t-검정**이라고 입력한다.

⑩ **확인** 버튼을 누른다.

	A	B	C
1	t-검정: 쌍체 비교		
2			
3		식이요법전 몸무게	식이요법후 몸무게
4	평균	84.8	82.5
5	분산	181.9555556	198.2777778
6	관측수	10	10
7	피어슨 상관 계수	0.987438944	
8	가설 평균차	0	
9	자유도	9	
10	t 통계량	3.213650387	
11	P(T<=t) 단측 검정	0.005298355	
12	t 기각치 단측 검정	1.833112923	
13	P(T<=t) 양측 검정	0.010596711	
14	t 기각치 양측 검정	2.262157158	

[그림 5.18] t-검정: 쌍체 비교 결과

엑셀은 **차이에 대한 쌍대 t-검정**이라는 이름의 워크시트에 쌍대 t-검정 결과를 [그림 5.18]과 같이 출력해 준다(열의 폭은 셀 내용에 맞게 조정한 것임). [그림 5.18]의 결과는 앞서 엑셀 함수를 이용하여 도출한 [그림 5.16]의 결과와 일치함을 알 수 있다.

[그림 5.18]을 보면 우선 10명 피실험자의 식이요법 전 몸무게와 식이요법 후 몸무게는 **피어슨 상관계수**가 0.99에 가까운 매우 강한 양의 선형관계에 있음을 알 수 있다. 즉, 10명 피실험자의 식이요법 전과 후 몸무게 자료는 독립이 아닌 쌍대 데이터임을 확인할 수 있다.

이제 10명 피실험자의 식이요법 전과 후 몸무게 평균의 차이는 $84.8 - 82.5 = 2.3(\text{kg})$로 나타났는데, 과연 2.3kg이라는 차이가 통계적으로 의미가 있는 차이인지 아니면 우연한 차이인지를 객관적으로 판단하는 것이 필요하다. 이러한 판단은 t통계량에 대한 평가를 통해 이루어진다.

③ 쌍대 t-검정 결과의 해석

[그림 5.18]에 나타난 표본평균의 차이는 과연 통계적으로 유의한가? [그림 5.18]에 나와 있는 t통계량 값은 3.21인데, 이 값은 식이요법 적용 전과 후의 평균 몸무게에 차이가 없다는 기본가설이 사실이라는 가정 하에 계산된 값이다. 따라서 기본가설을 기각할 것인지 채택할 것인지를 결정하기 위해서는 표본으로부터 계산된 t통계량의 절대값을 임계값과 비교해야 한다. 의사결정규칙은 t통계량의 절대값이 임계값보다 크면 기본가설을 기각하고, 작으면 귀무가설을 채택하는 것이다. 엑셀은 두 가지 임계값(셀 B12와 B14)을 계산해 주는데, 셀 B12의 값은 단측검정일 때의 임계값, 셀 B14는 양측검정일 때의 임계값을 각각 나타낸다.

Tip 엑셀에서 계산해 주는 임계값은 임계값의 절대값이다. 따라서 양측검정의 실제 임계값은 엑셀이 계산한 임계값에 "±" 부호를 붙인 두 값이다. 단측검정은 좌측검정과 우측검정 두 가지로 나뉘는데, 좌측검정의 실제 임계값은 엑셀이 계산한 임계값에 "−" 부호를 붙인 것이고, 우측검정의 실제 임계값은 엑셀이 계산한 임계값에 "+" 부호를 붙인 것이다.

위 예제의 경우 유의수준은 0.05이고 가설검정 방법은 단측검정(우측검정)이다. 단측검정일 때 임계값은 1.833(셀 B14)이므로 이 값은 t통계량의 절대값 3.21보다 작음을 알 수 있다. 따라서 기본가설은 기각되고 식이요법 적용 전과 후의 몸무게 차이가 0보다 크다는(즉, 식이요법이 몸무게 감소에 효과가 있다는) 대립가설은 채택된다.

가설검정의 다른 방법으로 p−값을 유의수준과 비교하는 방법이 있음을 독자들은 알 것이다. 의사결정규칙은 p−값이 유의수준보다 작으면 기본가설을 기각하고, p−값이 유의수준보다 크면 기본가설을 채택하는 것이다. [그림 5.18]에서 **$P(T<=t)$ 단측검정**은 단측검정의 p−값을 나타내고, **$P(T<=t)$ 양측검정**은 양측검정의 p−값을 나타낸다. 본 예제는 단측검정에 해당되므로 p−값은 0.005(셀 B11)이고, 이는 유의수준 5%보다 작다. 따라서 기본가설을 기각하고 대립가설을 채택하는 마찬가지 결과를 가져옴을 알 수 있다.

제 **6** 장

분산분석

제5장에서는 두 모집단의 평균 차이를 비교하는데 있어 t-검정을 이용하였다. 그런데 실제 생활이나 학문 연구에서는 세 가지 이상의 집단을 한꺼번에 비교해야 하는 경우가 있다. 예를 들어, 서로 다른 강의방법으로 수강한 학생들의 학업성취도를 비교한다고 하자. 여기서 학업성취도의 대리치로는 시험성적을 이용하기로 하자. 강의방법을 강의방법 1, 강의방법 2, 강의방법 3으로 구분한 후에 강의방법에 따라 시험성적에 차이가 있는지를 파악하고자 할 경우 **분산분석(ANOVA: ANalysis Of VAriance)** 기법을 이용할 수 있다. 이 기법은 세 개 이상의 집단 간 평균차이를 한꺼번에 검정할 수 있게 해준다.

위 예의 경우 분산분석은 시험성적이라는 **종속변수**(또는 **반응변수**)와 강의방법이라는 **실험요인** 사이의 관계를 연구하는 기법이다. 다시 말하면 연구자가 관심을 가지는 종속변수를 대상으로 실험요인의 수준(처리)에 따라 종속변수 값의 평균에 차이가 존재하는지를 분석하는 것을 분산분석이라고 한다. 여기서 **처리(treatment)**는 실험요인의 여러 수준(factor level)을 말하는 것으로, 위의 예에서 실험요인의 수준은 강의방법 1, 강의방법 2, 강의방법 3의 세 가지이다. 다시 말해 세 가지 처리를 가진다. 그리고 각 처리가 적용되는 **실험단위(experimental units)**의 집합을 **집단**이라고 한다. 실험대상이 사람일 경우에는 **피실험자**라고도 한다. 결과적으로, 분산분석은 처리에 따라 집단 간 종속변수 값의 평균이 차이를 보이는 지를 분석하여, 실험요인이 종속변수에 의미 있는 영향을 미치는 변수인지를 판단한다.

분산분석은 실험요인이 하나인 **일원배치 분산분석(One-way ANOVA)**과 실험요인이 두 개인 **이원배치 분산분석(Two-way ANOVA)**으로 나뉜다.

일원배치 분산분석

① 일원배치 분산분석 모형

제 7 장에서 학습할 회귀분석과 마찬가지로 분산분석에도 모형이 존재하는데, 일원배치 분산분석은 다음과 같은 통계적 모형으로 표현할 수 있다.

$$Y_{ij} = \mu_j + \varepsilon_{ij} = \mu + \tau_j + \varepsilon_{ij}$$

여기서 Y_{ij}: 처리 j가 적용되는 실험단위 i의 관측값

μ: 모든 관측값에 공통된 상수

τ_j: 처리 j의 효과

μ_j: 처리 j의 모집단 평균

ε_{ij}: 처리 j가 적용되는 관측값 i의 무작위 효과

따라서 Y_{ij}는 다음의 3가지 요소로 구성된다.

① 공통의 상수 μ

② 처리 효과(treatment effect) τ_j

③ 무작위 효과(random effect) ε_{ij}

여기서 ε_{ij}는 평균이 0이고 표준편차가 σ인 정규분포를 따른다고 가정한다. 따라서 처리 j가 적용되는 집단의 특정 관측값 Y_{ij}는 평균이 $\mu + \tau_j$이고 표준편차가 σ인 정규분포를 따르는 모집단에서 추출된 표본이다.

위 모형이 의미하는 것은 만일 각 처리(treatment)가 적용된 집단의 종속변수 값 평균이 동일하다면 실험요인이 종속변수에 아무런 영향을 주지 못한다는 것이다. 여기서 처리란 강의방법, 약품처리, 포장방법, 광고매체 등과 같이 집단에 따라 서로 다른 형태로 부과되는 실험요인의 여러 가지 수준이라고 이해하면 된다.

처리가 n개 존재하는 분산분석에서는 다음과 같은 가정이 필요하다.

① n개의 모집단은 상호독립적인 정규분포를 따른다.
② n개의 모집단 분산은 동일하다.

2 일원배치 분산분석의 적용

일원배치 분산분석을 실제 자료에 적용해 보자. **활용예제** 폴더에 있는 **교수법_일원배치**.xlsx 파일을 열면 [그림 6.1]과 같은 화면이 나타난다. 이 자료는 통계학을 가르

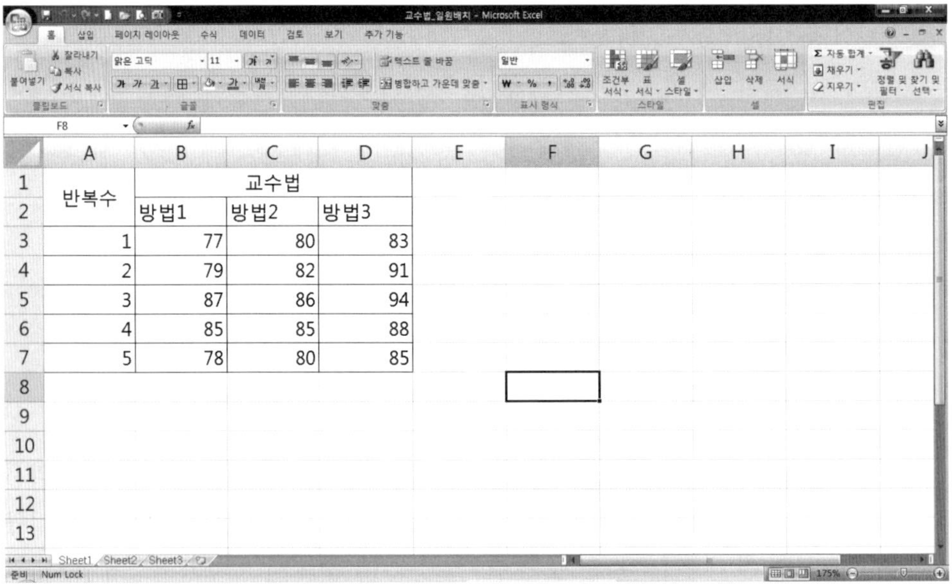

반복수	교수법		
	방법1	방법2	방법3
1	77	80	83
2	79	82	91
3	87	86	94
4	85	85	88
5	78	80	85

[그림 6.1] 3가지 교수법에 대한 평가결과

치는 어느 교수가 교수법에 따른 학습효과의 차이를 파악하기 위해 수집한 자료이다. 구체적으로, 통계학 수강을 신청한 학생들 중 15명을 무작위로 뽑아 이들을 5명씩 3개의 그룹으로 나눈 후, 한 학기동안 그룹별로 각기 다른 교수법을 적용하여 평가를 실시하고 그 결과(100점 만점)를 정리한 것이다.

[그림 6.1]에서 실험요인은 교수법이고, 실험요인의 세 가지 수준(처리)으로 방법 1, 방법 2, 방법 3이 각 집단에 적용되었다. 그리고 각 집단마다 **반복 수**는 5인데, 이는 각 집단의 크기(피실험자의 수)를 나타낸다.

엑셀의 데이터 분석 도구를 이용하여 일원배치 분산분석을 수행하기 위해 **데이터▶ 분석▶데이터분석**을 클릭하면 [그림 6.2]와 같은 **통계 데이터 분석** 창이 뜨는데, 여기서 **분산 분석: 일원 배치법**을 선택하고 **확인**을 누른다.

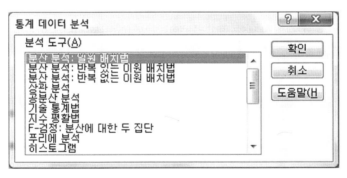

[그림 6.2] 통계 데이터 분석 창

그러면 [그림 6.3]과 같이 **분산 분석: 일원 배치법** 대화상자가 나타난다. 여기서, **입력 범위**에는 B2:D7의 범위를 드래그하여 입력한다. 입력 범위의 첫 행이 문자열이므로 **첫째 행 이름표 사용**을 체크한다. **유의 수준**은 0.05로 지정하고(물론 사용자가 원하는 유의수준을 입력할 수 있음), **출력옵션**으로는 **새로운 워크시트**를 선택하고, 우측의 이름상자에 **일원배치분산분석**이라고 입력한 후, **확인** 버튼을 누른다.

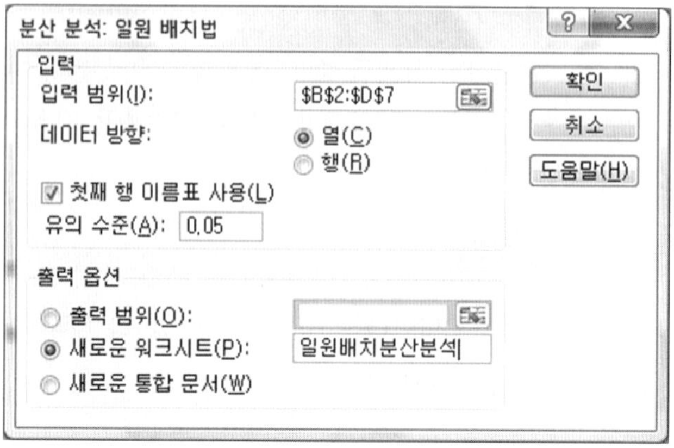

[그림 6.3] 분산 분석: 일원 배치법 대화상자

그러면 [그림 6.4]와 같이 일원배치 분산분석의 결과가 **일원배치분산분석** 시트에 나타난다. [그림 6.4]의 일원배치 분산분석 결과는 크게 두 가지로 나누어 볼 수 있다. 하나는 **요약표**로 각 처리 집단의 요약통계량을 나타내 주고 있다. 예를 들어, 방법 1이라는 교수법이 적용된 5명 학생의 평가결과의 합은 406이고, 평균은 81.2, 그리고 분산은 20.2임을 보여주고 있다. 다른 하나는 **분산분석표**인데, 이 표에 있는 정보를 이용하여 교수방법에 따라 학생들의 평가결과에 차이가 있는지의 여부를 판단할 수 있다. 여기에 나타난 정보는 제 5 장에서 두 모분산 비율을 비교할 때 이용한 ***F*-검정**의 개념과 흡사하다.

	A	B	C	D	E	F	G
1	분산 분석: 일원 배치법						
2							
3	요약표						
4	인자의 수준	관측수	합	평균	분산		
5	방법1	5	406	81.2	20.2		
6	방법2	5	413	82.6	7.8		
7	방법3	5	441	88.2	19.7		
8							
9							
10	분산 분석						
11	변동의 요인	제곱합	자유도	제곱 평균	F 비	P-값	F 기각치
12	처리	137.2	2	68.6	4.314465	0.038746	3.885294
13	잔차	190.8	12	15.9			
14							
15	계	328	14				
16							

[그림 6.4] 일원배치 분산분석의 결과

③ 분산분석표의 해석

분산분석에서 종속변수의 **변동**(variation)이란 종속변수 값의 변화분을 말한다. 본 예제에서 종속변수의 변동은 학생들의 시험성적이 같지 않음으로 인해 발생하는데, 이러한 종속변수의 변동이 교수법의 차이 때문에 발생한 것인지 아니면 교수법 이외에 기타 다른 요인에 의해 발생한 것인지를 판단해야 한다. 일원배치 분산분석에서는 이와 같이 종속변수의 변동을 두 가지로 분리하여 분석을 수행한다. 첫째, 처리(본 예제에서는 교수법)의 차이 때문에 발생하는 변동과 둘째, 오차에 의해(우연에 의해, 우리가 통제하지 않은 기타 다른 요인에 의해) 발생하는 변동으로 분류한다. 전자를 **처리 변동**(SSB: sum of squares between treatments)라고 하고, 후자를 **오차 변동**(SSE: sum of squares due to error 또는 SSW: sum of squares within treatment)이라고 한다. 처리 변동과 오차 변동의 합을 **총변동**(SST: sum of squares total)이라고 한다.

[그림 6.4]의 분산분석표의 첫 번째 열을 보면 **변동의 요인**으로 **처리**와 **잔차**가 나타나 있는데, 처리는 변동의 원인이 처리의 차이 때문임을 말하고, 잔차란 변동의 원인이 오차에 의한 것임을 뜻한다. 두 번째 열의 제목은 **제곱합**인데, **제곱합**(sum of squares)이란 **변동**(variation)을 말한다. 일원배치 분산분석에서 변동의 원인은 **처리**(treatment)와 **잔차**(residual) 두 가지로 분류된다. 변동의 원인으로 처리란 적용되는 처리가 달라 발생하는 종속변수 값의 변동을 말하고, 잔차란 우연에 의한 변동, 즉, 같은 처리를 적용했는데도 발생하는 종속변수 값의 변동으로 현재 우리가 고려하는 실험 요인이외의 기타 잡다한 요인에 의해 발생하는, 즉, 우리가 통제할 수 없는 요인에 의해 발생하는 변동을 말한다.

분산분석표에서 **총제곱합**(셀 B15의 값)은 각 관측값과 관측값 전체 평균의 차이를 제곱하여 모두 더한 값으로, 처리 제곱합과 잔차 제곱합을 더한 값과 같다. 즉, 15명 각각의 시험성적과 15명 전체 학생의 시험성적을 평균한 값(전체평균) 차이를 제곱하여 모두 더한 값이다. **처리 제곱합**(셀 B12의 값)은 각 처리가 적용된 집단의 평균(처리평균)

과 전체평균의 차이를 제곱한 값에 각 집단의 크기(각 집단의 관측값 수)를 곱한 후 모든 처리에 대하여 더한 값이다. **잔차 제곱합**(셀 B13의 값)은 처리별로 각 학생의 시험성적과 해당 처리가 적용된 집단의 평균(처리평균)의 차이를 제곱하여 모든 처리에 대하여 더한 값으로, 같은 처리가 적용되었음에도 나타나는 종속변수의 변동을 말한다.

이제 교수법에 따라 시험성적이 차이를 보인다면 처리 제곱합은 크게 나타날 것이고, 교수법에 따라 시험성적에 차이가 없다면, 처리 제곱합은 작게(이상적으로는 "0"으로) 나타나야 할 것이다. 즉, 처리 제곱합이 잔차 제곱합에 비해 무척 커야만 교수법에 따라 학생들의 학업성취도가 차이를 보인다는 주장이 설득력을 얻을 것이다. 이러한 우리의 생각은 변동(제곱합)을 자유도로 나눈 분산 값의 비율을 이용하여 구체적인 가설검정을 통해 밝혀지게 된다.

분산분석표의 세 번째 열에는 **자유도**가 나타나 있다. 모든 변동은 해당 자유도를 갖는데, **총변동**(분산분석표에서 계)**의 자유도**는 **처리 변동의 자유도**와 **잔차 변동의 자유도**를 합한 것과 같다. 처리 변동의 자유도는 처리의 수에서 1을 뺀 수치(이 예제의 경우, 2)이며, 총변동의 자유도는 표본의 크기에서 1을 뺀 수치(이 예제의 경우, 14)이다. 따라서 잔차 변동의 자유도는 12(=14−2)가 된다.

> **Tip** 일반적으로, 일원배치 분산분석에서 자유도는 다음과 같이 정의된다. 총변동의 자유도는 (표본의 크기 − 1), 처리 제곱합(변동)의 자유도는 (처리의 수 − 1), 잔차 제곱합(변동)의 자유도는 (각 집단 반복의 수 − 1)의 합이다. 위의 예제에서는 집단마다 반복의 수가 5로 동일하였으므로 잔차 제곱합의 자유도는 4+4+4=12로 계산되었다. 총변동의 자유도는 처리 변동의 자유도와 잔차 변동의 자유도를 합한 값과 같다.

분산분석표의 네 번째 열의 **제곱평균**(mean square)은 **분산**(variance)을 말하는 것으로, 변동을 해당 자유도로 나눈 값이다. 예를 들어, **처리 제곱평균**(MSB: mean square between treatments) 68.6은 처리 제곱합 137.2를 해당 자유도 2로 나눈 값이고, **잔차 제곱평균**(MSE: mean square due to error) 15.9는 잔차 제곱합 190.8을 해당 자유도

12로 나눈 값이다.

F비는 분산의 비율로 처리 제곱평균(분산)을 잔차 제곱평균(분산)으로 나눈 값이다. 앞에서도 언급했듯이 만일 교수법에 따라 학생들의 시험성적이 차이를 보인다면 처리 분산의 값은 잔차 분산에 비해 무척 커야 한다. 따라서 두 분산의 비율을 나타내는 F 비의 값이 1보다 무척 커야 할 것이다. 따라서 앞서 가설검정에서 학습한 내용과 동일하게 F비와 F기각치(임계값)를 비교하거나 p-값과 유의수준을 비교하여 교수법에 따라 시험성적이 차이를 보이는 지를 검정한다.

위 예제의 가설은 다음과 같이 설정할 수 있다.

H_0: 교수법별 시험성적의 평균(μ_1, μ_2, μ_3)은 모두 동일하다.
H_1: 교수법별 시험성적의 평균(μ_1, μ_2, μ_3)이 모두 같은 것은 아니다.

이제 가설을 검정해 보자. 분산분석의 가설검정은 기본적으로 F-**검정**이므로 앞서 우리가 학습한 의사결정규칙이 그대로 적용된다. 즉, **F비**가 **F기각치(임계값)** 보다 크거나 **p-값**이 **유의수준**보다 작으면 기본가설은 기각되고, 대립가설을 받아들인다. 분산분석에서 대립가설을 채택한다는 것은 실험요인이 종속변수에 영향을 미친다는 것이다. 즉, 실험요인의 수준인 처리에 따라 종속변수 값의 평균이 다르다고 말할 수 있다. 만일, F비가 F기각치보다 작거나 또는 p-값이 유의수준보다 크다면 기본가설을 기각할 수 없고, 처리에 따라 종속변수 값의 평균은 통계적으로 의미 있는 차이를 보이지 않는다고 결론짓게 된다.

Tip 분산분석에서 기본가설과 대립가설은 다음과 같이 설정된다.
H_0: 처리에 관계없이 종속변수 값의 평균은 모두 동일하다.
H_1: 처리에 따라 종속변수 값의 평균이 모두 같지는 않다(처리에 따라 종속변수 값의 평균이 적어도 하나는 다르다).
따라서 기본가설은 현재 우리가 고려하고 있는 실험요인이 종속변수에 통계적으로 의미 있는 영향을 미치지 못한다는 것이고, 대립가설은 실험요인이 종속변수에 통계적으로 의미 있는 영향을 미친다는 것이다.

따라서 위 예제의 경우 [그림 6.4]의 분산분석 결과를 보면, F비(4.31)가 F기각치 (3.89)보다 커 기각역에 속하므로 유의수준 5%에서 기본가설을 기각하고 대립가설을 받아들인다. 즉, 유의수준 5%에서 교수법에 따라 학생들의 평균 성적에 차이가 존재한다는 결론을 얻을 수가 있다. 이러한 결론은 p-값을 이용해도 마찬가지로 나온다. p-값(0.039)는 유의수준 5%보다 작으므로 기본가설은 기각되고 대립가설이 채택된다.

제2절 이원배치 분산분석

제1절의 예에서와 같이 하나의 실험요인과 종속변수 사이의 관계를 분석하는 것을 **일원배치 분산분석(One-way ANOVA)**이라고 한다. 본 절에서는 실험요인이 두 가지일 경우의 분산분석에 대하여 학습한다. 두 가지 실험요인이 종속변수에 미치는 효과를 측정하기 위해서는 **이원배치 분산분석(Two-way ANOVA)**을 이용한다. 예를 들어, 교수법이라는 요인에 교수라는 요인을 추가하여 두 요인이 학생들의 학업성취도에 어떠한 영향을 미치는 지를 파악하고자 하면 이원배치 분산분석을 수행해야 한다는 것이다.

1 이원배치 분산분석 모형

앞서 소개했던 일원배치 분산분석의 모형과 유사하게 이원배치 분산분석 모형은 다음과 같이 표현할 수 있다.

$$Y_{ijk} = \mu_{ij} + \varepsilon_{ijk}$$

여기서 Y_{ijk}는 종속변수(반응변수)를 가리키고, μ_{ij}는 첫 번째 요인의 처리 i와 두 번째 요인의 처리 j가 적용된 종속변수 값의 평균을 나타낸다. 이와 같이 두 요인을 조합하게 되면, 각 조합은 여러 개의 관측값을 가질 수 있는데 이를 **반복**이라고 한다. 각 조합에 할당되는 반복의 수(관측값의 수)에 따라 이원배치 분산분석은 두 가지로 나뉘는데,

반복의 수가 1인 경우를 **반복 없는 이원배치 분산분석**이라고 하고, 반복의 수가 2이상인 경우를 **반복 있는 이원배치 분산분석**이라고 한다. 두 실험요인 간의 **상호작용효과**(두 요인이 함께 종속변수에 미치는 영향)를 검정하기 위해서는 반복 있는 이원배치 분산분석을 수행해야 한다.

위 모형에서 ε_{ijk}는 첫 번째 요인의 처리 i와 두 번째 요인의 처리 j가 적용된 반복 k의 오차항을 나타내는 것으로, 이 오차항은 평균이 0이고, 분산이 σ^2인 정규분포를 따른다.

위의 평균 모형을 효과 모형으로 표현하면 다음과 같다.

$$Y_{ijk} = \mu + \alpha_i + \beta_j + \alpha\beta_{ij} + \varepsilon_{ijk}$$

여기서 Y_{ijk}는 종속변수(반응변수)를 나타내고, μ는 전체 관측값들의 평균, α_i는 첫 번째 요인의 처리 i의 효과를, β_j는 두 번째 요인의 처리 j의 효과를 나타낸다. 그리고 $\alpha\beta_{ij}$는 두 요인의 상호작용효과를 나타내는 것이다. 예를 들어, 판매량에 영향을 미치는 두 가지 실험요인이 광고방법과 광고매체로 설정되었다면 판매량에 미치는 효과는 광고방법과 광고매체의 개별적인 효과 외에 광고방법과 광고매체라는 두 요인이 결합할 때 나타나는 시너지 효과도 있을 것이다. 만약 광고방법에 따른 판매량이 광고매체에 관계없이 동일하다면 상호작용효과는 "0"이고, 광고방법에 따른 판매량이 광고매체에 영향을 받는다면 광고방법과 광고매체 사이에는 상호작용효과가 존재하게 된다.

본 절에서는 이원배치 분산분석을 크게 두 가지로 분류하여 학습한다. 하나는 **무작위블록설계**(randomized block design: RBD)이다. 실험단위의 특성(예를 들어, 학생들의 평균학점, 학생들의 전공 등)에 따라 표본을 비슷한 성질을 갖는 몇 개의 그룹으로 나눈 것을 **블록**(block)이라 하는데, 블록 내의 실험단위는 동질적인 특성을 갖는다. 무작위블록설계는 각 블록 내의 실험단위에 실험요인(예를 들어, 교수법)의 수준(처리)을 무작위로 할당하는 것을 말한다. 여기서 **실험요인**과 **블록요인**은 종속변수에 영향을 미치는 두 가지 요인으로 간주된다.

　그러나 무작위블록설계에서 우리가 실제로 관심을 갖는 것은 블록요인이 종속변수에 영향을 미치는 지를 파악하는 것이 아니다. 이미 블록요인은 종속변수에 영향을 미친다고 인정이 되어 실험단위를 그룹화 하는데 사용된 것으로, 일원배치 분산분석에서 처리 내 변동을 줄이기 위해 사용된 요인이다. 무작위블록설계에서 우리가 관심을 갖는 것은 과연 실험요인(교수법)이 종속변수에 영향을 미치는 지를 보다 뚜렷하게 규명하는 것이다.

　다른 하나는 **완전무작위설계**(completely randomized design: CRD)로서 실험단위에 두 실험요인의 처리들을 무작위로 할당하여 두 실험요인이 각각 종속변수에 영향을 미치는 지, 그리고 두 요인이 상호작용하여 종속변수에 영향을 미치는 지를 규명하는 것이다. 이원배치 분산분석은 다시 반복이 있는 경우와 반복이 없는 경우로 나뉘는데, 반복이란 두 실험요인이 적용되는 관측값의 수를 나타내는 것으로, 반복이 없다는 것은 반복의 수가 1이라는 것이고, 반복이 있다는 것은 반복의 수가 2이상이라는 것이다. 두 실험요인의 상호작용효과를 파악하기 위해서는 반복 있는 이원배치 분산분석을 수행한다.

② 이원배치 분산분석: 무작위블록설계

　앞에서 다룬 교수법에 따른 학생들의 학업성취도 예제에 대하여 무작위블록설계를 적용해 보자. 이를 위해 다음과 같이 15명의 학생을 지금까지 누적된 평균학점(CGPA)에 따라 5개 그룹으로 나누었다고 하자.

블록 1: 평균학점 3.5 이상
블록 2: 평균학점 3.0 이상 평균학점 3.5 미만
블록 3: 평균학점 2.5 이상 평균학점 3.0 미만
블록 4: 평균학점 2.0 이상 평균학점 2.5 미만
블록 5: 평균학점 2.0 미만

여기서 평균학점은 블록요인의 역할을 하며, 평균학점에 따라 학생들의 학업성취도는 다르다는 믿음 하에 일원배치 분산분석에서 처리 내 변동을 줄이기 위해 사용되었다. 여기서 우리가 관심을 갖는 것은 일원배치 분산분석에서와 마찬가지로 교수법에 따라 학업성취도가 다른지의 여부를 검증하는 것이다.

각 블록에는 학점이 비슷한 3명의 피실험자(학생)를 할당하였다. 이를 정리한 파일이 **활용예제** 폴더에 있는 **교수법_이원배치.xlsx**([그림 6.5])이다.

무작위블록설계를 이용한 분산분석에서 검정하고자 하는 것은 일원배치 분산분석에서와 마찬가지로 세 가지 교수법에 따라 평균성적에 차이가 존재하는지의 여부이다.

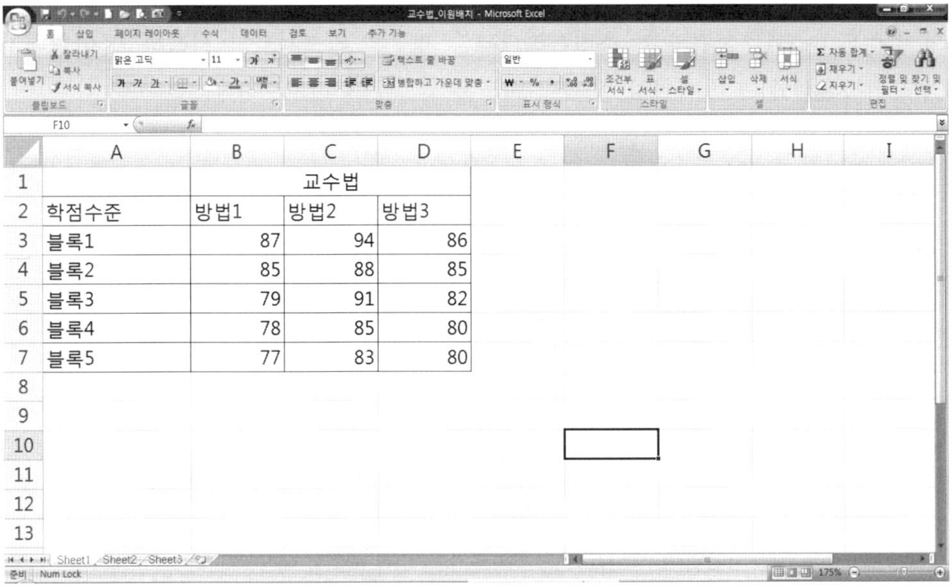

	A	B	C	D
1		교수법		
2	학점수준	방법1	방법2	방법3
3	블록1	87	94	86
4	블록2	85	88	85
5	블록3	79	91	82
6	블록4	78	85	80
7	블록5	77	83	80

[그림 6.5] 교수법과 학점수준에 따른 성적

무작위블록설계를 이용한 분산분석을 수행하기 위해 **데이터▶분석▶데이터분석**을 선택하여 나타나는 **통계 데이터 분석** 창에서 **분산 분석: 반복 없는 이원 배치법**을 선택하고 **확인**을 누른다([그림 6.6] 참조).

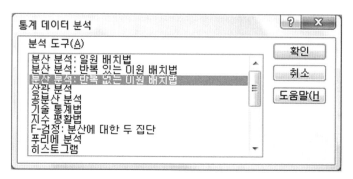

[그림 6.6] 통계 데이터 분석 창

그러면 [그림 6.7]과 같이 **분산 분석: 반복 없는 이원 배치법** 대화상자가 나타난다. 여기서 **입력 범위**에는 A2:D7의 범위를 드래그하여 입력하고, **이름표**를 체크한다. **유의 수준**은 0.05로 설정하고, **출력옵션**으로는 **새로운 워크시트**를 선택하고, **이원배치(무작위블록설계)**라고 입력한 후 **확인** 버튼을 누른다.

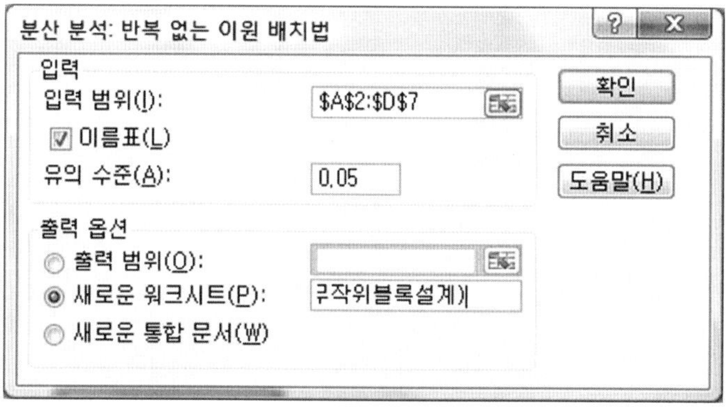

[그림 6.7] 분산 분석: 반복 없는 이원 배치법 대화상자

그러면 [그림 6.8]과 같이 무작위블록설계를 이용한 이원배치 분산분석 결과가 나타난다.

분산 분석: 반복 없는 이원 배치법

요약표	관측수	합	평균	분산
블록1	3	267	89	19
블록2	3	258	86	3
블록3	3	252	84	39
블록4	3	243	81	13
블록5	3	240	80	9
방법1	5	406	81.2	20.2
방법2	5	441	88.2	19.7
방법3	5	413	82.6	7.8

분산 분석

변동의 요인	제곱합	자유도	제곱 평균	F 비	P-값	F 기각치
인자 A(행)	162	4	40.5	11.25	0.002282	3.837853
인자 B(열)	137.2	2	68.6	19.05556	0.000906	4.45897
잔차	28.8	8	3.6			
계	328	14				

[그림 6.8] 무작위블록설계의 분산분석 결과

[그림 6.8]의 분산분석표에서 **인자 A(행)**는 행으로 나타난 실험요인, 여기서는 블록요인인 평균학점을 나타내고, **인자 B(열)**는 열로 나타난 실험요인, 즉, 교수법을 나타낸다. 분산분석표를 보면 교수법을 나타내는 **인자 B(열)**의 F비(19.06)가 F기각치(4.46)에 비해 크므로 기본가설이 기각됨을 알 수 있다. 따라서 유의수준 5%에서 교수법에 따라 학생들의 평균 학업성취도에 차이가 존재하지 않는다는 기본가설은 기각되고, 교수법에 따라 학생들의 평균 학업성취도는 차이를 보인다는 통계적인 결론을 내리게 된다. 이러한 결론은 p-값을 이용해서도 마찬가지로 도출할 수 있다. 분산분석표에서 인자 B(열)의 p-값은 0.0009로서 이는 유의수준 5%보다 작으므로 기본가설은 기각됨을 알 수 있다.

인자 A(행)의 경우에도 블록요인(평균학점)에 따라 학생들의 평균 학업성취도는 차이를 보임을 알 수 있는데, 이러한 결과는 이미 우리가 알고 있는 바로서 연구의 대상이 되지 않는다. 우리가 이런 사실을 미리 알고 있었기 때문에 학생들의 평균학점을 블록요인으로 삼아 학생들을 그룹화 한 후 분산분석을 수행한 것이다.

3 프로필 분석

프로필 분석(profile analysis)은 이원배치 분산분석에서 무작위블록설계의 타당성을 확인할 수 있는 방법으로 특정 외생요인이 종속변수에 어느 정도의 영향을 미치는 지를 사전에 파악할 수 있도록 한다. 프로필 분석에서는 각 블록의 프로필(profile)을 이차원 평면에 그래프로 나타내는데, 블록 간 프로필이 대체로 평행하고 그 간격이 크다면 블록요인이 종속변수에 미치는 영향이 커서 무작위블록설계가 실험설계방법으로 타당하다고 볼 수 있다.

그러면 앞서 예제에서 평균학점을 블록요인으로 하여 무작위블록설계를 이용하였는데, 이것이 타당한지 프로필 분석을 수행해 보자. 우선, [그림 6.5]의 자료를 이용해서 프로필 그래프를 그려보자. 이를 위해 다음과 같은 과정을 따르도록 한다.

① 프로필 그래프를 그리기 위해, [그림 6.9]와 같이 셀 범위 A2:D7을 마우스로 드래그하여 선택한다.

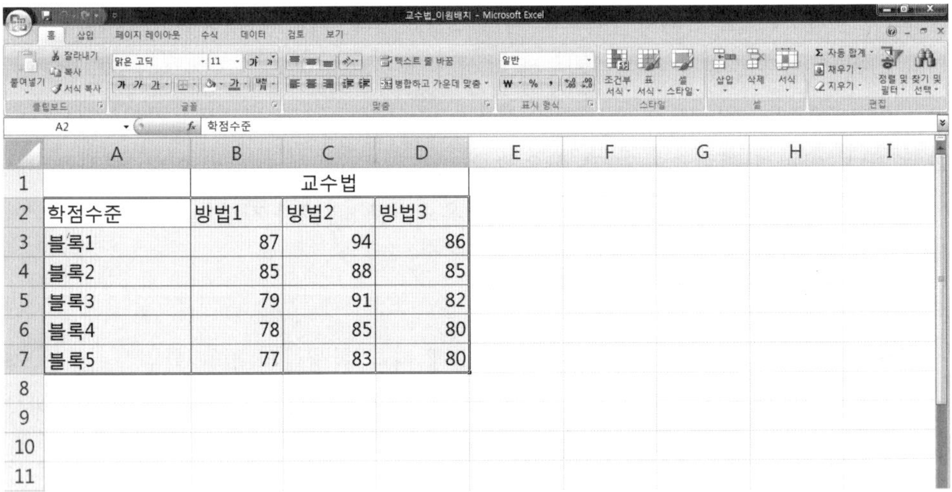

[그림 6.9] 셀 범위 선택

② 다음으로 [그림 6.10]과 같이 **삽입▶차트▶꺾은선형**에서 **표식이 있는 꺾은선형**을 선택한다.

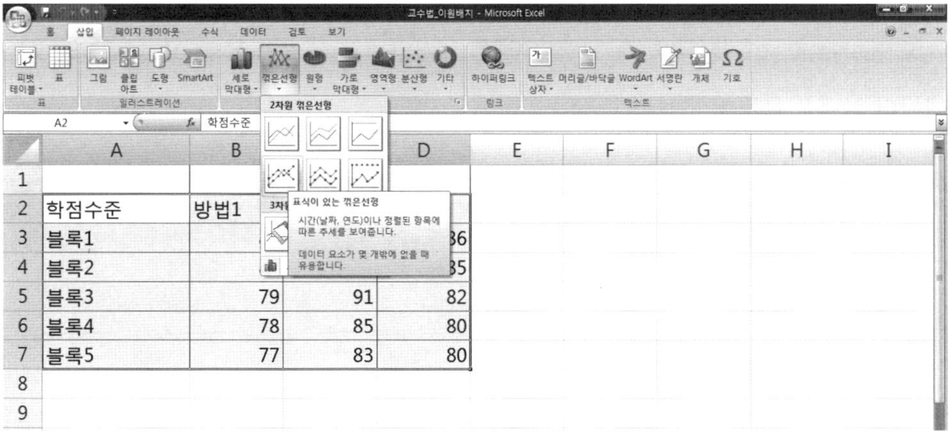

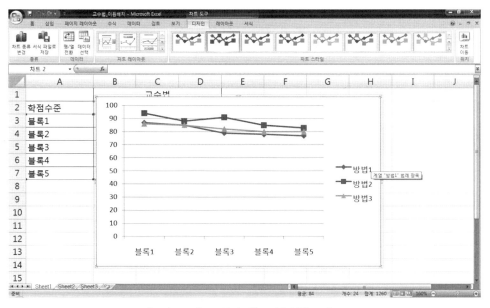

[그림 6.10] 표식이 있는 꺾은선형 선택

그러면 [그림 6.11]과 같이 표식이 있는 꺾은선형 그래프가 나타난다. 그런데 이 그래프는 우리가 원하는 프로필 그래프가 아니다. 프로필 그래프는 횡축에 실험요인을 표시하고, 종축에 종속변수가 표시되어야 한다.

[그림 6.11] 표식이 있는 꺾은선형 그래프

③ 횡축과 종축을 바꾸어주기 위해 [그림 6.12]와 같이 차트 내 임의의 한 공간에 마우스 포인터를 대고 마우스 오른쪽 버튼을 클릭하면 단축메뉴가 나타나는데, 여기서 **데이터 선택**을 클릭한다.

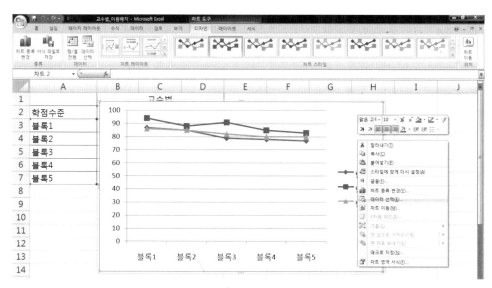

[그림 6.12] 데이터 선택 메뉴

그러면 [그림 6.13]과 같이 **데이터 원본 선택** 대화상자가 나타난다.

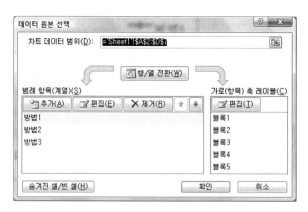

[그림 6.13] 데이터 원본 선택 대화상자

④ **데이터 원본 선택** 대화상자에서 **행/열 전환** 버튼을 클릭한다. 그러면 [그림 6.14] 와 같이 **범례 항목(계열)**과 **가로(항목) 축 레이블**이 바뀌어 나타난다.

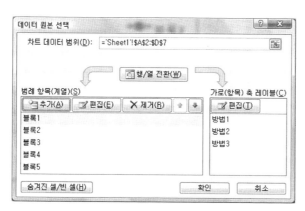

[그림 6.14] 행/열 전환

⑤ **확인** 버튼을 누르면 [그림 6.15]와 같이 횡축과 종축이 바뀌어 우리가 원하는 프로필 그래프가 나타난다. 이제 그래프에 차트 제목과 축 제목을 표시해보자.

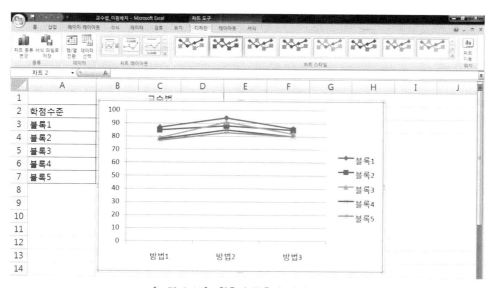

[그림 6.15] 횡축과 종축이 바뀐 그래프

⑥ **차트도구▶차트 레이아웃**에서 첫 번째 레이아웃을 선택한다. 그러면 [그림 6.16]과 같이 **차트 제목**과 **축 제목**이 추가된 레이아웃으로 그래프의 모양이 바뀐다.

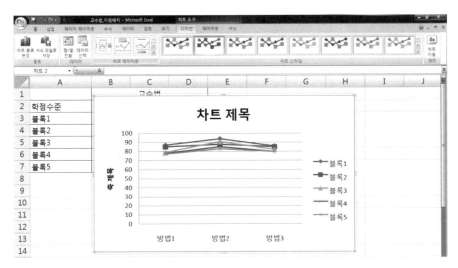

[그림 6.16] 첫 번째 레이아웃 선택

⑦ **차트 제목**은 [Delete] 키를 눌러 삭제하고(또는 원하는 제목으로 변경하고), 종축의 **축 제목**은 **시험성적**으로 바꾸어준다. 그 결과는 [그림 6.17]과 같다.

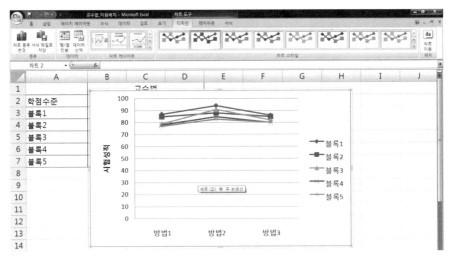

[그림 6.17] 축 제목 바꾸기

⑧ 그런데 현재의 그래프를 보면 프로필들이 70점대 이상에 몰려있어 그래프 하단에 빈 공간이 많음을 알 수 있다. 이러한 공간을 줄이고, 프로필의 차이를 보다 분명히 보여주기 위하여 종축의 범위를 조정할 필요가 있다. 이를 위해 종축의 임의의 숫자 위에 마우스 포인터를 대고, 마우스 오른쪽 버튼을 클릭하여 단축메뉴를 부른다. 단축메뉴에서 [그림 6.18]과 같이 **축 서식**을 클릭한다.

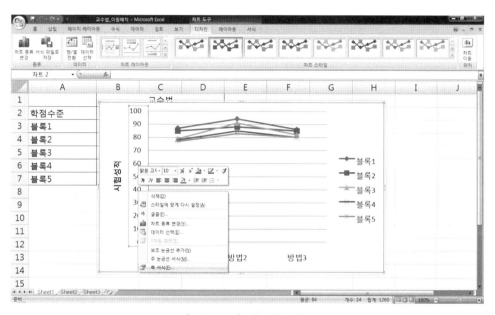

[그림 6.18] 축 서식 메뉴

⑨ 그러면 [그림 6.19]와 같이 **축 서식** 대화상자가 나타나는데, 여기서 **최소값**을 **고정**으로 바꾸어 주고, 우측의 빈칸에 **70**을 입력한다. 종축의 최소값을 70으로 하라는 명령이다.

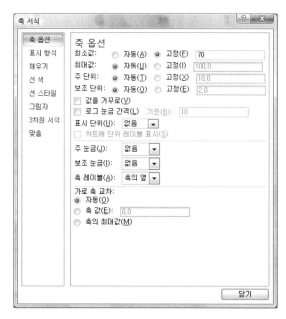

[그림 6.19] 축 서식 대화상자

⑩ **닫기** 버튼을 클릭하면 [그림 6.20]과 같이 완성된 프로필 그래프가 나타난다.

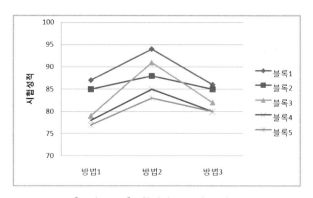

[그림 6.20] 완성된 프로필 그래프

위의 프로필 그래프를 보면 블록 2와 블록 3의 프로필은 교차하지만 블록들의 프로
필이 대체로 평행한 추이를 보이고, 그 간격도 어느 정도 있음을 알 수 있다. 따라서 블

록요인이 종속변수에 영향을 미친다고 판단할 수 있으며, 이 경우 무작위블록설계를 이용하는 것은 적절하다고 볼 수 있다. 하지만 프로필들의 모양이 크게 다르고, 교차정도도 심할 때에는 블록요인과 실험요인이 상호작용을 일으키는 것을 암시하므로 무작위블록설계는 그 타당성을 잃게 된다. 일반적으로 블록들의 프로필이 평행하고 그 간격이 크면 클수록 블록요인이 종속변수에 미치는 영향이 크다는 것을 의미하므로 이 경우, 무작위블록설계는 적절한 실험설계방법으로 타당성을 갖는다.

④ 이원배치 분산분석: 완전무작위설계

이제 두 가지 실험요인이 종속변수에 각각 또는 상호작용하여 의미 있는 영향을 미치는 지를 분석하는 진정한 이원배치 분산분석에 대해 공부해 보자. 우선, 각각의 실험요인이 종속변수에 통계적으로 의미 있는 영향을 미치는 지를 분석해보자. 이를 위해 완전무작위실험설계라는 설계방법을 이용해 보자. **완전무작위실험설계**란 실험단위에 두 가지 실험요인의 처리를 무작위로 적용하는 것을 말한다. 즉, 실험단위는 두 요인의 처리 조합에 무작위로 할당된다.

완전무작위설계에 의한 이원배치 분산분석을 구체적으로 설명하기 위하여 다음의 예를 고려하자.

예제

어느 회사의 마케팅 분석가는 자사 제품에 대한 선호도를 파악하기 위해 소비자 15명을 대상으로 제품에 대한 선호도를 100점 만점으로 조사하였다. 1점이 선호도가 가장 떨어지는 상태이고, 100점이 선호도가 가장 높은 상태를 의미한다. 여기서 마케팅 분석가가 알고 싶어 하는 바는 첫째, 지역에 따라 제품 선호도에 차이가 있는 지의 여부, 그리고 둘째, 연령층에 따라 제품 선호도에 차이가 있는 지의 여부이다.

15명을 대상으로 제품 선호도를 조사한 결과를 정리한 파일이 [그림 6.21]의 **선호점수_이원배치.xlsx**이다.

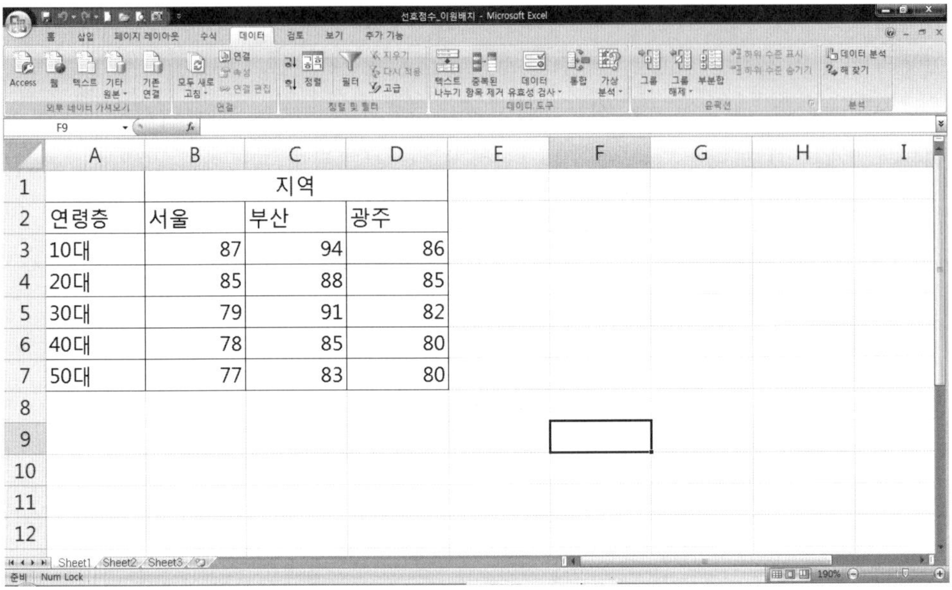

	A	B	C	D
1		지역		
2	연령층	서울	부산	광주
3	10대	87	94	86
4	20대	85	88	85
5	30대	79	91	82
6	40대	78	85	80
7	50대	77	83	80

[그림 6.21] 선호점수_이원배치.xlsx

이 예제에서 검정하고자 하는 것은 다음과 같은 두 가지 가설로, 두 가지 실험요인 각각에 따라 종속변수 값의 평균에 차이가 있는지의 여부를 통계적으로 판단한다.

기본가설 1: 지역에 따라 평균 선호점수에 차이가 없다.

기본가설 2: 연령층에 따라 평균 선호점수에 차이가 없다.

위의 두 가지 가설을 검정하기 위해 **데이터▶분석▶데이터분석**을 선택하여 [그림 6.22]와 같이 **통계 데이터 분석** 창을 부른다. [그림 6.21]의 데이터를 보면, 두 요인의 조합이 적용된 관측값이 하나이므로(반복 수가 1이므로) **분산 분석: 반복 없는 이원 배치법**을 선택하고 **확인**을 누른다.

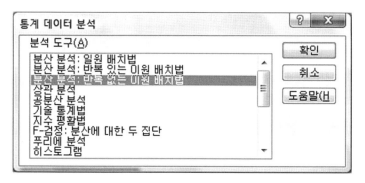

[그림 6.22] 통계 데이터 분석 창

　그러면 [그림 6.23]과 같이 **분산분석: 반복 없는 이원 배치법** 대화상자가 나타난다. **입력 범위**에는 A2:D7의 범위를 드래그하여 입력하고, **이름표**를 체크한다. **유의 수준**은 0.05로 설정하고, **출력옵션**으로는 **새로운 워크시트**를 선택하고, 우측의 이름상자에 **이원배치(완전무작위설계)**라고 입력한 후, **확인** 버튼을 누른다.

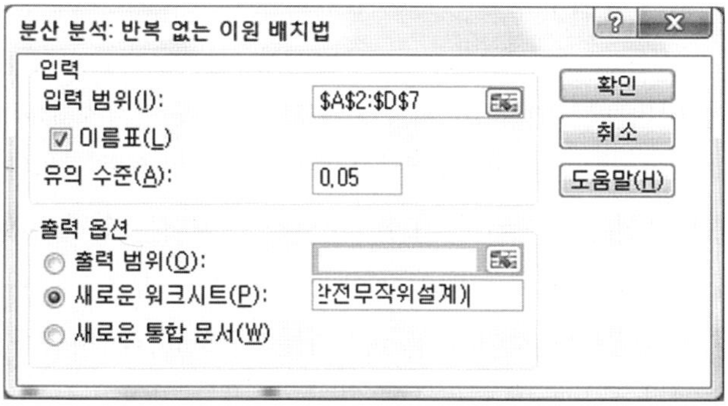

[그림 6.23] 분산 분석: 반복 없는 이원 배치법 대화상자

　그러면 [그림 6.24]와 같이 **이원배치(완전무작위설계)** 워크시트가 생성되면서 분석 결과가 나타난다. [그림 6.24]의 분산분석표에서 **인자 A(행)**는 연령층을 나타내고, **인자 B(열)**는 지역을 나타낸다. 두 가지 실험요인 각각이 통계적으로 종속변수에 의미 있는 영향을 미치는 지를 검정하기 위해 각 실험요인의 **F비**(F값)와 **F기각치**(F임계값)

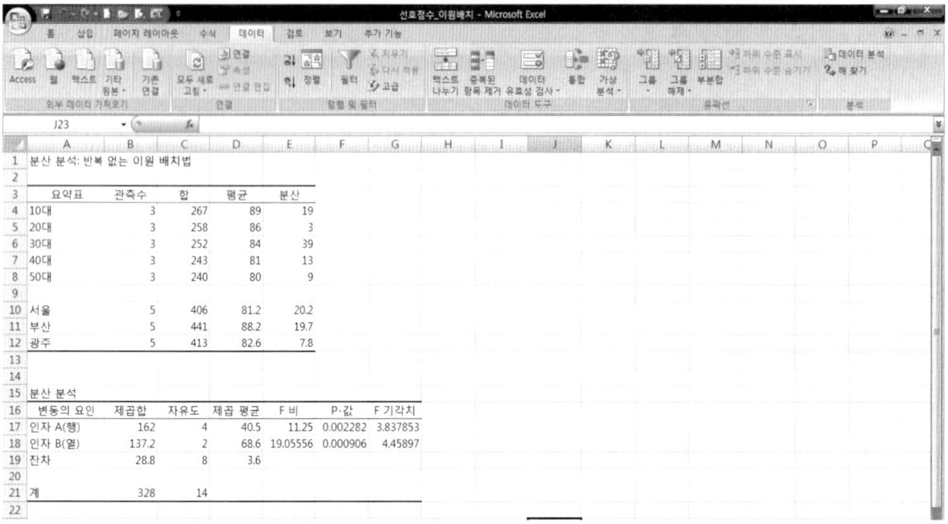

분산 분석: 반복 없는 이원 배치법

요약표	관측수	합	평균	분산
10대	3	267	89	19
20대	3	258	86	3
30대	3	252	84	39
40대	3	243	81	13
50대	3	240	80	9
서울	5	406	81.2	20.2
부산	5	441	88.2	19.7
광주	5	413	82.6	7.8

분산 분석

변동의 요인	제곱합	자유도	제곱 평균	F 비	P-값	F 기각치
인자 A(행)	162	4	40.5	11.25	0.002282	3.837853
인자 B(열)	137.2	2	68.6	19.05556	0.000906	4.45897
잔차	28.8	8	3.6			
계	328	14				

[그림 6.24] 완전무작위설계 이원배치 분산분석 결과

을 비교하거나 ***p*-값**과 **유의수준**을 비교한다.

우선, 연령층을 나타내는 **인자 A(행)**의 F비(11.25)가 F기각치(3.84)에 비해 크므로(또는 p-값이 유의수준보다 작으므로) 유의수준 5%에서 연령층에 따라 평균 선호점수에 차이가 없다는 기본가설은 기각된다. 또한, 지역을 나타내는 **인자 B(열)**의 F비(19.06)도 F기각치(4.46)에 비해 크므로(또는 p-값이 유의수준보다 작으므로) 유의수준 5%에서 지역에 따라 평균 선호점수에 차이가 없다는 기본가설도 기각된다. 즉, 이원배치 분산분석을 통해서 마케팅 분석가는 연령층에 따라, 그리고 지역별로 제품의 선호도에는 차이가 있다는 주장을 유의수준 5%로 정당화 할 수 있다.

이상과 같이 완전무작위설계는 무작위블록설계와는 개념적으로 차이가 있다. **무작위블록설계**에서 고려하는 두 가지 요인은 블록요인과 실험요인인데, 이 중 블록요인은 종속변수에 중요한 영향을 미친다는 것을 우리가 이미 알고 있는 것으로 검정의 대상이 되는 요인은 아니다. 블록요인은 실험단위들을 몇 개의 동질적인 집단으로 구분하도록 함으로써 처리 내의 변동을 줄여 실험요인의 영향력을 보다 정확히 평가할 목적으로 사용하는 것이다. 즉, 무작위블록설계에서는 실제로는 하나의 실험요인이 종속변수에 영향을 미치는 지를 판단하는 것이다. 반면, **완전무작위블록설계**에서는 우리가 고려하는 두 가지 실험요인 각각이 종속변수에 영향을 미치는 지를 판단한다.

⑤ 이원배치 분산분석: 상호작용효과

앞서 설명한 이원배치 분산분석 모형에서 우리는 실험요인의 효과가 **가법적** (additive)이라는 가정을 하고 있다. 실험요인의 효과가 가법적이라는 말은 한 요인의 효과가 다른 요인의 수준과는 관계없이 일정 양만큼 종속변수 값을 증가시키거나 감소시킴을 의미한다. 예를 들어, 지역에 상관없이 특정 연령층이 제품 선호도를 일정 양만큼 증가시킬 것으로 가정하면 해당 연령층의 효과는 가법적이라고 한다.

그러나 이러한 가정이 항상 성립하는 것은 아니다. 즉, 두 실험요인 간에 **상호작용** (interaction)이 존재할 수 있다는 것이다. 예를 들어, 특정 연령층의 제품 선호도가 서울에서는 높지만, 광주에서는 그렇지 않다면 연령층의 제품 선호도는 지역에 따라 달라진다고 볼 수 있기 때문에 연령층과 지역 사이에는 상호작용이 있는 것으로 보아야 한다.

일반적으로 두 요인간의 상호작용효과를 조사하기 위해서는 두 요인의 조합에 할당되는 반복의 수(관측값의 수)가 2이상이어야 한다. 이와 같이 두 요인의 조합에 할당되는 반복 수가 2이상인 이원배치 분산분석을 **반복 있는 이원배치 분산분석**이라 한다. (반복 수가 1인 경우는 반복 없는 이원배치 분산분석이라고 한다.) **반복 없는 이원배치 분산분석**에서는 두 요인의 상호작용효과는 검정할 수 없다.

상호작용효과를 검정하기 위해 다음의 예를 고려해 보자.

예 제

4명의 교수가 3가지 교수법으로 통계학 강의를 하는데, 교수와 교수법이라는 두 실험요인으로 이루어진 12개의 처리 조합에 무작위로 2명씩 실험단위(피실험자)를 할당하여 학업성취도를 100점 만점으로 평가하였다. 평가결과를 정리한 것이 [그림 6.25]의 교수법_상호작용모형.xlsx 파일이다. 이 자료를 이용하여 두 실험요인 각각이 학생들의 학업성취도에 영향을 주는 지, 그리고 두 실험요인이 상호작용하여 학생들의 학업성취도에 영향을 주는 지 검정해 보자. 즉, 교수 효과, 교수법 효과, 교수와 교수법의 상호작용효과가 존재하는지 유의수준 5%로 검정해보자.

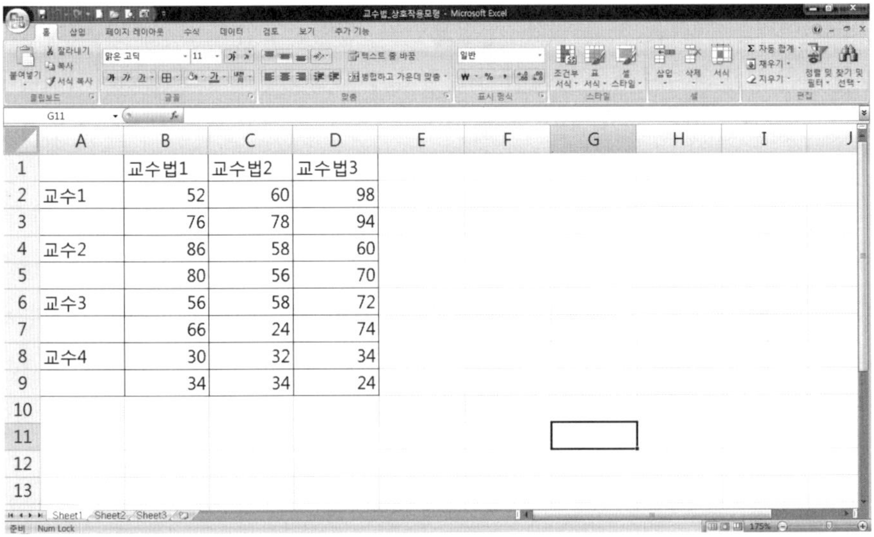

	A	B	C	D
1		교수법1	교수법2	교수법3
2	교수1	52	60	98
3		76	78	94
4	교수2	86	58	60
5		80	56	70
6	교수3	56	58	72
7		66	24	74
8	교수4	30	32	34
9		34	34	24

[그림 6.25] 교수법_상호작용모형.xlsx

우선 이 예제에서 우리가 검정하고자 하는 가설은 다음과 같이 세 가지이다.

기본가설 1: 교수에 따라 학생들의 평균성적에 차이가 없다.

기본가설 2: 교수법에 따라 학생들의 평균성적에 차이가 없다.

기본가설 3: 교수와 교수법의 상호작용효과가 존재하지 않는다.

이상의 가설을 검정하기 위해 **데이터▶분석▶데이터분석**을 클릭하면 [그림 6.26]과 같이 **통계 데이터 분석** 창이 나타난다. 여기서 **분산 분석: 반복 있는 이원 배치법**을 선택하고 **확인**을 누른다.

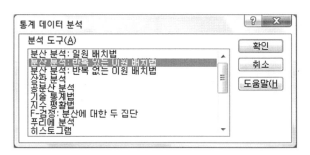

[그림 6.26] 통계 데이터 분석 창

그러면 [그림 6.27]처럼 **분산 분석: 반복 있는 이원 배치법** 대화상자가 나타난다. 여기서 **입력 범위**에는 A1:D9의 범위를 드래그하여 입력하고, **표본당 행수**는 2로 설정한다. 여기서 말하는 표본당 행수는 두 실험요인의 처리조합에 할당된 반복 수를 말한다. **유의 수준**은 0.05로 설정하고, **출력옵션**으로는 **새로운 워크시트**를 선택하고, 우측의 이름상자에 **이원배치(상호작용모형)**라고 입력한 후, **확인** 버튼을 누른다.

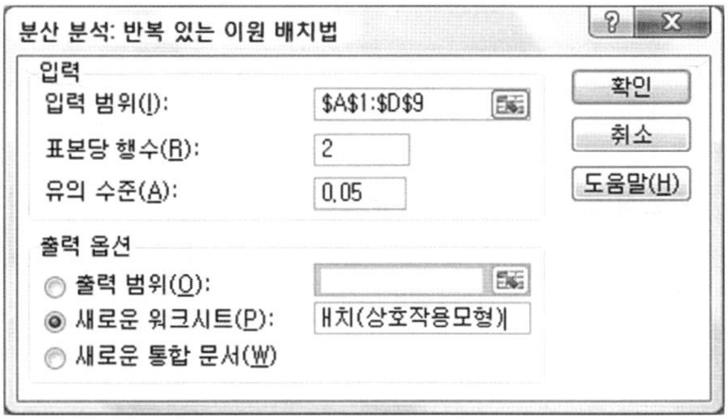

[그림 6.27] 분산 분석: 반복 있는 이원 배치법 대화상자

그러면 **이원배치(상호작용모형)**라는 이름의 워크시트가 생성되고, 여기에 [그림 6.28]과 같이 분석결과가 나타난다. [그림 6.28]에서 요약표는 교수 및 교수법별 요약통계량을 보여주고 있다. 분산분석표에서 변동의 요인으로 **인자 A(행)**는 교수를, **인자**

	A	B	C	D	E	F	G
1	분산 분석 : 반복 있는 이원 배치법						
2							
3	요약표	교수법1	교수법2	교수법3	계		
4	교수1						
5	관측수	2	2	2	6		
6	합	128	138	192	458		
7	평균	64	69	96	76.33333		
8	분산	288	162	8	328.6667		
9							
10	교수2						
11	관측수	2	2	2	6		
12	합	166	114	130	410		
13	평균	83	57	65	68.33333		
14	분산	18	2	50	155.8667		
15							
16	교수3						
17	관측수	2	2	2	6		
18	합	122	82	146	350		
19	평균	61	41	73	58.33333		
20	분산	50	578	2	335.0667		
21							
22	교수4						
23	관측수	2	2	2	6		
24	합	64	66	58	188		
25	평균	32	33	29	31.33333		
26	분산	8	2	50	15.46667		
27							
28	계						
29	관측수	8	8	8			
30	합	480	400	526			
31	평균	60	50	65.75			
32	분산	432	329.1429	678.2143			
33							
34							
35	분산 분석						
36	변동의 요인	제곱합	자유도	제곱 평균	F 비	P-값	F 기각치
37	인자 A(행)	6916.5	3	2305.5	22.71429	3.09E-05	3.490295
38	인자 B(열)	1016.333	2	508.1667	5.006568	0.026242	3.885294
39	교호작용	1941	6	323.5	3.187192	0.041444	2.99612
40	잔차	1218	12	101.5			
41							
42	계	11091.83	23				

[그림 6.28] 상호작용을 갖는 이원배치 분산분석 결과

B(열)는 교수법을, **교호작용**은 교수와 교수법의 상호작용을 나타낸다.

상호작용을 갖는 이원배치 분산분석에서는 상호작용효과에 대한 검정을 우선적으로 실시하여야 한다. 그 이유는 만일 두 요인 간에 상호작용효과가 있게 되면, 각 실험요인의 효과에 대한 가설검정은 의미가 없어진다. 달리 말하면, 만일 두 요인 간에 상호작용효과가 존재한다면, 한 실험요인의 효과는 다른 실험요인의 처리에 따라 일관성 없이 나타나기 때문에 정의할 수 없게 된다. 예를 들어, 위 예제에서 교수법의 효과란 모든 교수들에게 적용되는 교수법에 따른 일정한 평균점수차이이다. 그런데 교수에 따라 교수법의 효과가 달리 나타난다면 교수법의 효과는 정의할 수 없게 된다.

따라서 위 예제의 경우, 상호작용효과를 먼저 검정해 보자. [그림 6.28]의 분산분석 표를 보면 교수와 교수법의 상호작용을 나타내는 **교호작용**의 F비(3.187)가 F기각치 (2.996)에 비해 크므로 유의수준 5%에서 상호작용효과가 없다는 기본가설을 기각하고 교수와 교수법 사이에 상호작용효과가 존재한다는 통계적 결정을 내리게 된다. 이와 같은 결정은 p-값을 유의수준과 비교해서도 동일하게 유도된다. 즉, 교호작용의 p-값 (0.041)이 유의수준 5%보다 작으므로 대립가설이 채택되어 교수와 교수법 사이에 상호 작용효과가 존재한다고 말할 수 있다.

이와 같이 상호작용효과가 존재하게 되면 하나의 요인에 대해 다른 요인의 효과가 일관성 없이 나타나기 때문에 두 가지 실험요인인 교수법과 교수 각각의 효과에 대한 가설검정은 의미가 없어진다. 상호작용효과가 존재하는 경우에는 한 요인의 특정 수준 에 대하여 다른 요인의 효과를 파악하는 것이 바람직하다. 예를 들어, 특정 교수에 대 하여 여러 가지 교수법의 효과가 어떻게 다른지를 분석하는 것이 관심의 대상이 될 것 이다.

> **Tip** 반복 있는 이원배치 분산분석에서 변동의 자유도는 다음과 같이 정의된다.
> - 인자 A 변동의 자유도: 인자 A 처리의 수 − 1
> - 인자 B 변동의 자유도: 인자 B 처리의 수 − 1
> - 교호작용 변동의 자유도: 인자 A의 자유도 × 인자 B의 자유도
> - 잔차 변동의 자유도: (인자 A 처리의 수 × 인자 B 처리의 수) × (반복 수 − 1)
> - 총변동의 자유도: 관측값 수 − 1

만일 상호작용효과가 없다면, 두 요인 각각의 효과에 대해 F-검정을 수행할 수 있 다. 만일 위 예제에서 상호작용효과가 없을 경우, 각 요인이 종속변수에 의미 있는 영 향을 미치는 지를 검정해 보면 다음과 같다. 교수 요인의 경우, F비(22.71)가 F기각치 (3.49)보다 크고 p-값이 유의수준보다 작으므로 기본가설을 기각하고, 대립가설을 받 아들인다. 즉, 교수에 따라 학생들의 평균성적은 차이를 보인다고 유의수준 5%로 말할 수 있다. 교수법 요인의 경우도 마찬가지 결과를 보여줌을 알 수 있다.

6 상호작용효과의 차트화

분산분석의 상호작용효과를 그림으로 표현하면 상호작용효과를 시각적으로 분석할 수 있다. 엑셀의 **피벗 테이블**을 이용하여 상호작용효과를 차트로 표현해 보자.

교수와 교수법이라는 두 가지 실험요인이 결합하여 학생들의 성적에 미치는 상호작용효과를 파악하기 위해서는 우선 피벗 테이블을 만드는 것이 필요하다.

① **교수법_상호작용모형2**.xlsx 파일에서 **데이터** 시트를 선택한다. **교수법_상호작용모형2**.xlsx 파일의 **데이터** 시트는 **교수법_상호작용모형**.xlsx의 Sheet1을 교수, 교수법, 학생성적에 따라 재정리한 것이다.

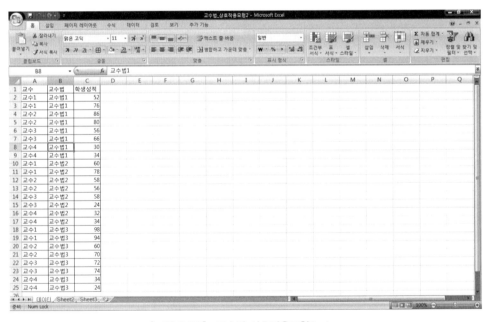

[그림 6.29] 교수법_상호작용모형2.xlsx

② **삽입 ▶ 표 ▶ 피벗 테이블 ▶ 피벗 테이블**을 누른다.

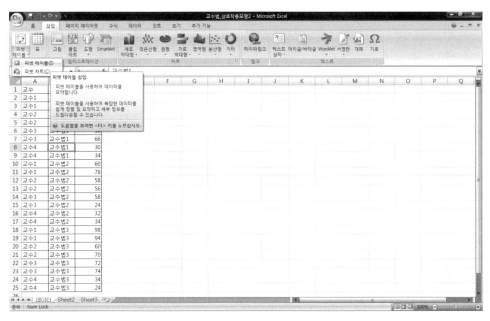

[그림 6.30]   피벗 테이블 삽입 메뉴

③ 그러면 [그림 6.31]과 같은 **피벗 테이블 만들기** 대화상자가 나타난다.

③ 분석할 데이터 범위를 **A1:C25**로 설정한다.

④ 피벗 테이블 보고서를 넣을 위치를 **새 워크시트**로 선택하고 **확인** 버튼을 누른다.

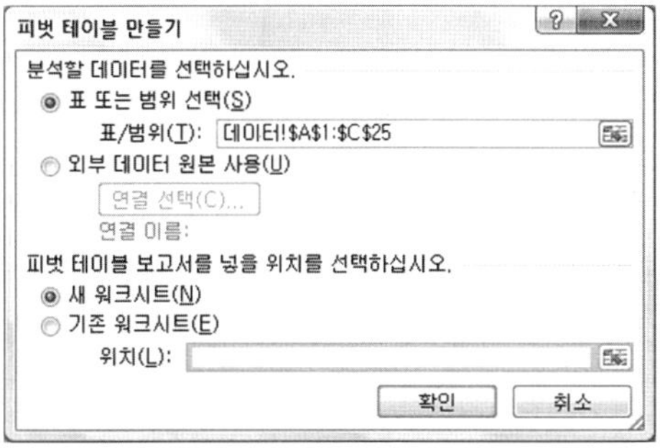

[그림 6.31]   피벗 테이블 만들기 대화상자

⑤ 그러면 [그림 6.32]와 같은 피벗 테이블 초기 화면이 나타난다.

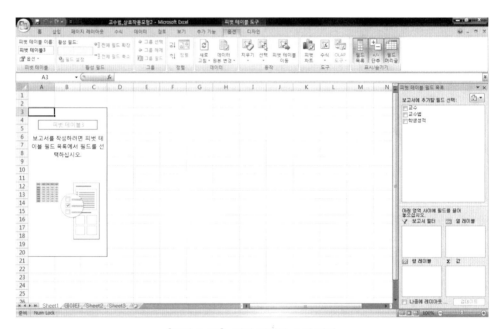

[그림 6.32] 피벗 테이블 초기 화면

⑥ 피벗 테이블 초기 화면 우측의 **피벗 테이블 필드 목록**에서 피벗 테이블 레이아웃 을 펼친 후, 첫 번째 옵션인 **필드 구역과 영역 구역을 위아래로 표시**를 선택한다.

[그림 6.33] 피벗 테이블 레이아웃 선택

⑦ 화면 우측 상단의 **보고서에 추가할 필드 선택**에 있는 **교수**를 아래쪽으로 드래그
하여 **행 레이블**의 빈 공간으로 가져오고, **교수법**을 드래그하여 **열 레이블**의 빈 공간으
로 가져온다. 그리고 **학생성적**을 드래그하여 **Σ 값**의 빈 공간으로 가져온다.

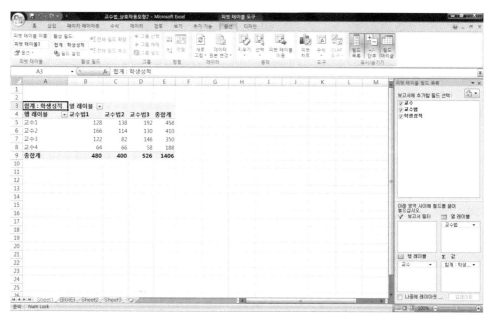

[그림 6.34] 피벗 테이블 필드 목록 설정

⑧ 그러면 [그림 6.34]의 워크시트에서 보는 바와 같이 교수와 교수법 조합에 대한
학생성적의 합계와 총합계가 정리되어 나타난다.

⑨ [그림 6.34]의 우측 하단의 **Σ 값**의 **합계: 학생성적**을 마우스 왼쪽 버튼으로 클릭
하면, [그림 6.35]와 같이 단축메뉴가 나타난다.

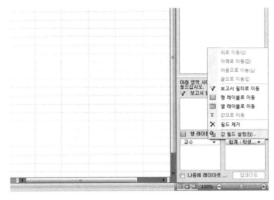

[그림 6.35] 값 필드 설정

⑩ 단축메뉴에서 **값 필드 설정**을 클릭하면 **값 필드 설정** 창이 [그림 6.36]처럼 나타나는데, 여기서 **선택한 필드의 데이터**로 **평균**을 선택하고 **확인**을 누른다.

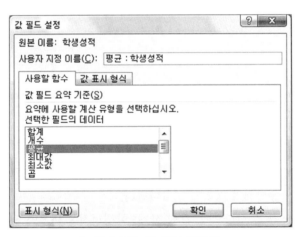

[그림 6.36] 값 필드 설정 창

⑪ 그러면 [그림 6.37]과 같이 교수와 교수법을 조합한 12개 셀의 값과 총합계의 값이 합계에서 평균값으로 바뀌어 나타난다.

작성된 최종 피벗 테이블을 보면 화면 좌측에 교수와 교수법을 조합한 12개 셀 각각

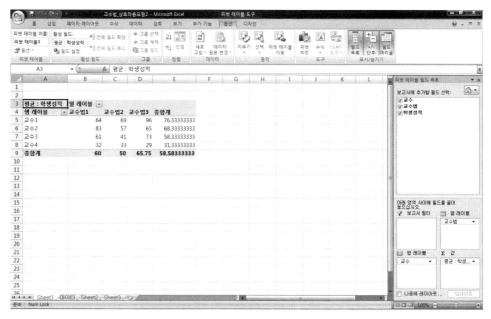

[그림 6.37] 피벗 테이블 - 학생성적 평균

에 학생성적 평균값이 나타나고, 총합계 행과 열에는 해당 처리(treatment)의 평균값이 나타난다. 예를 들어, 교수 1과 교수법 1이 적용된 학생들의 평균성적은 64이고, 교수 1이라는 처리가 적용된 성적의 평균은 76.33, 교수법 1이라는 처리가 적용된 성적의 평균은 60, 그리고 학생들 성적의 전체평균은 58.58임을 알 수 있다. [그림 6.37]의 화면 우측에는 피벗 테이블의 수정이나 옵션 변경을 위한 도구상자가 함께 나타난다. ([그림 6.37]에서 셀의 값이 합계에서 평균값으로 바뀌었으므로 사용자가 원할 경우 A9(또는 E4)를 총합계에서 평균으로 바꾸면 E4(또는 A9)도 총합계에서 평균으로 바뀌게 된다.)

이제 각 셀의 평균값을 이용하여 직선 차트를 만들어 보자. 셀 평균에 대한 차트를 그리기 위해서는 다음과 같은 과정을 따른다.

① 셀 범위 A3:E9에서 임의의 셀을 선택한 후, [그림 6.38]과 같이 **피벗 테이블 도구▶옵션▶도구▶피벗차트**를 클릭한다.

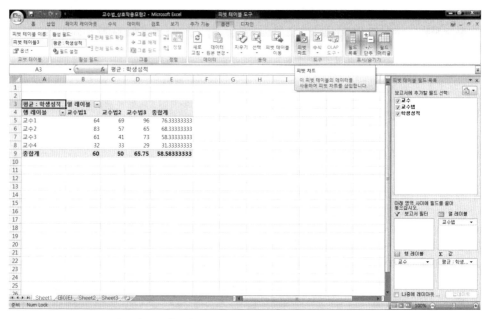

[그림 6.38] 피벗 테이블 도구▶옵션▶도구▶피벗차트

② 그러면 [그림 6.39]와 같이 **차트 삽입** 창이 나타나는데, 차트 종류로 **꺾은선형**을 선택하고, 오른쪽에 있는 꺾은선형 차트들 중에서 네 번째에 있는 표식이 있는 꺾은선

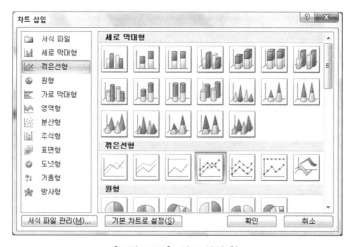

[그림 6.39] 차트 삽입 창

형을 선택한 후, **확인**을 누른다.

③ 그러면 [그림 6.40]과 같이 **피벗 차트 필터 창**과 함께 상호작용효과를 파악할 수 있는 차트가 나타난다.

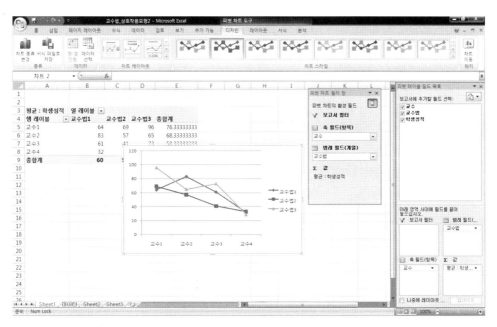

[그림 6.40] 상호작용효과 차트

[그림 6.40]의 차트에서 교수와 교수법 사이에 상호작용이 존재하지 않는다면, 교수별로 세 가지 교수법의 그래프는 평행하게 나타날 것이다. 그러나 실제로 나타난 그래프를 보면, 교수 1은 교수법 3을 적용할 때 성과가 높고, 교수 2는 교수법 1을 적용할 때 성과가 높음을 알 수 있다. 즉, 세 가지 교수법의 그래프는 평행하지 않고 교차함을 볼 수 있는데, 이는 교수와 교수법 간에 상호작용효과가 존재한다는 것을 의미한다. 이러한 시각적 결과는 앞서 분산분석표를 이용하여 교수와 교수법이라는 두 가지 실험요인 사이에 통계적으로 의미 있는 상호작용효과가 존재한다는 가설검정 결과와 일치하는 것이다.

제 **7** 장

회귀분석

본 장에서는 예측을 위한 **회귀분석(regression analysis)**을 다룬다. 우리는 어떤 의사결정을 위하여 예측을 해야 하는 경우가 있다. 예를 들어, 추가로 필요한 원자력 발전소 기수를 결정하기 위해서는 우선 전력수요량을 예측할 필요가 있나. 이 경우, 예측의 대상이 되는 변수(종속변수)와 이러한 예측 대상에 영향을 줄 것으로 생각하는 변수(독립변수) 간의 함수 관계를 식으로 표현할 수 있으면, 이 함수식을 이용하여 독립변수의 값이 주어졌을 때 종속변수의 값을 예측할 수 있다. 독립변수와 종속변수 간의 관계를 선형의 식으로 표현할 때의 회귀분석을 **선형회귀분석(linear regression analysis)**이라고 하는데, 보통 회귀분석이라 함은 선형회귀분석을 말한다.

회귀분석은 앞서 기술통계학에서 우리가 다룬 **상관관계분석(correlation analysis)**과는 다른 개념이다. 회귀분석에서 두 가지 변수인 독립변수와 종속변수는 두 변수 간에 **인과관계(causal relationship)**가 존재함을 가정한 분석이다. 즉, 독립변수는 원인의 역할을, 종속변수는 결과의 역할을 한다는 기본 가정 하에 이루어지는 분석이다. 따라서 예측의 대상(종속변수)이 선정된 후, 이러한 종속변수에 영향을 미칠 것으로 생각하는 독립변수의 선정은 회귀분석에 중요한 영향을 미친다. 반면에 상관관계분석은 두 변수 간 선형관계(linear relationship)의 존재 유무와 방향, 그리고 그 강도를 조사하는 것으로 두 변수는 인과관계에 있다는 조건이 필요하지 않다. 상관관계란 한 변수의 값이 증가하는 추세일 때, 다른 변수의 값도 따라서 증가하는 추세인지 아니면 감소하는 추세인지를 판단하는 분석이다.

회귀분석은 독립변수의 개수에 따라 **단순회귀분석(simple regression analysis)**과 **다중회귀분석(multiple regression analysis)**으로 나뉜다. 종속변수에 영향을 미칠 것으로 생각되는 독립변수가 1개인 회귀분석을 단순회귀분석이라 하며, 독립변수가 2개 이상인 회귀분석을 다중회귀분석이라고 한다.

제1절

단순회귀분석의 개념

인과관계에 있다고 현재 믿고 있는 두 변수를 x와 y라고 하자. 보통 y는 **종속변수**(dependent variable) 또는 **반응변수**(response variable)를 나타내고, x는 **독립변수**(independent variable) 또는 **설명변수**(explanatory variable)를 나타낸다. 이제 두 변수에 대한 자료를 수집하여 두 변수가 취하는 값들의 조합을 2차원 그래프 상에 점으로 나타내고, 이 점들의 행태를 잘 표현할 수 있는 식을 추정할 수 있다면, 그 식을 이용해서 독립변수의 값이 주어졌을 때 종속변수의 값은 어떻게 될지 추정할 수 있을 것이다.

구체적으로, 두 변수 간의 관계를 하나의 직선(선형의 식)으로 추정하여 두 변수 간의 인과관계를 분석하는 기법을 **단순선형회귀분석**(simple linear reqression analysis)이라고 한다. 따라서 선형회귀분석을 수행하고자 할 때 종속변수(y)와 독립변수(x) 간의 관계를 가장 잘 나타낼 수 있는 직선을 찾는 것이 중요하며, 이 직선을 **추정된 회귀직선**(estimated regression line)이라고 한다. 물론 독립변수가 2개 이상인 **다중회귀분석**(multiple regression analysis)에서는 추정된 회귀식이 직선의 형태가 아니므로(예를 들어, 독립변수가 2개인 선형회귀분석에서 독립변수와 종속변수 간의 인과관계는 3차원 그래프에서 평면으로 나타난다), 독립변수와 종속변수의 인과관계를 추정한 식을 **추정된 회귀방정식**(estimated regression equation)이라고 한다.

표본자료를 이용하여 추정된 회귀방정식을 구했다고 해서, 이 회귀방정식이 예측에 바로 사용되는 것은 아니다. 추정된 회귀방정식은 표본자료의 인과관계 행태를 가장 잘 나타내는 방정식이지, 이 방정식이 두 변수의 진정한 인과관계를 나타내는 것이 아니기 때문이다. 이는 마치 표본의 평균이 모집단 평균의 대리값으로 바로 사용될 수 없음과 마찬가지이다. 따라서 우리는 이 추정된 회귀방정식이 과연 두 변수 간의 인과관계를 잘 나타내는 통계적으로 의미 있는 식인지를 검정할 필요가 있으며, 이 검정을 통과할 경우, 이 추정된 방정식을 이용하여 예측을 수행하는 것이 타당할 것이다. 이러한 검정과정을 **회귀방정식의 유의성 검정**이라고 한다.

① 회귀분석의 절차

회귀분석을 위한 첫 번째 절차는 예측의 대상이 되는 종속변수(y)를 설정하고, 이 종속변수에 영향을 미칠 것으로 생각되는 독립변수(x)를 선정하는 것이다. 보통, 종속변수에 영향을 미치는 독립변수는 2개 이상인 경우가 많다. 하지만 단순히 독립변수의 수가 많다고 해서 정교한 예측이 되는 것은 아니다. 간단하면서도 예측력이 높은 회귀방정식을 도출하기 위해서는 서로 독립적인(즉, 서로 다른 이야기를 할 수 있는) 독립변수의 선정이 필요하다.

둘째, 종속변수와 독립변수가 선정되었으면 이 변수들에 대한 자료를 수집한다. 독립변수와 종속변수에 대한 자료는 쌍을 이루는 자료로서 표본자료의 역할을 한다.

셋째, 두 변수 간의 관계를 개략적으로 파악하여 두 변수 간의 인과관계를 어떠한 함수로 표현하는 것이 적절한 지 판단한다. 예를 들어, **단순회귀분석**의 경우, 독립변수와 종속변수에 대한 자료를 2차원 그래프 상에 점으로 표현한 것을 **산점도(scatter diagram)**라고 하는데, 이 그림을 보면 두 변수간의 인과관계를 직선으로 표현하는 것이 적합한 지 또는 다른 형태로 나타내는 것이 적절한 지를 판단할 수 있다. 본 교재에서는 두 변수간의 관계를 선형의 식으로 표현하는 **선형회귀분석**에 대해 다룬다.

넷째, 두 변수에 대한 표본자료에 근거하여 두 변수간의 인과관계를 가장 잘 나타낼 수 있는 추정된 회귀방정식을 구한다. 보통 **최소자승법(least squares method)**을 이용하여 회귀방정식의 기울기와 절편을 구하게 된다. 최소자승법이란 종속변수의 실제값과 예측값의 차이(잔차) 제곱의 합을 최소로 하는 회귀방정식의 계수를 구하는 방법이다.

다섯째, 추정된 회귀식이 통계적으로 의미가 있는지를 검정한다. 이를 **회귀식의 유의성 검정**이라고 한다. 예를 들어, 단순회귀분석에서 추정된 회귀식의 기울기가 2이

고, 절편은 1로 나왔다고 하자. 그렇다고 해서 독립변수와 종속변수의 진정한 인과관
계가 이 식으로 표현된다고 속단해서는 안 된다. 현재 우리가 구한 추정된 회귀식은 표
본자료에 근거하여 도출된 것이기 때문에 표본자료가 추가되거나 삭제되어 표본자료
가 달라지면 추정된 회귀식의 계수도 달라지기 때문이다. 따라서 현재의 표본자료에
근거해 우리가 추정한 회귀식을 과연 예측에 사용해도 타당한지를 검정할 필요가 있
다. 만일 검정 결과, 추정된 회귀식의 기울기가 "0"과 다름없는 수치라는 결론이 나오
게 되면, 이는 독립변수의 모든 값에 대하여 종속변수의 값이 동일하다는 의미이므로
현재의 독립변수가 종속변수 값을 예측하는데 전혀 도움이 되지 못한다. 즉, 현재의 독
립변수와 종속변수는 인과관계가 없다는 것이며, 따라서 현재 도출한 회귀식을 이용하
여 종속변수의 값을 예측하는 것은 의미를 잃게 된다. 즉, 종속변수의 예측에 현재의
독립변수를 사용하는 것은 타당하지 않다는 것이다.

여섯째, 회귀식의 유의성 검정에서 추정된 회귀식이 통계적으로 의미 있는 식으로
판명되면, 이 식을 이용해서 종속변수에 대한 예측을 수행한다.

② 추정된 회귀식의 개념

단순회귀분석을 위해 독립변수(x)와 종속변수(y)에 대한 표본자료를 수집하여 이
를 산점도로 나타냈다고 가정하자. 산점도 상에 점으로 표현되어 있는 (x, y) 데이터의
행태가 만일 직선으로 잘 표현될 수 있다고 하면, 이 데이터의 행태를 대표하는 회귀선
을 찾는 것이 필요하다. 일반적으로 산점도상에 흩어져 있는 데이터의 행태를 완전하
게 표현하는 직선은 찾을 수 없다. 왜냐하면 실제 데이터의 경우, 이 데이터의 행태를
잘 표현할 수 있는 회귀선을 구하더라도 어떤 점들은 회귀선 위에 있기도 하고 어떤 점
들은 그 아래에 있기 때문이다.

단순회귀분석에서 독립변수와 종속변수 간의 **추정된 회귀직선**은 일차식 $\hat{y} = a + bx$
의 형태로 표현한다. 여기서 $\hat{y}$는 종속변수의 예측치[1], x는 독립변수를 나타내며, a와

---

1) 정확히는 종속변수 기대값의 예측치(추정값)이다. 여기에 대해서는 "③ 추정된 회귀식의 도출"에서 논의한다.

b는 각각 추정된 회귀직선의 y절편과 기울기를 나타내는 **추정된 회귀계수**라고 한다.

[그림 7.1]은 $a=100$, $b=5$인 추정된 회귀직선을 보여주고 있다. [그림 7.1]에서 짧은 수직선은 **잔차(residuals)**라고 하는데, 회귀직선과 실제 데이터의 차이를 나타낸다. 달리 말하면, 특정 x값에 대하여 회귀직선을 이용하여 계산한 y의 예측치($\hat{y}$)와 실제 y값의 차이를 나타내는 것이다.

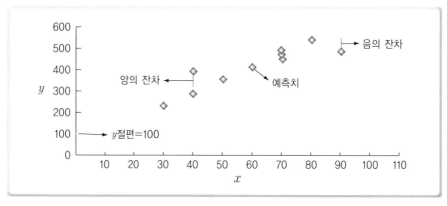

[그림 7.1] y절편이 100, 기울기가 5인 추정된 회귀직선과 잔차

예를 들어, x를 근속년수, y를 급여라고 하자. 그러면 y절편($x=0$일 때의 y값)은 근속년수가 0년인 사람의 급여를 말하므로 초봉을 의미한다. 기울기는 근속년수가 늘어감에 따라 증가하는 급여수준을 의미한다. 따라서 특정 근속년수에서 회귀직선 위의 급여를 받는 사람은 양의 잔차를 가지고, 회귀직선 아래의 급여를 받는 사람은 음의 잔차를 가진다고 말할 수 있다.

만약 회귀선이 감소하는 추세라면, 다시 말해서 x가 증가할 때 y가 감소한다면 기울기는 음수가 된다. 예를 들어, x가 사용기간이고 y가 중고차 가격이라면 사용기간이 늘어감에 따라 중고차의 가격은 떨어지므로 기울기는 음수가 된다. 이 예에서 y절편은 새로 구입한 차의 가격이 되며 잔차는 사용기간에 따른 차량의 예측가격과 실제가격의 차이를 나타낸다. 만약 추정된 회귀직선이 타당하다면 양의 잔차는 사용기간에 맞는 중고차 가격보다 높은 가격으로 실제가격이 책정되어 있는 것을 말하고, 음의 잔차는 사용기간에 맞는 중고차 가격보다 실제가격이 낮게 책정되어 있음을 의미한다.

여기서 한 가지 유의해야 할 사항은 여러분이 [그림 7.1]에서 보는 회귀직선은 두 변수 간의 진정한 인과관계를 나타내는 직선은 아니라는 것이다. 현재 여러분이 보고 있는 회귀식은 여러분이 수집한 (x, y)의 표본자료에 근거하여 도출한 식이므로 후에 이 추정된 회귀식이 타당한지의 여부를 검정해야 할 것이다.

③ 추정된 회귀식의 도출

데이터의 행태를 대표하는 직선을 구할 때 데이터는 다음과 같은 선형모델을 따른다고 가정한다. 이를 **단순선형회귀모형**(simple linear regression model)이라고 한다.

$$Y = \alpha + \beta x + \varepsilon$$

여기서 α는 y절편의 "참값"이고, β는 기울기의 "참값"이다. 그리고 ε은 평균이 0이고, 분산이 σ^2인 오차항으로 정규분포를 따른다고 가정한다. 따라서 종속변수 Y도 확률변수가 된다.[2] 회귀직선을 그리기 위해서는 α와 β를 추정해야 할 것이다. 하지만 α와 β는 각각 두 변수의 인과관계를 나타내는 진정한 회귀식의 y절편과 기울기의 모수값을 나타내므로, 이에 대한 정확한 값은 알 수가 없다. 이는 마치 전수조사를 하지 않으면 모집단의 평균 μ를 알 수 없음과 마찬가지이다.

회귀식의 기울기와 절편의 참값은 알 수 없지만 x와 y에 대한 표본자료를 이용하면 회귀직선은 다음과 같이 추정할 수 있다. 이를 추정된 회귀식이라고 한다.

$$\hat{y} = a + bx$$

---

2) 회귀모형에서 종속변수 Y는 확률변수이므로 알파벳 대문자로 표시한다. 소문자 y는 종속변수의 특정 값을 나타낸다.

여기서 a는 α의 추정값이고, b는 β의 추정값이다. 또한 $\hat{y}$는 보통 종속변수의 추정값이라고 말하는데, 정확하게는 $E(Y)$의 추정값이다. 왜냐하면 위의 단순회귀모형 $(Y = \alpha + \beta x + \varepsilon)$의 양변에 기대값을 적용하면 다음과 같은 식으로 표현된다.

$$E(Y) = \alpha + \beta x$$

이 식이 바로 독립변수 x와 y의 진정한 인과관계를 나타내는 모회귀식(population regression equation)이다. 그런데 여기서 α와 β는 모수로 우리는 그 값을 모르므로 표본자료를 이용하여 각각 a와 b로 추정하게 된다. 이 경우, $E(Y)$의 추정값은 원래 $\widehat{E(Y)}$로 표기되어야 하나, 관례상 간단하게 $\hat{y}$으로 표현한 것이다. 따라서 $\hat{y}$은 정확하게는 독립변수가 특정 값을 가질 때 추정되는 종속변수의 기대값이라는 의미를 가진다.

한편, 표본자료를 이용하여 회귀식을 추정하는 방법을 **최소자승법**(least squares method)이라고 하는데, 이는 잔차의 제곱합을 최소로 하는 추정된 회귀식의 절편(a)과 기울기(b)를 구하는 방법이다. 예를 들어, n개의 (x, y) 데이터가 수집되었다고 하자. 즉, (x_1, y_1), $\cdots$, (x_n, y_n)는 n개의 표본자료가 된다. 만약 $\bar{x}$가 독립변수(x) 데이터의 평균이고, $\bar{y}$가 종속변수(y) 데이터의 평균이라면 추정된 회귀식의 기울기 b는 최소자승법을 통해 다음과 같은 식으로 유도된다.

$$b = \frac{n\sum_{i=1}^{n}x_iy_i - \sum_{i=1}^{n}x_i\sum_{i=1}^{n}y_i}{n\sum_{i=1}^{n}x_i^2 - (\sum_{i=1}^{n}x_i)^2}$$

$$= \frac{(x_1 - \bar{x})(y_1 - \bar{y}) + \cdots + (x_n - \bar{x})(y_n - \bar{y})}{(x_1 - \bar{x})^2 + \cdots + (x_n - \bar{x})^2}$$

그리고 추정된 회귀식의 절편 a는 다음의 식을 통해 구해진다.

$$a = \bar{y} - b\bar{x}$$

④ 회귀분석의 가정

본 장의 후반부에서는 추정된 회귀식이 의미가 있는 것인지를 검정하기 위해 통계적 추론을 이용하게 되는데, 통계적 추론이 적용되기 위해서는 다음과 같은 기본 가정이 필요하다.

① 회귀식은 실제 데이터의 행태를 잘 반영한다.
② 오차항은 평균을 0으로 하는 정규분포를 따른다.
③ 오차항은 상호 독립이다.
④ 오차항은 동일한 분산(등분산)을 가진다.

회귀분석을 이용할 때는 항상 위와 같은 가정을 고려해야 한다. 현실 문제의 경우, 이러한 가정이 모두 완벽하게 만족되기는 힘드나 회귀식이 실제로 데이터의 행태를 잘 반영하는 식인지를 규명하는 것은 반드시 필요하다. 이를 **회귀식의 적합도 평가**라고 하며, **추정된 표준오차**(standard error of estimate) 또는 **결정계수**(coefficient of determination)를 이용하여 적합도를 측정할 수 있다. 추정된 표준오차란 실제 데이터가 추정된 회귀식 주위에 얼마나 오밀조밀하게 모여 있는 지를 나타내는 수치이고, 결정계수란 현재 우리가 고려하고 있는 독립변수가 종속변수의 변화를 얼마나 많이 설명해 주는 가를 나타내는 수치이다. 추정된 표준오차의 값은 작을수록, 결정계수의 값은 1에 가까울수록 추정된 회귀식의 적합도는 높다고 평가한다.

엑셀을 이용한 단순회귀분석

이제 1절에서 개념적으로 학습한 단순회귀분석을 실제 자료에 적용해 보자. 우리나라의 국민총생산(GNP)과 원유도입량의 관계를 알아보기 위해 과거 10년간의 자료를 수집하여 [그림 7.2]의 oil.xlsx 파일로 정리하였다. 여기서 원유도입량은 종속변수의 역할을 하고, 원유도입량에 영향을 미칠 것으로 생각하는 독립변수로 국민총생산(GNP)이 선정되었다고 가정하자. 이제 국민총생산(GNP)과 원유도입량 사이에 인과관계가 존재한다면 우리는 그 관계를 이용하여 국민총생산의 변화에 따른 원유도입량의 변화를 추측할 수 있을 것이다.

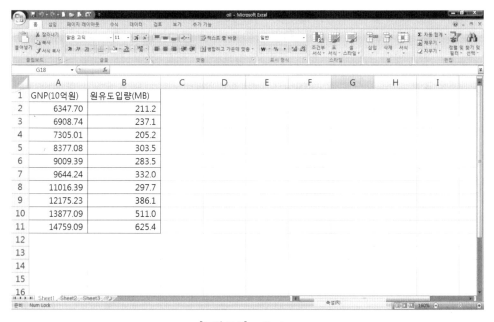

[그림 7.2] oil.xlsx

① **산점도의 작성**

우선, 국민총생산(GNP)과 원유도입량(단위: MB, million barrels) 사이의 관계를 개략적으로 파악하기 위해 **산점도**를 그려보도록 하자. 산점도를 그리기 위해서는 다음과 같은 과정을 따른다.

① [그림 7.3]과 같이 셀 범위 A1:B11을 드래그하여 선택한다. 엑셀은 선택된 셀 범위를 이용하여 산점도(분산형 차트)를 그릴 때 두 개의 열 중 첫 번째 열은 횡축으로, 두 번째 열을 종축으로 자동 인식한다.

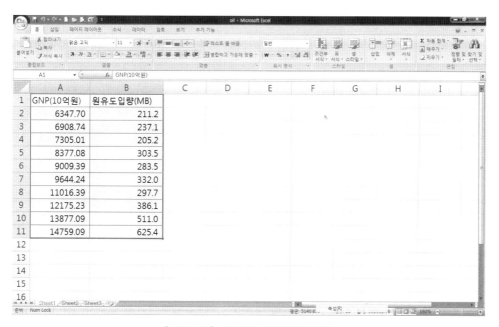

[그림 7.3] 셀 범위 A1:B11의 선택

② **삽입▶차트▶분산형**을 클릭하여 첫 번째 나타나는 **표식만 있는 분산형** 차트를 클릭하여 선택한다.

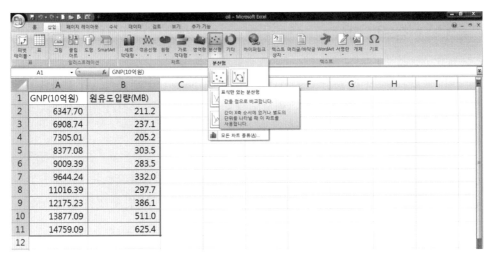

[그림 7.4] 삽입▶차트▶분산형 차트 선택

③ 그러면 [그림 7.5]와 같은 차트가 나타난다. 여기서, **차트 도구▶디자인▶차트 레이아웃**에서 첫 번째에 있는 **레이아웃 1**을 클릭한다.

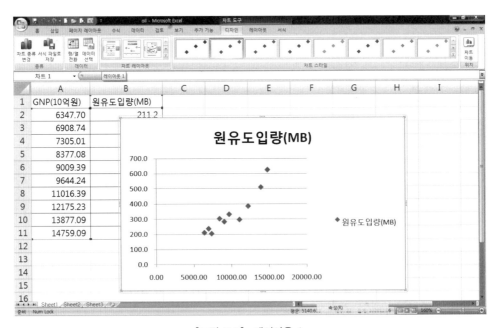

[그림 7.5] 레이아웃 1

그러면 [그림 7.6]과 같이 차트 제목, 횡축 제목, 종축 제목, 범례가 있는 형태의 차
트로 바뀐다. (종속변수의 이름이 자동적으로 차트 제목과 범례로 나타난다.)

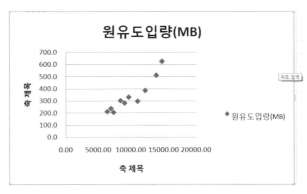

[그림 7.6] 레이아웃 1 선택 결과

④ 여기서 차트 제목과 범례를 각각 마우스로 선택하고 [Delete]키를 눌러 삭제한
다. (사용자가 차트 제목을 원할 경우, 기존의 제목을 클릭하여 원하는 제목으로 바꾸면 된다.)
그리고 횡축의 축 제목을 GNP로, 종축의 축 제목을 원유도입량으로 바꾸어준다. 그러
면 [그림 7.7]과 같은 그림이 만들어진다. 차트 제목이나 축 제목을 바꾸려면 마우스로
해당 제목을 클릭한 후, 원하는 이름을 입력하면 된다.

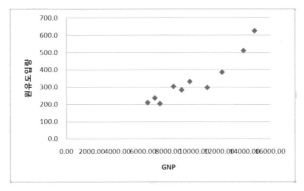

[그림 7.7] 축 제목 부여 후의 산점도

그런데 [그림 7.7]을 보면, 횡축인 GNP의 최소값이 자동으로 "0"으로 설정되어 있어 빈 공간이 많고, 차트의 모양이 보기에 좋지 않다. 따라서 횡축의 최소값을 조정하도록 하자.

⑤ 횡축의 최소값을 설정하기 위해 횡축에 있는 임의의 숫자에 마우스 포인터를 두고 마우스 오른쪽 버튼을 클릭하면 [그림 7.8]과 같은 단축메뉴가 나타나는데, 여기서 **축 서식**을 클릭한다.

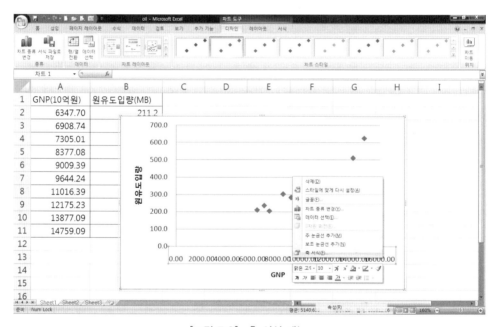

[그림 7.8] 축 서식 메뉴

⑥ 그러면 [그림 7.9]와 같은 **축 서식 대화상자**가 나타나는데, 여기서 **최소값**을 **고정**으로 선택하고, 우측의 빈칸에 **6000**을 입력한다. 횡축의 최소값을 6000으로 하겠다는 명령이다.

[그림 7.9] 축 서식 대화상자

이제 [그림 7.10]의 산점도와 같이 횡축의 스케일이 조정되어 나타난다. 종축도 필요한 경우 마찬가지로 축 서식을 조정할 수 있다.

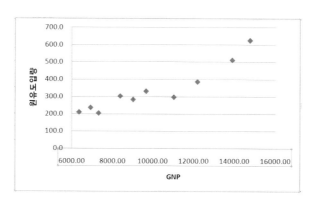

[그림 7.10] 횡축의 최소값 조정 결과

회귀분석의 경우, 산점도에 추세선을 포함함으로써 산점도 상의 자료를 가장 잘 나타내주는 회귀직선의 모양과 식, 그리고 결정계수의 값을 구할 수 있다.

⑦ 추세선을 삽입하기 위해 산점도의 임의의 점에 마우스 포인터를 대고 마우스 오른쪽 버튼을 누르면 [그림 7.11]과 같이 단축메뉴가 나타난다. 여기서 **추세선 추가**를 클릭한다.

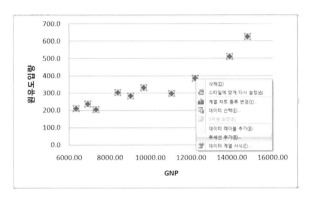

[그림 7.11] 추세선 추가 메뉴

⑧ 그러면 **추세선 서식** 대화상자가 [그림 7.12]처럼 나타나는데, 여기서 **추세/회귀 유형은 선형**을 선택하고, **수식을 차트에 표시**와 **R-제곱 값을 차트에 표시**를 체크한다.

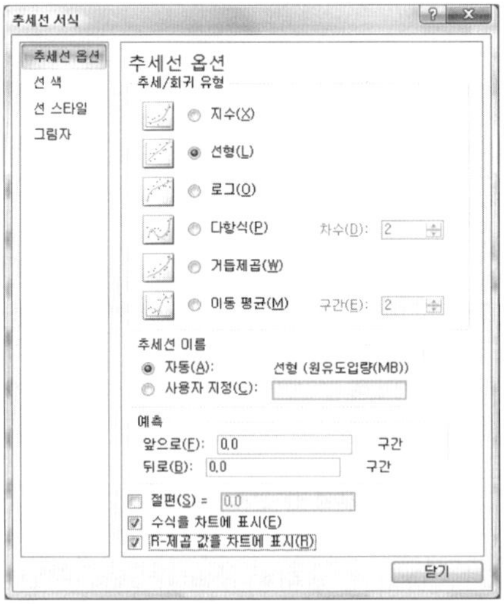

[그림 7.12] 추세선 서식 대화상자

그러면 [그림 7.13]과 같이 추세선이 삽입된 산점도가 완성이 되어 나타난다.

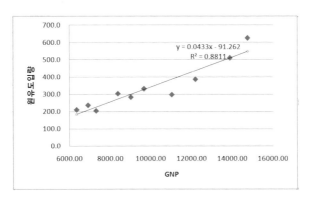

[그림 7.13] 추세선이 삽입된 산점도

[그림 7.13]의 산점도를 보면, 추정된 회귀직선의 모양과 식, 그리고 결정계수 값을 볼 수 있다. 위 예제의 경우, 추정된 회귀식은 $\hat{y} = -91.262 + 0.0433x$이고, 결정계수 ($R^2$)의 값은 0.8811이다. 결정계수의 값 0.8811은 현재의 독립변수인 GNP가 종속변수인 원유도입량의 변화를 88.11% 설명해 주고 있으며, 종속변수 변화의 나머지 11.89%는 현재 우리가 고려하는 GNP 이외의 다른 기타 요인에 기인함을 나타낸다.

② 데이터 분석 도구의 적용

지금까지 엑셀의 차트 기능을 이용하여 산점도를 그리고, 산점도위에 추정된 회귀식과 결정계수를 나타내는 방법에 대하여 학습하였다. 이제 데이터 분석 도구의 회귀분석 기능을 이용하여 단순회귀분석을 수행해 보자. 이 기능을 이용하면 추정된 회귀식과 관련 통계량, 그리고 회귀식의 유의성을 검정할 수 있는 제반 정보, 산점도, 잔차도 등이 출력된다. oil.xlsx 파일을 이용하여 GNP를 독립변수로 하고, 원유도입량을 종속변수로 하는 회귀분석을 수행해 보자.

① 독립변수와 종속변수의 데이터가 있는 oil.xlsx 파일의 sheet1을 선택한다.
② **데이터 ▶ 분석 ▶ 데이터분석**을 클릭하면 [그림 7.14]와 같은 **통계 데이터 분석** 창

이 나타난다. 여기서 **회귀분석**을 선택하고 **확인**을 누른다.

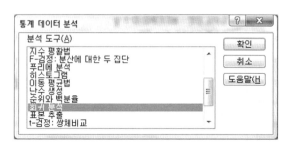

[그림 7.14] 통계 데이터 분석 도구 창

③ 그러면 [그림 7.15]와 같이 **회귀분석** 대화상자가 나타난다. 이제 이 대화상자에 해당 정보를 입력하면 엑셀은 회귀분석을 자동으로 수행하고, 제반 결과를 출력해 준다.

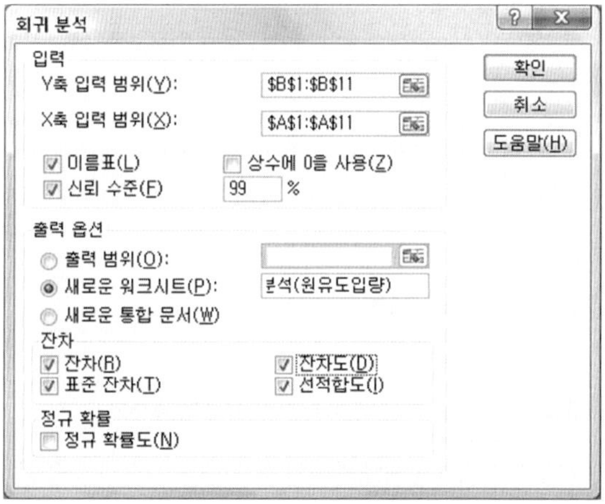

[그림 7.15] 회귀분석 대화상자

④ 우선, **Y축 입력 범위**는 종속변수(위 예제에서는 원유도입량)의 데이터 범위를, **X축 입력 범위**는 독립변수(위 예제에서는 GNP)의 데이터 범위를 말한다. **Y축 입력 범위**에는 B1:B11을, **X축 입력 범위**에는 A1:A11를 마우스로 드래그하여 입력하고, **이름표**를 체크한다. (데이터 범위의 첫 행이 데이터의 제목을 나타내는 문자열을 포함하고 있으므로 이름표를 체크한다.)

⑤ **신뢰수준**을 선택하고, 신뢰수준 입력란에 원하는 신뢰수준을 입력하거나 기본값
인 95%를 그대로 놓아둔다. [그림 7.15]에서는 신뢰수준을 99%로 설정하였다.

⑥ **출력 옵션**으로는 **새로운 워크시트**를 선택하고, 우측의 빈칸에 워크시트 이름으
로 **회귀분석(원유도입량)**을 입력한다. (사용자가 원하는 이름을 입력하면 된다.)

⑦ **잔차, 표준잔차, 잔차도, 선적합도** 난을 선택한다. (사용자가 필요한 옵션을 선택하
면 된다. 여기서는 잔차와 관련된 모든 옵션을 선택하였다.) **확인** 버튼을 클릭한다.

그러면 [그림 7.16]과 같이 **회귀분석(원유도입량)**이라는 워크시트에 회귀분석 결과
가 나타난다.

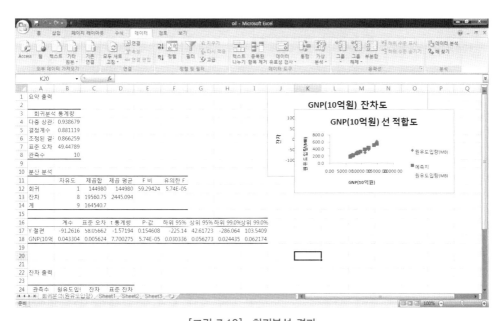

[그림 7.16] 회귀분석 결과

[그림 7.16]의 회귀분석 결과는 크게 **회귀분석 통계량, 분산분석표, 회귀계수와 관
련 정보, 잔차 출력, 잔차도, 선적합도** 등 여섯 부분으로 나누어져 있다. 각 부분의 정
보를 해석하면 다음과 같다.

③ 단순회귀분석 결과의 해석

(1) 회귀분석 통계량

[그림 7.17]의 회귀분석 통계량을 보면 다중상관계수, 결정계수, 조정된 결정계수, 표준오차, 그리고 관측수의 값이 나타나 있는데, 각각은 다음을 의미한다.

2		
3	회귀분석 통계량	
4	다중 상관계수	0.938679
5	결정계수	0.881119
6	조정된 결정계수	0.866259
7	표준 오차	49.44789
8	관측수	10

[그림 7.17] 회귀분석 통계량

① 다중상관계수

다중상관계수(multiple correlation coefficient)는 여러 개의 독립변수가 모여 종속변수와 얼마나 강한 선형관계에 있는지를 측정한 수치로서 독립변수와 종속변수의 피어슨 표본상관계수(Pearson's sample correlation coefficient)를 나타낸다. 단순회귀분석의 경우, 다중상관계수는 1개의 독립변수와 종속변수의 표본상관계수(r)의 절대값이다. 위 예제의 경우, GNP와 원유도입량의 다중상관계수는 0.94로 나타났는데, 이는 GNP와 원유도입량이 매우 강한 선형관계에 있음을 나타낸다. 또한 앞서 산점도에서 추정된 회귀식의 기울기가 양수로 나타났으므로, 상관관계의 방향도 양(+)임을 알 수 있다. 만일 추정된 회귀식의 기울기가 음수라면, 상관계수는 음의 값을 갖는다고 해석한다.

독립변수가 여러 개 존재하는 다중회귀분석에서는 독립변수들이 모여 종속변수와 얼마나 강한 선형관계에 있는지를 측정해 주는 수치로, 이 경우, 어떤 독립변수는 종속변수와 양의 관계에 있을 수 있고, 어떤 독립변수는 종속변수와 음의 관계에 있을 수 있기 때문에 여러 개의 독립변수들과 종속변수와의 상관계수인 다중상관계수는 항상 양의 값을 갖는 것으로 정의한다.

② 결정계수

보통 "r^2"으로 표기되는 **결정계수**(coefficient of determination)는 현재 우리가 고려하고 있는 독립변수가 종속변수의 변화를 어느 정도 설명해 주는 지를 나타내는 수치로 0에서 1사이의 값을 갖는다. 결정계수의 값이 1에 가까울수록 현재의 독립변수가 종속변수의 변화를 잘 설명함을 나타내고, 0에 가까울수록 그렇지 않음을 나타낸다. 현재 결정계수의 값은 0.8811로 나타났는데, 이는 GNP가 원유도입량의 변화를 88.11% 설명해 줌을 나타낸다. 결정계수가 1(100%)이면 현재의 독립변수가 종속변수의 변화를 완전히 설명해 줌을 의미하며, 추정된 회귀선상에 모든 데이터가 존재함을 말한다. 즉, 추정된 회귀식으로 완전한 예측이 가능함을 말한다. 그러나 실제 데이터에서 이런 경우는 발생하지 않는다. 결정계수는 추정된 회귀식이 현재의 표본자료를 얼마나 잘 나타내 주는 지를 평가할 수 있는, 즉, **회귀식의 적합도**를 평가할 수 있는 수치이다. 또한 결정계수 r^2는 상관계수 r을 제곱한 값이다.

③ 조정된 결정계수

조정된 결정계수(adjusted coefficient of determination)는 다중회귀분석에서 유용하게 사용되는 수치로, 추가된 독립변수가 의미 있는 변수인지의 여부를 판단해 준다. 앞에서 설명한 결정계수는 독립변수의 수가 증가하면 그 값이 계속 증가하는 성질이 있다. 그러나 조정된 결정계수는 독립변수의 수가 증가하더라도 그 값이 더 이상 증가하지 않고, 오히려 떨어지는 경우도 있다. 이러한 경우가 발생하면, 현재 추가된 독립변수는 좋은 독립변수의 역할을 하지 못한다. 여기에 대해서는 다중회귀분석에서 다시 구체적으로 언급하도록 한다.

④ 표준오차

표준오차란 앞서 언급한 **추정된 표준오차**(standard error of estimate, S_e)를 말하는 것으로, 표본자료가 추정된 회귀식 주위에 얼마나 오밀조밀하게 분포되어 있는지 그

정도를 측정한 수치이다. 종속변수의 실제값이 회귀식에 의한 예측값과 유사하면 유사할수록 추정된 표준오차의 값은 작아지고, **회귀식의 적합도**는 높아지게 된다. 추정된 표준오차 S_e는 다음의 식으로 정의된다.

$$S_e = \sqrt{\frac{\sum_{i=1}^{n} (y_i - \hat{y}_i)^2}{n-2}}$$

즉, 추정된 표준오차는 종속변수의 실제값과 회귀식에 의한 추정값 차이를 제곱하여 합한 것을 해당 자유도$(n-2)$로 나누어 제곱근한 값이다. 식에서 보듯이 만일 종속변수의 실제값과 추정값이 동일하다면, 즉, 추정된 회귀식이 현재의 데이터를 완전히 설명해 준다면, 추정된 표준오차의 값은 "0"이 됨을 알 수 있다.

⑤ 관측수

관측수는 회귀분석에 사용된 표본의 크기를 말하는 것으로 현재 10쌍의 (x, y) 데이터를 사용하여 분석했음을 나타낸다.

(2) 분산분석표

[그림 7.18]은 회귀분석의 분산분석 결과를 보여주고 있다. 이 분산분석표는 회귀식의 통계적 유의성을 검정할 수 있는 정보를 제공하는데, 분산분석표를 해석하는 기본개념은 6장 분산분석에서 학습한 바 있다.

10	분산 분석					
11		자유도	제곱합	제곱 평균	F 비	유의한 F
12	회귀	1	144980	144980	59.29424	5.74E-05
13	잔차	8	19560.75	2445.094		
14	계	9	164540.7			
15						

[그림 7.18] 분산분석표

① 제곱합

[그림 7.18]을 보면 종속변수의 **총변동(총제곱합)**은 $\sum_{i=1}^{n}(y_i-\overline{y})^2$를 나타내며, 이는 **회귀 변동**과 **잔차 변동** 두 가지 부분으로 나누어짐을 알 수 있다. 여기서 회귀 변동이란 회귀식에 의해 설명되는 종속변수 값의 변동, 즉, $\sum_{i=1}^{n}(\hat{y}_i-\overline{y})^2$을 나타내고, 잔차 변동이란 회귀식에 의해 설명되지 않는, 즉, 현재 우리가 고려하는 독립변수이외의 기타 요인에 의해 발생하는 종속변수 값의 변동, 즉, $\sum_{i=1}^{n}(y_i-\hat{y}_i)^2$을 말한다. 즉, 종속변수인 원유도입량의 총변동은 GNP를 독립변수로 하는 회귀식에 의해 설명되는 변동과 GNP로 설명되지 않는 변동으로 구성된다.

Tip 회귀분석에서 종속변수의 총변동(SST: sum of squares total)은 회귀식에 의해 설명된 변동(SSR: sum of squares regression)과 회귀식에 의해 설명되지 않은 변동(SSE: sum of squares error)의 합과 같다. 즉, 다음의 식이 성립한다.

$$SST=SSR+SSE$$

$$\sum_{i=1}^{n}(y_i-\overline{y})^2=\sum_{i=1}^{n}(\hat{y}_i-\overline{y})^2+\sum_{i=1}^{n}(y_i-\hat{y}_i)^2$$

[그림 7.18]에서 **총제곱합(SST)** 164540.7은 10개의 원유도입량 실제값과 그 표본평균과의 차이의 제곱합을 의미하고, **회귀 제곱합(SSR)** 144980은 추정된 회귀식을 이용해 구한 원유도입량 예측치와 원유도입량 표본평균 차이의 제곱합이다. 그리고 **잔차 제곱합(SSE)** 19560.75는 원유도입량 실제값과 추정된 회귀식을 이용해 구한 원유도입량 예측치 차이의 제곱합을 말한다. 바로 이 잔차 제곱합(SSE)을 최소로 하는 회귀식을 구하는 것이 회귀분석에서 회귀계수를 추정할 때 사용하는 **최소자승법(least squares method)**의 기본 원리이다. 또한 SSE는 앞서 설명한 추정된 표준오차 식에서 분모에 해당함을 알 수 있다.

총제곱합(SST)은 회귀 제곱합(SSR)과 잔차 제곱합(SSE)을 더한 값과 같다. 즉, 제곱합 정보를 통하여 우리는 종속변수의 변동 중 독립변수에 의해 설명된 부분이 얼마이고,

설명되지 못하는 부분은 어느 정도인지 알 수 있다.

Tip 결정계수(r^2)는 총변동(SST)에서 회귀식에 의해 설명된 변동(SSR)이 차지하는 비율이다.

$$r^2 = \frac{SSR}{SST} = 1 - \frac{SSE}{SST}$$

즉, 결정계수가 1이면, SSR은 SST와 같고, SSE는 "0"이 된다. 반면에 결정계수가 0이면, SSR은 "0"이고, SSE는 SST와 같아진다. [그림 7.17]의 결정계수의 값 0.881은 SSR/SST=144980/164540.7 또는 1−SSE/SST=1−19560.75/164540.7임을 확인할 수 있다.

② 자유도

자유도 컬럼은 회귀 변동(SSR), 잔차 변동(SSE), 그리고 총변동(SST)의 자유도를 각각 보여준다. 우선, 총변동(SST)의 자유도는 표본의 크기에서 1을 뺀 수치($n-1$)인데, 본 예제에서는 n이 10이므로 총자유도는 9가 된다. 회귀분석에서 회귀 변동(SSR)의 자유도는 독립변수의 수와 일치하는데, 단순회귀분석에서는 독립변수가 하나이므로 본 예제의 경우, SSR의 자유도는 1로 나타났다. 또한 SST의 자유도는 SSR의 자유도와 SSE의 자유도의 합과 같으므로 잔차 변동(SSE)의 자유도는 9−1=8이다. 한편, SSE의 자유도는 표본크기에서 추정된 모수의 수를 뺀 값과도 같다. 단순회귀분석의 경우, 회귀식을 추정할 때 모회귀계수 α와 β대신 a와 b를 사용하였으므로 추정된 모수의 수는 2가 되어 SSE의 자유도는 10−2=8로 계산된다.

③ 제곱평균

제곱평균(mean square)은 제곱합(변동)을 해당 자유도로 나눈 값으로 **분산**이라고 한다. **회귀 제곱평균**(MSR: mean square regression) 144980은 회귀 제곱합(SSR) 144980을 해당 자유도 1로 나눈 값이고, **잔차 제곱평균**(MSE: mean square error) 2445.094는 잔차 제곱합(SSE) 19560.75를 해당 자유도 8로 나눈 값이다. 잔차 제곱평균(MSE)의 값은 추정된 표준오차(standard error of estmate)를 제곱한 값과 같으므로 잔차 제곱평균을 알면 추정된 표준오차의 값을 구할 수 있다.

④ 회귀식의 유의성 검정: F비와 유의한 F

분산분석표에서 **F비**는 회귀 제곱평균(MSR)을 잔차 제곱평균(MSE)으로 나눈 값(MSR/MSE)으로 이 값을 이용하면 우리가 추정한 회귀식이 통계적으로 의미 있는 것인지를 검정할 수 있다. **회귀식의 유의성**을 검정하기 위한 가설은 다음과 같이 설정한다.

$$H_0: \beta = 0$$
$$H_1: \beta \neq 0$$

즉, 기본가설은 회귀식의 기울기가 "0"이라는 것으로 현재의 독립변수가 종속변수의 변화를 설명해 주지 못한다는 것이다. 따라서 기본가설을 기각할 수 없으면 현재의 추정된 회귀식은 의미가 없는 식이 된다. 반면, 대립가설이 채택되면 추정된 회귀식은 통계적으로 의미 있는 식으로 인정된다.

위의 가설을 검정하기 위해 두 가지 방법을 취할 수 있다. 하나는 F비와 임계값을 비교하는 것으로 F비가 임계값보다 크면 회귀식의 기울기가 "0"이라는 기본가설을 기각하게 되고, 따라서 추정된 회귀식이 의미가 있음을 나타낸다. 그러나 현재의 분산분석표에는 임계값은 나타나지 않고 있다. 따라서 F분포표를 이용하여 유의수준이 1%이고([그림 7.15]에서 신뢰수준을 99%로 설정하였음), 즉, 오른쪽 꼬리 면적이 1%이고, 분자 자유도가 1, 분모 자유도가 8인 F값을 찾으면 그 값이 바로 임계값이다. F분포표를 보면 유의수준 1%에서 임계값은 11.26으로 나타난다. 결과적으로 F비(59.29)는 임계값(11.26)보다 크므로 기본가설은 기각되고, 추정된 회귀식은 통계적으로 의미 있는 식으로 인정된다.

회귀식의 유의성을 검정하는 다른 방법은 분산분석표의 **유의한 F**를 이용하는 것이다. 유의한 F는 분산의 비율을 검정하는 **F-검정**에서 p-값을 의미하는데, 이 수치가 유의수준보다 작으면 기본가설은 기각되고, 대립가설이 채택된다. 즉, 유의한 F값은 $P(F \geq 59.29)$를 나타내는 것이므로 이 값이 유의수준보다 작다는 말은 F비(59.29)가 임계값보다 큼을 의미한다. 현재, 유의한 $F(p-값)$는 $5.74\mathrm{E}-05(5.74\times10^{-5})$로, 이 값은 유의수준 1%보다 작으므로 기본가설은 기각되고, 추정된 회귀식은 통계적으로 의미 있는 식으로 인정된다.

Tip 추정된 회귀식이 유의성 검정을 통과하였으면 이제 이 회귀식을 이용하여 독립변수의 값이 주어졌을 때 종속변수의 값(정확하게는 종속변수의 기대값)을 예측할 수 있다. 그런데 여기서 한 가지 주의해야 할 점은 추정된 회귀식은 현재 우리가 수집한 자료에 근거하여 도출된 것이므로 표본자료가 달라지면 회귀식도 달라질 수 있다는 것이다. 따라서 이 회귀식을 이용하여 종속변수 값에 대한 추정을 시도할 때 독립변수 값의 범위는 표본 자료의 범위를 벗어나지 않도록 해야 한다는 것이다. 즉, GNP를 이용하여 원유도입량을 추정하고자 할 때, 우리가 표본자료로 이용한 독립변수(GNP)의 범위를 벗어난 수치, 예를 들어, GNP가 5,000일 경우 또는 GNP가 20,000일 경우, 현재의 회귀식을 이용하여 원유도입량을 추정해도 그 결과는 타당성이 결여된다는 것이다.

(3) 회귀계수와 관련 정보

[그림 7.19]는 추정된 회귀식의 계수 a, b와 관련 통계량을 보여주고 있다.

16		계수	표준 오차	t 통계량	P-값	하위 95%	상위 95%	하위 99.0%	상위 99.0%
17	Y 절편	-91.2616	58.05662	-1.57194	0.154608	-225.14037	42.6172292	-286.064	103.540867
18	GNP(10억원)	0.043304	0.005624	7.700275	5.74E-05	0.03033597	0.0562727	0.02443452	0.06217416
19									

[그림 7.19] **회귀계수와 관련 정보**

우선, 맨 왼쪽 컬럼에 있는 Y절편과 GNP(10억원)은 각각 y절편과 독립변수를 나타내는데, 계수는 추정된 회귀식에서의 a와 b의 값을 의미한다. 즉, 이 정보를 이용하면 다음과 같이 추정된 회귀식을 구할 수 있다.

$$\hat{y} = -91.262 + 0.0433x$$

위의 결과는 앞서 산점도에서 추세선의 식을 구한 결과와 동일함을 알 수 있다.

다음으로, y절편과 독립변수에 관한 여러 가지 정보(표준오차, t통계량, p-값, 신뢰구간의 하한값과 상한값)가 나열되어 있다. 이 중 **t통계량** 값은 추정된 회귀계수의 값을 표준오차로 나눈 값으로 회귀식의 유의성을 t분포를 이용해서 검정할 때 사용된다. 우리는 앞서 분산분석표의 정보를 이용하여 회귀식의 유의성을 F분포를 통하여 검정하였다. 사실, F-검정과 t-검정은 동일한 결과를 가져오는데, [그림 7.18]의 분산분석표에서 F비(59.29)는 [그림 7.19]에서 독립변수(GNP) 계수의 t통계량 값(7.70)을 제곱한 값이다. 또한 [그림 7.18]의 유의한 F(5.74E−05)와 [그림 7.19]의 독립변수(GNP) 계수의 p-값(5.74E−05)은 동일함을 알 수 있다.

하지만 실제로 [그림 7.19]의 정보를 이용하여 회귀식의 유의성을 검정할 때는 p-값을 많이 이용한다. 독립변수의 회귀계수 b에 대한 p-값은 5.74E−05로서 이 값은 현재의 유의수준 1%보다 작으므로 회귀식의 참기울기(β)가 "0"이라는 기본가설을 기각하게 되고, 추정된 회귀식은 의미가 있는 것으로 받아들이게 된다.

다음으로 회귀계수 α와 β의 95% 신뢰구간과 99% 신뢰구간의 상한값과 하한값을 각각 보여주고 있다. 여기서 상위 95%는 95% 신뢰구간의 상한값, 하위 95%는 95% 신뢰구간의 하한값을 의미한다. 즉, y절편과 회귀식 기울기의 참값이 존재할 95% 신뢰구간을 의미한다. 95% 신뢰구간은 기본적으로 제공되며, 99% 신뢰구간은 우리가 [그림 7.15]의 회귀분석 대화상자에서 신뢰수준을 99%로 지정하였기 때문에 나오는 결과이다. 만일 회귀분석 대화상자에서 따로 신뢰수준을 지정하지 않고 기본값 95%를 그냥 놓아두면 [그림 7.19]에서 95% 신뢰구간의 상한값과 하한값이 두 번 나타난다.

현재, 우리는 이 예제에서 신뢰수준을 99%로 지정하였으므로 99% 신뢰구간을 살펴보도록 하자. 우리가 관심을 갖고 보아야 할 신뢰구간은 회귀식 기울기에 대한 신뢰구간, 즉, β에 대한 신뢰구간이다. 신뢰구간의 하한값과 상한값이 모두 양수로 나타나고 있는데, 이는 유의수준 1%에서 회귀식의 기울기(β)가 "0"이 아니라는 의미로, 앞서 수행한 가설검정의 결과와 동일함을 알 수 있다. 만일 신뢰구간의 하한값은 음수이고, 상한값은 양수라면 β에 대한 신뢰구간은 "0"을 포함하게 되어, 유의수준 1%에서 회귀식의 기울기(β)는 "0"이라는 기본가설을 기각하지 못하게 된다.

Tip 회귀식의 유의성 검정에서 y절편의 추정값(a)이 의미가 있는 지를 검정하는 것은 관심의 대상이 아니다. 회귀식의 유의성 검정이란 현재 우리가 고려하고 있는 독립변수가 종속변수의 값을 예측하는데 도움이 되는 변수인지를 검정하는 것이므로 독립변수의 추정된 회귀계수(b)에 대한 유의성 검정이 관심의 대상이 된다. y절편의 추정값(a)은 표본자료를 이용하여 회귀식을 추정할 때 생기는 부산물이라고 생각하면 된다.

(4) 잔차 출력

잔차(residuals)란 종속변수의 실제값과 회귀식을 이용하여 추정한 예측치의 차이, 즉, ($y_i - \hat{y}_i$)를 말한다. [그림 7.20]을 보면, 종속변수(원유도입량)의 예측치가 나타나 있는데, 예를 들어, 첫 번째 잔차 27.58은 원유도입량의 첫 번째 실제값 211.2([그림 7.2]의 데이터 참조)에서 첫 번째 예측치 183.62을 뺀 값이다.

22	잔차 출력			
23				
24	관측수	예측치 원유도입량(MB)	잔차	표준 잔차
25	1	183.6213863	27.57861	0.591563
26	2	207.9168529	29.18315	0.62598
27	3	225.0770634	-19.8771	-0.42636
28	4	271.5023465	31.99765	0.686352
29	5	298.8841133	-15.3841	-0.32999
30	6	326.3758731	5.624127	0.120638
31	7	385.7959224	-88.0959	-1.88966
32	8	435.978723	-49.8787	-1.0699
33	9	509.6766459	1.323354	0.028386
34	10	547.8710732	77.52893	1.663
35				

[그림 7.20]   잔차 출력

표준잔차란 해당 잔차에서 잔차들의 평균을 뺀 후 잔차들의 표준편차로 나눈 값으로 해당 잔차의 **Z값**을 나타낸다. 즉, 해당 잔차가 잔차들의 평균에서 몇 개의 표준편차만큼 위 또는 아래에 위치하는 지를 나타내는 수치이다.

(5) 잔차도

회귀분석의 결과를 보면 GNP **잔차도**가 나타나 있다. 이는 독립변수인 GNP의 표본 자료 10개를 회귀식에 넣었을 때 구해지는 10개의 잔차, 즉, 종속변수(원유도입량)의 실 제값과 회귀식에 의해 추정된 종속변수 값의 차이 $(y_i - \hat{y}_i)$를 10개의 GNP별로 나타낸 그림이다. 잔차는 오차항의 추정치로서 [그림 7.21]의 잔차도를 이용하면 **오차항의 선 형성**과 **등분산 가정**이 지켜지는지 개략적으로 확인할 수 있다.

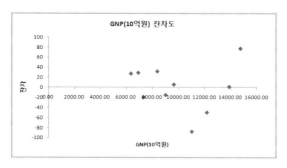

[그림 7.21]   잔차도

[그림 7.21]의 잔차도를 보면 잔차들이 "0"을 중심으로 특별한 패턴 없이 위아래로 움직임을 볼 수 있다. 따라서 등분산이 아니라거나 비선형이라는 증거가 없으므로 오 차항의 등분산 가정과 선형의 가정에는 별 문제가 없다고 평가할 수 있다. 잔차들이 이 차곡선의 형태와 같은 특정 패턴을 가질 경우 비선형 문제가 발생하고, 계속 증가하거 나 또는 계속 감소하는 패턴을 보일 경우 등분산 가정이 위배될 수 있다. 여기서 비선 형 문제가 발생한다는 것은 독립변수와 종속변수의 함수관계를 선형의 식으로 표현하 는 선형회귀분석이 적절하지 않다는 증거가 된다. 이 경우에는 독립변수와 종속변수의 함수관계를 비선형의 식으로 표현하는 비선형회귀분석의 적용이 보다 적절하다.

(6) 선 적합도

회귀분석 결과에 나타난 **선 적합도**는 산점도와 유사한 그림을 말하는데, 독립변수 로 사용된 자료(GNP)의 각 값에 대한 종속변수(원유도입량)의 실제값과 예측치를 함께 보여준다. [그림 7.22]의 GNP 선 적합도는 독립변수로 사용된 GNP의 각 값에 대하여 원유도입량의 실제값은 파란 다이아몬드로, 예측치는 빨간 네모로 보여주고 있다. 종속변수의 실제값을 나타내는 임의의 점(다이아몬드)에 마우스 포인터을 대고 마우스 오른쪽 버튼을 누르면 산점도에서와 같이 추세선을 추가할 수 있는 단축메뉴가 나타나는데, 이를 이용하여 추세선, 추세선의 식, 그리고 결정계수 등을 선 적합도 그림에 포함시킬 수 있다.

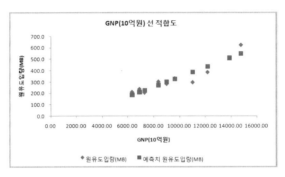

[그림 7.22] 선 적합도

Tip 다중회귀분석에서 선 적합도를 출력하면 여러 개 독립변수 각각에 대한 종속변수의 선 적합도가 출력되어 정보로서의 가치가 없다. 또한 선 적합도는 단순회귀분석에서 산점도와 동일한 정보를 제공하기 때문에, 산점도를 미리 작성하였다면 회귀분석의 출력 정보로 생략해도 무방하다. 또한 잔차와 관련된 정보인 잔차 출력, 잔차도 등도 특별한 목적 이외에는 사용하는 경우가 적으니 회귀분석의 출력정보로 생략해도 무방하다.

단순회귀분석 사례

H은행의 최고경영층은 중간관리자 교육에 상당한 투자를 하고 있다. H은행 경영층은 중간관리자들의 교육기간 성적이 그들의 업무성과를 예측하는데 도움이 되는지를 확인하기 위해 과거 5개월간 모 대학에 위탁한 교육을 수료한 12명의 중간관리자들을 대상으로 그들의 교육기간 성적(25점 만점)과 교육 후 그들의 업무성과(100점 만점)를 조사하였다. 이를 정리한 파일이 [그림 7.23]의 **H은행.xlsx**이다.

[그림 7.23] H은행.xlsx

교육성적을 독립변수로 하고, 업무성과를 종속변수로 하는 회귀분석을 수행하기 위해 데이터 분석 도구를 이용해 보자.

① **데이터 ▶ 분석 ▶ 데이터분석**을 클릭하면 [그림 7.24]와 같이 **통계 데이터 분석** 창이 뜨는데, 여기서 **회귀분석**을 선택하고 **확인**을 누른다.

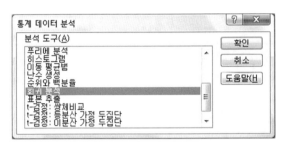

[그림 7.24] 통계 데이터 분석 창

② 그러면 [그림 7.25]와 같은 회귀분석 대화상자가 나타난다. 여기서 **Y축 입력범위**에는 셀 범위 C1:C13를, **X축 입력범위**에는 셀 범위 B1:B13를 마우스로 드래그하여 입력하고, **이름표**를 체크한다.

③ **신뢰수준**은 기본으로 설정되어 있는 95%를 그대로 이용하고자 하여 현재 상태로 놓아두었다. **출력 옵션**으로는 **새로운 워크시트**를 선택하고, 우측의 이름상자에 회귀분석 결과가 출력될 워크시트의 이름으로 **회귀분석(업무성과)**을 입력하였다. 잔차 관련 정보는 크게 사용되지 않으므로 선택하지 않았다. **확인** 버튼을 클릭한다.

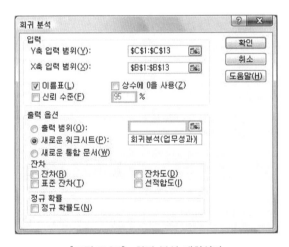

[그림 7.25] 회귀 분석 대화상자

④ 이제 [그림 7.25]와 같은 회귀분석 결과가 **회귀분석(업무성과)** 시트에 나타난다.

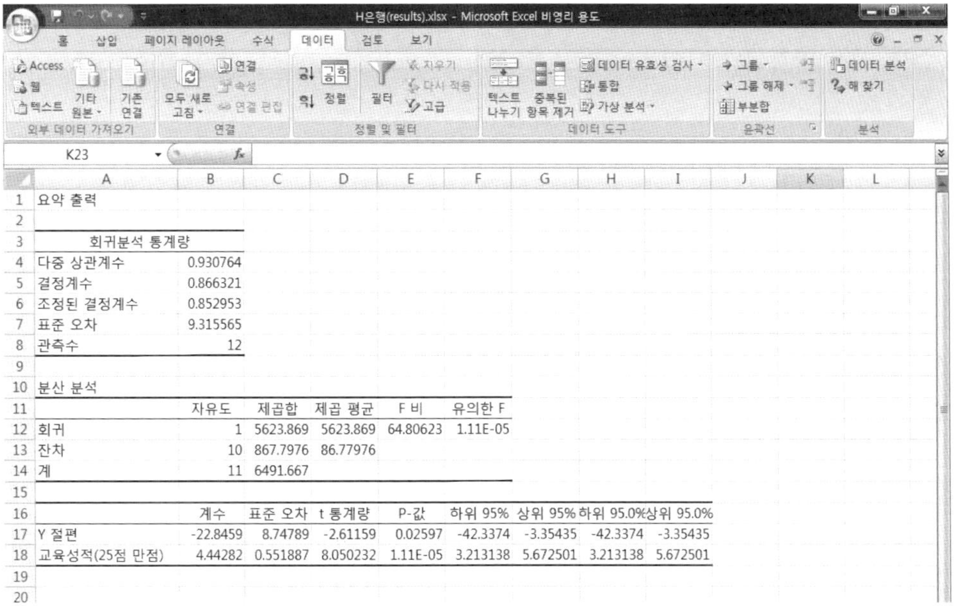

	A	B	C	D	E	F	G	H	I	J	K	L
1	요약 출력											
2												
3	회귀분석 통계량											
4	다중 상관계수	0.930764										
5	결정계수	0.866321										
6	조정된 결정계수	0.852953										
7	표준 오차	9.315565										
8	관측수	12										
9												
10	분산 분석											
11		자유도	제곱합	제곱 평균	F 비	유의한 F						
12	회귀	1	5623.869	5623.869	64.80623	1.11E-05						
13	잔차	10	867.7976	86.77976								
14	계	11	6491.667									
15												
16		계수	표준 오차	t 통계량	P-값	하위 95%	상위 95%	하위 95.0%	상위 95.0%			
17	Y 절편	-22.8459	8.74789	-2.61159	0.02597	-42.3374	-3.35435	-42.3374	-3.35435			
18	교육성적(25점 만점)	4.44282	0.551887	8.050232	1.11E-05	3.213138	5.672501	3.213138	5.672501			
19												
20												

[그림 7.26] 회귀분석 결과

[그림 7.26]의 회귀분석 결과에 근거하여 우선, 추정된 회귀식은 다음과 같이 나타낼 수 있다.

$$\hat{y} = -22.846 + 4.443x$$

즉, 교육성적이 1점 증가하면, 업무성과는 평균적으로 4.44점 정도 증가할 것으로 예측되고 있다.

다음으로, 분산분석 표를 보고 추정된 회귀식의 유의성을 검정해 보자. F비(64.81)에 대한 p-값인 유의한 F(1.1146E-05)가 유의수준 5%보다 작으므로 기본가설은 기각되고, 따라서 회귀식은 통계적으로 의미가 있는 것으로 평가된다. 그리고 이를 통해 업무성과를 교육성적으로 설명하는 회귀모형은 적합하다는 것을 알 수 있다. 이러한 검정결과는 독립변수의 참회귀계수(β)의 95% 신뢰구간을 보고서도 유추할 수 있는데, β의 95% 신뢰구간의 상한값과 하한값 모두 양수로 나타났으므로 β는 "0"이라는 기본가설은 기각된다.

한편, 결정계수의 값은 0.866으로 나타났는데, 이는 현재 독립변수로 고려하고 있는 교육성적이 종속변수인 업무성과의 변동을 설명하는 정도가 86.6%이고, 업무성과 변동의 나머지 13.4%는 교육성적 이외의 다른 요인에 기인한다는 것을 의미한다.

제4절   다중회귀분석

본 절에서는 독립변수의 수가 2개 이상인 **다중회귀분석**(multiple regression analysis)에 대해서 학습한다. 다중회귀분석은 종속변수가 하나이고, 종속변수를 설명하는 독립변수가 여러 개인 회귀분석을 가리킨다. 일반적으로 하나의 독립변수로써 종속변수를 설명하는 단순회귀분석보다는 여러 개의 독립변수를 이용하는 다중회귀분석이 종속변수를 보다 잘 설명하고 예측할 수 있다고 말할 수 있다. 그러나 무조건 독립변수의 수가 많다고 해서 좋은 것은 아니다. 단순하면서도, 즉, 적은 수의 독립변수를 가지고 종속변수를 잘 설명할 수 있는 모형이 좋은 회귀분석 모형이라고 하겠다.

① 다중회귀모형

다중회귀모형의 일반적인 형태는 다음과 같다.

$$Y = \alpha + \beta_1 x_1 + \beta_2 x_2 + \cdots\cdots + \beta_k x_k + \varepsilon$$

여기서 Y : 종속변수

x_1 : 첫 번째 독립변수

$\vdots$

x_k : k번째 독립변수

$\alpha, \beta_1, \cdots, \beta_k$: 모회귀식의 회귀계수

ε : 오차항

위 식에서 보듯이 다중회귀모형은 단순회귀모형에 독립변수가 추가된 모형으로 모형의 가정, 추정된 회귀식을 유도하는 과정, 회귀식의 유의성을 검정하는 방법 등에 있어서 개념적인 차이는 없다.

단순회귀모형과 마찬가지로 다중회귀모형에서도 오차항 ε은 평균이 0이고, 분산이 σ^2인 정규분포를 따르는 확률변수이고, 따라서 Y도 확률변수이다. 이제 다중회귀모형의 양변에 기대값을 적용해 보자. 그러면 모회귀식은 다음과 같이 도출된다.

$$E(Y)=\alpha+\beta_1 x_1+\beta_2 x_2+\cdots\cdots+\beta_k x_k$$

그런데 위의 모회귀식에서 회귀계수인 $\alpha, \beta_1, \cdots, \beta_k$는 미지의 모수이므로 표본자료를 이용하여 다음과 같은 형태의 추정된 회귀식을 구하게 된다.

$$\hat{y}_i=a+b_1 x_1+b_2 x_2+\cdots\cdots+b_k x_k \text{ 3)}$$

여기서, $a, b_1, b_2, \cdots, b_k$는 모집단 회귀계수인 $\alpha, \beta_1, \cdots, \beta_k$의 추정값으로서 그 값을 구하는 방법은 단순회귀분석에서와 마찬가지로 잔차(종속변수의 실제값과 종속변수의 예측치 차이)의 제곱합을 최소화하는 최소자승법(least squares method)에 근거한다.

---

3) 단순회귀분석에서도 언급한 바와 같이 추정된 회귀식의 $\hat{y}$은 $\widehat{E(Y)}$을 간단히 표현한 것이다. 따라서 $\hat{y}$의 의미는 종속변수 기대값의 예측치(추정값)이다.

2 다중회귀분석의 적용

이제 데이터 분석 도구를 이용하여 다중회귀분석을 수행하는 방법을 학습하기 위해 영업활동비용.xlsx 파일을 이용해 보자.

① **영업활동비용**.xlsx 파일을 연다. 이 파일을 보면 10개 회사의 영업활동비용, 매출액, 영업사원의 수 자료가 나와 있는데, 여기서 영업활동비용을 종속변수로 설정하고, 매출액과 영업사원의 수를 독립변수로 삼고자 한다.

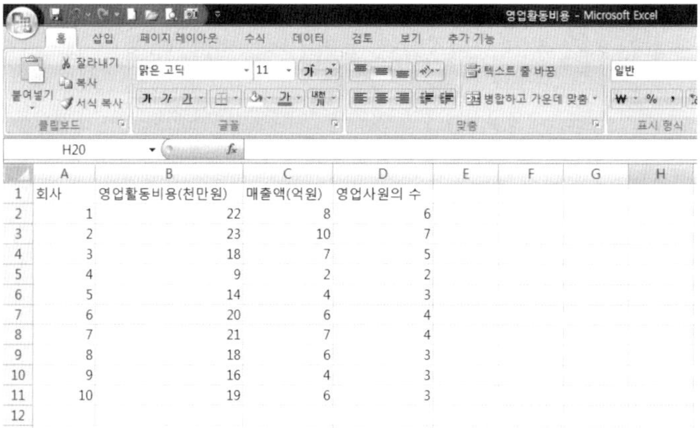

회사	영업활동비용(천만원)	매출액(억원)	영업사원의 수
1	22	8	6
2	23	10	7
3	18	7	5
4	9	2	2
5	14	4	3
6	20	6	4
7	21	7	4
8	18	6	3
9	16	4	3
10	19	6	3

[그림 7.27] 영업활동비용.xlsx

따라서 이 예제의 경우, 다중회귀모형은 다음과 같이 표현된다.

$$Y = \alpha + \beta_1 x_1 + \beta_2 x_2 + \varepsilon$$

여기서 Y : 영업활동비용(천만원)

x_1 : 매출액(억원)

x_2 : 영업사원의 수

ε : 오차항

그리고 위의 모형으로부터 유도되는 추정된 회귀식은 다음과 같다.

$$\hat{y} = a + b_1 x_1 + b_2 x_2$$

여기서 $\hat{y}$: 영업활동비용 기대값의 예측치(추정값)

　　a, b_1, b_2 : α, β_1, β_2의 추정값

② **데이터▶분석▶데이터분석**을 클릭하여 **통계 데이터 분석** 대화상자를 부르고, 여기서 **회귀분석**을 선택하고 **확인** 버튼을 누른다. 그러면 [그림 7.28]과 같이 회귀분석 대화상자가 나타난다.

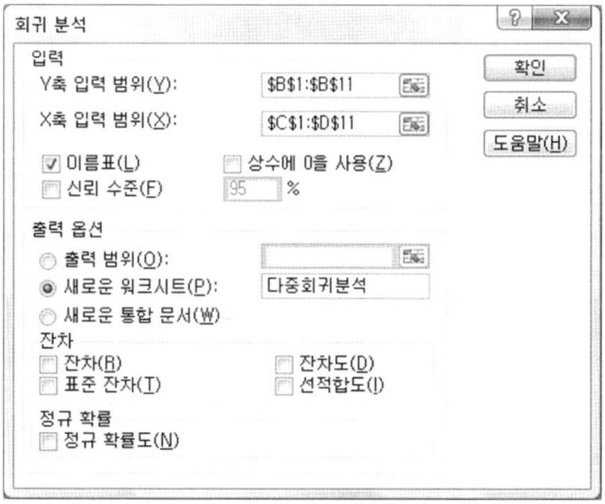

[그림 7.28] 회귀분석 대화상자

③ **Y축 입력 범위**에는 셀 범위 **B1:B11**을, **X축 입력 범위**에는 셀 범위 **C1:D11**을 마우스로 드래그하여 입력한다.

④ **이름표**를 체크하고, 신뢰수준이 95%일 경우, 기본으로 설정된 값을 그대로 이용한다.

⑤ **출력옵션**으로 **새로운 워크시트**를 선택하고, 우측의 이름상자에 회귀분석 결과가

출력될 워크시트의 이름을 입력한다. 여기서는 **다중회귀분석**이라고 입력하였다.

⑥ **확인** 버튼을 누른다.

그러면 [그림 7.29]와 같이 **다중회귀분석**이라는 워크시트가 생성되면서 여기에 영업활동비용을 종속변수로 하고, 매출액과 영업사원의 수를 독립변수로 하는 다중회귀분석의 결과가 나타난다.

	A	B	C	D	E	F	G	H	I	J	K	L	M
1	요약 출력												
2													
3	회귀분석 통계량												
4	다중 상관계수	0.945866											
5	결정계수	0.894662											
6	조정된 결정계수	0.864565											
7	표준 오차	1.532167											
8	관측수	10											
9													
10	분산 분석												
11		자유도	제곱합	제곱 평균	F 비	유의한 F							
12	회귀	2	139.5673	69.78363	29.72633	0.000379358							
13	잔차	7	16.43275	2.347536									
14	계	9	156										
15													
16		계수	표준 오차	t 통계량	P-값	하위 95%	상위 95%	하위 95.0%	상위 95.0%				
17	Y 절편	7.918129	1.449758	5.461689	0.000944	4.489994854	11.34626246	4.489994854	11.34626246				
18	매출액(억원)	2.362573	0.549565	4.298985	0.003571	1.063057464	3.662088735	1.063057464	3.662088735				
19	영업사원의 수	-1.02339	0.79467	-1.28782	0.238745	-2.902488317	0.855704692	-2.90248832	0.855704692				

[그림 7.29] 다중회귀분석 결과

[그림 7.29]의 분석결과를 보면 추정된 회귀식은 다음과 같이 표현됨을 알 수 있다.

$$\hat{y} = 7.918 + 2.363x_1 - 1.023x_2$$

여기서, x_1은 매출액을 나타내고, x_2는 영업사원의 수를 나타낸다. 이제 이 회귀식을 해석해 보자. 추정된 회귀식으로부터 우리는 매출액이 1단위(1억원) 증가할 때, 영업사원의 수가 변하지 않는다면 영업활동비용은 평균적으로 2.363단위(2천3백6십3만원원) 정도 증가함을 알 수 있다. 또한 이 회귀식은 매출액이 고정되어 있을 때, 영업사원의 수가 1단위(1명) 증가하면 영업활동비용은 평균적으로 1.203단위(1천2백3만원) 정도 감소함을 의미한다.

그러나 이러한 결과는 상식적으로 생각할 때 이해가 되지 않는 결과이다. 왜냐하면 영업사원의 수가 증가하면 영업활동비용은 증가하는 것이 일반적인 현상인데, 위의 회귀식을 보면 영업사원의 수가 증가함에 따라 오히려 영업활동비용이 감소하는 결과를 보이기 때문이다. 그렇다면 이러한 이상한 현상은 왜 일어나는 것인가? 여기에 대한 대답을 하기 위해 다중회귀분석에서 중요하게 고려해야 하는 **다중공선성**의 개념에 대해 알아보자.

③ 다중공선성

위 예제에서 영업사원의 수가 증가함에 따라 오히려 영업활동비용은 감소하는 비상식적인 결과를 보게 되었는데, 이러한 현상이 일어나는 이유로 다중공선성의 존재를 의심해 볼 필요가 있다. **다중공선성(multicollinearity)**이란 다중회귀분석을 수행할 때 고려해야 할 중요한 개념으로 독립변수들 사이에 존재하는 강한 상호의존성을 의미한다.

즉, 위 예제에서 독립변수로 사용된 매출액과 영업사원의 수가 높은 상관관계를 갖는다면, 두 가지 독립변수는 같은 이야기를 하는 변수가 되고, 이 경우, 매출액과 영업사원의 수 사이에는 다중공선성이 존재한다. 어떤 두 독립변수 간에 상호의존도가 높게 되면 독립변수가 하나인 단순회귀분석에서 양의 회귀계수를 갖는 독립변수라 할지라도 이 변수와 상관관계가 높은 다른 독립변수를 모형에 추가시켜 다중회귀분석을 수행하게 되면 회귀계수가 음으로 바뀔 수 있다는 것이다.

예를 들어, 위 예제에서 매출액과 영업사원의 수는 개별적으로는 영업활동비용을 증가시키는 변수이지만 함께 독립변수로 모형에 포함되면 두 변수 사이의 상호의존도가 높아 회귀계수가 왜곡될 수 있다는 것이다. 즉, 독립변수 사이에 다중공선성이 존재하게 되면 이로 인해 추정된 회귀계수가 왜곡되는 현상이 발생할 수 있다. 이럴 경우, 회귀계수의 정확도는 떨어지게 되며, 종속변수에 대한 독립변수의 영향력이 실제보다 과소평가되어 중요한 독립변수들이 의미가 없는 것처럼 나타날 수 있다. 따라서 다중공선성은 다중회귀분석에서 우선적으로 고려해야 할 중요한 사안이다. 이 문제를 해결하기 위한 간단한 방법 중 하나는 상관관계가 높은 독립변수들 중 하나만 남기고 나머지 변수는 제거하는 것이다.

다중공선성의 존재 여부를 알아보는 방법은 여러 가지가 있는데, 간단한 방법으로 변수들 사이의 상관관계를 이용하는 방법이 있다.

이를 위해 엑셀의 데이터 분석 도구를 이용하여 상관분석을 수행해 보자.

① **영업활동비용**.xlsx 파일의 **Sheet1** 탭을 클릭한다.
② **데이터 ▶ 분석 ▶ 데이터분석**을 클릭하면 나타나는 **통계 데이터 분석** 대화상자에서 **상관분석**을 선택한 후 확인 버튼을 누른다. 그러면 [그림 7.30]과 같이 **상관분석** 대화상자가 나타난다.

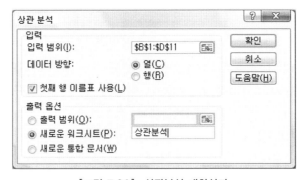

[그림 7.30] 상관분석 대화상자

③ **입력범위**에 3가지 변수(영업활동비용, 매출액, 영업사원 수)의 데이터 범위, 즉, 셀범위 B1:D11을 마우스로 드래그하여 입력한다.
④ **첫째 행 이름표** 사용을 체크한다.
⑤ **출력옵션**으로 **새로운 워크시트**를 선택하고, 우측의 이름상자에 출력결과를 보여줄 워크시트의 이름으로 **상관분석**을 입력한다. **확인**을 누른다.
그러면 **상관분석**이라는 이름의 워크시트가 생성되고, 여기에 [그림 7.31]과 같이 상

관분석 결과가 나타난다.

	A	B	C	D	E
1		영업활동비용(천만원)	매출액(억원)	영업사원의 수	
2	영업활동비용(천만원)	1			
3	매출액(억원)	0.932579525	1		
4	영업사원의 수	0.785207053	0.91160719	1	
5					
6					

[그림 7.31] 상관분석 결과

　[그림 7.31]은 3가지 변수들의 **상관계수 행렬**을 나타내고 있다. 우선, 대각선 열의 상관계수는 같은 변수들 간의 상관계수이므로 당연히 1로 나옴을 알 수 있다. 그리고 대각선 열을 기준으로 위와 아래의 대칭관계에 있는 상관계수는 동일하므로 대각선 열의 위쪽 상관계수는 공란으로 남겨두고 있다.

　이 상관계수 행렬에서 특기할 사항은 현재 다중회귀분석에서 독립변수로 사용되고 있는 두 가지 변수인 매출액과 영업사원 수의 상관계수가 0.912라는 것이다. 이는 매출액과 영업사원의 수 사이에 매우 강한 양의 선형관계가 존재한다는 것을 의미한다. 즉, 매출액과 영업사원의 수는 동일한 이야기를 하는 변수이며, 따라서 매출액과 영업사원의 수 사이에는 강한 상호의존성, 즉, 다중공선성이 존재하는 것을 확인할 수 있다.

　다중공선성으로 인한 회귀계수의 왜곡을 막기 위해서는 현재 독립변수로 사용하고 있는 매출액과 영업사원의 수 중 하나만 남기고 나머지 변수는 독립변수에서 제거하는 방법을 취할 수 있다. 그러면 둘 중 어느 변수를 제거할 것인가라는 문제가 남는다. [그림 7.31]의 상관계수 행렬을 보면 종속변수인 영업활동비용과 독립변수로 현재 고려하고 있는 매출액과 영업사원 수의 상관계수는 각각 0.933과 0.785로 나타나고 있다. 따라서 위의 예에서는 종속변수인 영업활동비용과 상관관계가 높은 매출액을 독립변수로 남기고, 영업사원의 수는 독립변수에서 제거해주는 것이 모형의 설명력 측면에서 더 나을 것이라고 판단할 수 있다.

　이제 영업활동비용을 종속변수로 하고, 매출액 하나만을 독립변수로 하는 회귀분석을 수행하고, 그 결과를 앞서 수행한 다중회귀분석의 결과와 비교해 보자.

① **영업활동비용**.xlsx 파일의 Sheet1 탭을 클릭한다.

② **데이터▶분석▶데이터분석**을 클릭하면 나타나는 **통계 데이터 분석** 대화상자에서 **회귀분석**을 선택하고 **확인** 버튼을 누른다. 그러면 [그림 7.32]와 같이 **회귀분석** 대화상자가 나타난다.

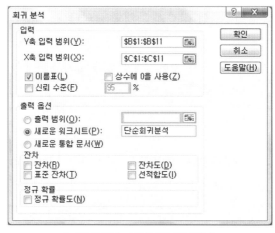

[그림 7.32]   회귀분석 대화상자

③ **Y축 입력 범위**에는 셀 범위 B1:B11를, **X축 입력 범위**에는 셀 범위 C1:C11를 마우스로 드래그하여 입력한다.

④ **이름표**를 체크한다.

⑤ **출력옵션**으로 **새로운 워크시트**를 선택하고, 우측의 이름상자에 **단순회귀분석**이라고 입력한다.

⑥ **확인** 버튼을 누른다. 매출액 하나만을 독립변수로 하는 회귀분석의 결과가 [그림 7.33]과 같이 출력된다.

	A	B	C	D	E	F	G	H	I	J	K	L	M
1	요약 출력												
2													
3		회귀분석 통계량											
4	다중 상관계수	0.93258											
5	결정계수	0.869705											
6	조정된 결정계수	0.853418											
7	표준 오차	1.593976											
8	관측수	10											
9													
10	분산 분석												
11		자유도	제곱합	제곱 평균	F 비	유의한 F							
12	회귀	1	135.6739	135.6739	53.39893	8.329E-05							
13	잔차	8	20.32609	2.540761									
14	계	9	156										
15													
16		계수	표준 오차	t 통계량	P-값	하위 95%	상위 95%	하위 95.0%	상위 95.0%				
17	Y 절편	7.695652	1.497497	5.13901	0.000886	4.2424176	11.148887	4.2424176	11.148887				
18	매출액(억원)	1.717391	0.235019	7.307457	8.33E-05	1.1754365	2.2593461	1.1754365	2.2593461				
19													

[그림 7.33] 단순회귀분석 결과(독립변수: 매출액)

[그림 7.33]의 결과를 보면 우선 추정된 회귀식은 다음과 같이 표험됨을 알 수 있다.

$$\hat{y} = 7.696 + 1.717x$$

그리고 위의 회귀식은 통계적으로 의미 있는 식으로 평가됨을 알 수 있다. 회귀식의 유의성 검정의 근거로 우리는 앞에서 논의한 것처럼 분산분석표의 유의한 F(p-값)와 유의수준(5%)의 비교, 독립변수(매출액)의 추정된 회귀계수(b)의 p-값과 유의수준(5%)의 비교, 독립변수(매출액)의 모회귀계수(β)의 95% 신뢰구간 등을 이용할 수 있으며, 이들은 당연히 모두 같은 결론을 내어준다. [그림 7.33]에서 분산분석표의 유의한 F와 매출액의 추정된 회귀계수(b)의 p-값은 8.33E-05로 나타나고 있는데, 이는 유의수준 5%보다 작다. 또한 β의 95% 신뢰구간을 보면 하한값과 상한값이 모두 양수인 것으로 나타나 유의수준 5%로 β는 "0"이라는 기본가설을 기각하고, 현재의 회귀식은 통계적으로 의미가 있는 식이라고 판단한다.

[그림 7.33]의 기타 결과는 앞서 2절에서 언급한 단순회귀분석의 결과와 동일하게 해석할 수 있다.

④ 다중회귀분석 결과의 해석

이제 다중회귀분석의 결과를 해석해보자. 다중공성선의 문제가 있었던 앞의 예제에 대한 다중회귀분석 결과를 다시 보여주면 [그림 7.34]와 같다. 우선 [그림 7.34]의 다중회귀분석 결과를 해석하고, 이것과 다중공선성 문제를 해결한 [그림 7.33]의 단순회귀분석 결과를 비교함으로써 회귀분석의 결과를 보다 자세히 살펴보기로 하자.

(1) 회귀분석 통계량

우선, [그림 7.34]의 회귀분석 통계량에서 **다중상관계수**는 현재 독립변수로 사용한 매출액과 영업사원의 수가 함께 모여 종속변수인 영업활동비용과 어느 정도의 선형관계를 갖고 있는지를 평가한 수치이다. 단순회귀분석에서는 독립변수의 추정된 회귀계수(b)가 양수인가 음수인가에 따라 독립변수와 종속변수의 상관계수가 양수이기도 하고 음수이기도 하였는데, 독립변수가 여러 개인 다중회귀분석의 경우, 어떤 독립변수의 추정된 회귀계수는 양수, 어떤 독립변수의 추정된 회귀계수는 음수일 수 있으므로, 다중회귀분석에서 다중상관계수는 항상 양수로 정의한다. [그림 7.34]에서도 매출액이라는 독립변수의 추정된 회귀계수(2.363)는 양수, 영업사원의 수라는 독립변수의 추정된 회귀계수(-1.023)는 음수로 나타난 것을 볼 수 있다.

	A	B	C	D	E	F	G	H	I	J	K	L	M
1	요약 출력												
2													
3	회귀분석 통계량												
4	다중 상관계수	0.945866											
5	결정계수	0.894662											
6	조정된 결정계수	0.864565											
7	표준 오차	1.532167											
8	관측수	10											
9													
10	분산 분석												
11		자유도	제곱합	제곱 평균	F 비	유의한 F							
12	회귀	2	139.5673	69.78363	29.72633	0.000379358							
13	잔차	7	16.43275	2.347536									
14	계	9	156										
15													
16		계수	표준 오차	t 통계량	P-값	하위 95%	상위 95%	하위 95.0%	상위 95.0%				
17	Y 절편	7.918129	1.449758	5.461689	0.000944	4.489994854	11.34626246	4.489994854	11.34626246				
18	매출액(억원)	2.362573	0.549565	4.298985	0.003571	1.063057464	3.662088735	1.063057464	3.662088735				
19	영업사원의 수	-1.02339	0.79467	-1.28782	0.238745	-2.902488317	0.855704692	-2.90248832	0.855704692				

[그림 7.34] 다중회귀분석 결과(영업활동비용 예제)

다음으로 독립변수가 종속변수의 변동을 얼마나 설명해 주고 있는지를 나타내는 **결정계수**를 보자. 다중회귀분석에서는 결정계수보다 **조정된 결정계수**가 더 유용한 정보를 제공한다. 결정계수는 독립변수가 추가되면(많아지면) 계속 증가하는 성질이 있으나 조정된 결정계수는 추가된 독립변수가 의미가 없는 변수일 경우(예를 들어, 다중공선성에서 언급한 것처럼 기존의 독립변수와 상호의존성이 높아 기존의 변수와 함께 사용하면 의미가 퇴색되는 변수일 경우), 오히려 그 값은 낮아지게 된다. 따라서 조정된 결정계수를 이용하면 어떠한 독립변수가 기존의 독립변수 군에 추가되어 종속변수를 보다 잘 설명해 줄 수 있는지, 그 여부를 판단할 수 있다.

예를 들어, [그림 7.33]의 단순회귀분석결과는 영업활동비용을 종속변수로 하고, 매출액만을 독립변수로 하여 회귀분석을 수행한 결과이다. 여기서 결정계수를 보면(단순회귀분석에서는 독립변수의 설명력을 평가하기 위해 결정계수를 본다.) 0.8697로 나타나 있다. 그런데 여기에 영업사원의 수라는 독립변수를 추가하여 회귀분석을 수행한 결과([그림 7.34])를 보면 결정계수의 값은 0.8947로 독립변수가 추가됨에 따라 증가했으나, 조정된 결정계수의 값은 0.8646으로 독립변수가 하나였던 경우의 결정계수(0.8697)보다 오히려 떨어졌음을 확인할 수 있다. 이 결과는 새로이 추가된 영업사원의 수라는 변수가 매출액과 함께 독립변수로 사용되는 것이 부적절함을 의미한다.

표준오차와 관측수에 대한 해석은 단순회귀분석의 경우와 동일하다.

(2) 분산분석표

분산분석표에서 변동의 원인과 자유도, 제곱합, 제곱평균, F비, 유의한 F의 의미는 단순회귀분석에서와 동일하다. 다른 점이라면, 회귀 제곱합(SSR)의 자유도가 2로 나타나고 있는데, 이는 현재 회귀분석에 사용된 독립변수가 2개이기 때문이다.

단순회귀분석에서와 마찬가지로 분산분석표의 정보는 회귀식의 유의성 검정에 활용된다. 즉, 유의한 F(p-값)를 유의수준과 비교하여 회귀식이 통계적으로 의미가 있는 식인지를 검정할 수 있다. 그런데 다중회귀분석에서는 회귀식의 유의성을 검정할 때 주의할 점이 있는데, 그것은 회귀식의 유의성 검정이 **전반검정**(overall test)이냐, **부분검정**(partial test)이냐 하는 것이다.

▶ 전반검정

전반검정(overall test)이란 종속변수와 여러 개의 독립변수의 관계를 한꺼번에 검정하는 것으로, 여러 개의 독립변수가 모여 종속변수에 의미 있는 영향을 미치는 지를 검정하는 것이다. 따라서 일반적으로 k개의 독립변수가 있는 경우, 전반검정을 위한 가설은 다음과 같다.

$$H_0: \beta_1 = \beta_2 = \cdots = \beta_k = 0$$
$$H_1: \text{적어도 하나의 } \beta_i \text{는 0이 아니다}(i=1, 2, \cdots, k)$$

만일 전반검정에서 기본가설을 기각하지 못한다면, 이는 모든 회귀계수가 "0"이라는 것이며, 현재 독립변수로 고려하고 있는 k개의 변수 모두가 종속변수를 예측하는데 부적절한 변수라는 의미이다. 반면, 기본가설을 기각하고 대립가설을 채택한다면, 이는 k개의 회귀계수 $\beta_i(i=1, 2, \cdots, k)$ 중 적어도 하나는 "0"과 통계적으로 의미 있는 차이를 보인다는 것이다. 따라서 현재의 다중회귀모형은 전체적으로는 의미 있는 모형이라고 말할 수도 있다.

그러나 전반검정에서 대립가설의 채택은, k개의 독립변수 중 단 하나의 독립변수가 "0"과 의미 있는 차이를 보이는 회귀계수를 가질 수도 있고, k개의 독립변수 모두가 "0"과 의미 있는 차이를 보이는 회귀계수를 가질 수도 있다는 말이다. 따라서 k개의 독립변수 중에서 어떤 독립변수의 회귀계수가 "0"과 의미 있는 차이를 보이는지는 알 수 없는 단점이 있다. 이러한 단점은 우리가 곧 이야기할 다중회귀분석의 유의성을 검정하는 다른 방법, 즉, **부분검정**에 의해 해결될 수 있다.

지금까지 우리가 언급한 전반검정의 결과는 [그림 7.34]의 분산분석표를 보면 알 수 있다. 분산분석표에서 F비는 잔차 제곱평균(MSE)에 대한 회귀 제곱평균(MSR)의 비율,

즉, MSR/MSE의 값으로 현재 29.73으로 나타나 있다. 이 값과 임계값, 즉, 오른쪽 꼬리 면적이 유의수준(현재 5%로 설정)이고, 분자자유도가 2, 분모자유도가 7인 F값을 비교 하여 F비가 이 임계값보다 작으면, 기본가설을 기각하지 못한다. F분포표를 이용하 여 임계값을 구하면 4.74로 나타나는데, 현재의 F비(29.73)는 이 값보다 훨씬 크므로 기본가설은 기각되고, 대립가설이 채택된다. 이러한 검정결과는 유의한 F를 이용해도 마찬가지로 나온다. 즉, 유의한 F는 p-값으로서 이 값은 현재 0.000379로 유의수준 5%보다 작으므로 기본가설을 기각하고, 대립가설이 채택된다. 즉, 매출액과 영업사원 의 수를 독립변수로 하고 영업활동비용을 종속변수로 하는 다중회귀모형은 전반검정 결과, 전체적으로는 의미 있는 모형이라고 할 수 있다.

(3) 회귀계수와 관련 정보

[그림 7.34]의 회귀분석 결과에서 세 번째 부분은 추정된 회귀계수와 관련 통계량, 그리고 모회귀계수에 대한 신뢰구간을 보여주고 있다. 우선, 앞서 언급한대로 이 결과 를 이용하면 추정된 회귀식은 다음과 같이 표현된다.

$$\hat{y} = 7.918 + 2.363x_1 - 1.023x_2$$

여기서, x_1은 매출액을 나타내고, x_2는 영업사원의 수를 나타낸다. 그러나 이 회귀 식은 독립변수간의 다중공선성으로 말미암아 회귀계수가 왜곡되었음을 이미 지적한 바 있다. 이러한 다중공선성 문제는 추정된 회귀계수의 p-값을 보고서도 판단할 수 있다.

[그림 7.34]에서 독립변수로 이용한 매출액과 영업사원 수의 추정된 회귀계수 각각 에 대한 p-값을 살펴보자. 매출액의 경우, p-값이 0.0036으로 나타나 해당 회귀계수 (β_1)가 유의수준 5%에서 "0"과 다른, 즉, 종속변수를 예측하는데 의미가 있는 수치로 판단되지만, 영업사원 수의 경우에는 p-값이 0.2387로 나타나 해당 회귀계수(β_2)는 "0"과 차이가 없는, 즉, 종속변수를 예측하는데 의미가 없는 변수로 나타나고 있다.

영업사원의 수가 종속변수 예측에 별 의미가 없는 변수라는 결과는 영업사원 수에 대한 모회귀계수, 즉, β_2의 95% 신뢰구간을 보아도 알 수 있다. 이 신뢰구간을 보면 신뢰구간에 "0"이 포함되어 있는데, 이는 β_2가 통계적으로 "0"과 다름없는 수치라는 말이다. 여기서, 한 가지 주의해야 할 점은 이러한 검정 결과를 보고 영업사원의 수 자체가 종속변수(영업활동비용)를 예측하는데 아무런 영향을 미치지 못하는 변수라고 판단해서는 안 된다는 것이다. 다만 영업사원의 수가 매출액과 같이 현재 독립변수로 사용됨으로 인해서 영업사원의 수가 설명하는 영업활동비용의 변동 부분을 이미 매출액이 설명하고 있다고 보아야 한다. 즉, 매출액과 영업사원의 수라는 두 독립변수 간의 다중공선성으로 인해 영업사원의 수라는 변수의 영향력이 의미가 없는 것으로 나타난 것이다.

▶ 부분검정

지금까지 우리가 언급한 내용은 다중회귀분석의 **부분검정**(partial test)을 예를 들어 설명한 것이다. 앞서 다중회귀분석에서 회귀식의 유의성을 검정하는 방법은 전반검정과 부분검정 두 가지가 있다고 하였고, 전반검정에 대해서는 이미 설명하였다. 부분검정이란 전반검정이 수행된 후 이루어지는 검정으로 현재 다중회귀분석에서 고려하고 있는 독립변수 각각이 종속변수 예측에 의미가 있는 변수인지의 여부를 판단하는 검정이다.

앞서 전반검정에서 기본가설을 기각할 수 없으면, 현재 다중회귀분석에서 고려하고 있는 모든 독립변수의 회귀계수는 "0"과 다름없는 수치이므로, 현재 고려하고 있는 모든 독립변수는 종속변수를 예측하는데 도움이 되지 못한다. 따라서 새로운 독립변수를 찾아 회귀모형을 다시 만들든지 아니면 독립변수와 종속변수 간의 비선형 관계의 가능성을 조사할 필요가 있다.

그런데 전반검정에서 기본가설이 기각되고, 대립가설이 채택되었다면, 이는 현재 독립변수로 고려하고 있는 여러 개의 변수 중에 적어도 한 변수의 회귀계수는 "0"과 차이를 보이는, 즉, 종속변수 예측에 의미를 갖는 변수라는 뜻이다. 이 경우, 어떤 독립변수가 종속변수 예측에 의미를 갖는 변수인지를 판별하는 것이 필요한데, 전반검정에서는 이를 판별할 수 없는 단점이 있다. 따라서 전반검정에서 대립가설이 채택된 경우, 구체적으로 어떤 독립변수가 의미가 있는 변수인지 추가적인 정보를 얻기 위해 부분검정을 수행하게 된다.

부분검정을 위한 가설은 현재 다중회귀분석에서 고려하고 있는 k개의 독립변수 각각에 대하여 다음과 같이 설정한다.

$H_0: \beta_i = 0$
$H_1: \beta_i \neq 0 \ (i = 1, 2, \cdots, k)$

즉, 부분검정에서는 k개의 독립변수 각각의 회귀계수가 "0"과 다른 수치인지의 여부를 판단한다. 그리고 이러한 부분검정은 [그림 7.34]에서 독립변수 각각의 추정된 회귀계수의 p-값이나 신뢰구간을 이용하여 수행할 수 있다. [그림 7.34]의 p-값과 신뢰구간을 보면, 매출액의 모회귀계수(β_1)는 "0"과 차이를 보이는, 즉, 매출액은 종속변수를 예측하는데 의미 있는 변수로 판단되나, 영업사원 수의 모회귀계수(β_2)는 "0"과 차이가 없는 수치로 나타나, 영업사원의 수는 종속변수를 예측하는데 의미가 없는 변수로 평가된다. 다시 언급하지만 이러한 부분검정 결과를 해석할 때 주의할 점은 영업사원의 수라는 변수 자체가 영업활동비용이라는 종속변수를 예측하는데 아무런 영향을 미치지 못한다는 것이 아니라 이 변수가 자신과 상호의존도가 높은 다른 변수인 매

Tip 다중회귀분석의 부분검정 결과, 여러 개의 독립변수가 종속변수에 의미 있는 영향을 미치지 못하는 변수로 판명되었다고 해서, 이 변수들을 한꺼번에 모형에서 제거해서는 안 된다. 다중회귀분석에서 독립변수의 제거는 한 번에 하나씩 이루어져야 한다. 예를 들어, 다중회귀모형에서 원래 3개의 독립변수 X_1, X_2, X_3을 고려하고 있었는데, 부분검정을 수행한 결과 X_2와 X_3의 모회귀계수 β_2와 β_3가 "0"과 다름없는 수치로 판명되었다고 하자. 이 때 모형에서 X_2와 X_3을 한꺼번에 제거해서는 안 되고 X_2와 X_3 둘 중 하나만 우선 제거하고 다시 회귀식의 유의성을 검정해야 한다는 것이다. 독립변수의 추가도 마찬가지로 한 번에 하나씩 이루어져야 한다.

출액과 함께 독립변수로 사용됨으로써 그 영향력이 퇴색되었다고 해석해야 한다는 것이다.

위의 부분검정 결과는 영업사원의 수는 매출액과의 다중공선성으로 인해 매출액과 함께 독립변수로 사용되는 것이 타당하지 않으므로 독립변수에서 제거하고, 매출액만을 독립변수로 하여 회귀분석을 해도 종속변수를 잘 설명해 줄 수 있음을 의미한다.

이러한 부분검정 결과는 앞서 언급한 **조정된 결정계수**를 이용해서도 확인할 수 있다. 매출액 하나를 독립변수로 하여 수행한 회귀분석의 결과는 [그림 7.33]과 같다. [그림 7.33]에서 결정계수는 매출액이라는 하나의 독립변수가 종속변수인 영업활동비용의 변동을 얼마나 설명해 주는가를 보여주는데 그 값은 0.8697로 나타나 있다. 그런데 여기에 영업사원의 수라는 독립변수를 추가하여 회귀분석을 수행한 결과([그림 7.34])를 보자. 결정계수의 값은 0.8947로 독립변수가 추가됨에 따라 증가했으나, 조정된 결정계수의 값은 0.8646으로 오히려 독립변수가 하나였던 경우의 결정계수(0.8697)보다 떨어졌음을 알 수 있다. 이 결과는 새로이 추가된 영업사원의 수라는 변수가 매출액과 함께 독립변수로 활용되는 것이 부적절하다는 또 다른 증거가 된다.

부록

1 표준정규분포표

$$P(0 \leq Z \leq z) = \int_0^z \frac{1}{\sqrt{2\pi}} e^{-\frac{1}{2}z^2} dz$$

z	0.00	0.01	0.02	0.03	0.04	0.05	0.06	0.07	0.08	0.09
0.0	0.0000	0.0040	0.0080	0.0120	0.0160	0.0199	0.0239	0.0279	0.0319	0.0359
0.1	0.0398	0.0438	0.0478	0.0517	0.0557	0.0596	0.0636	0.0675	0.0714	0.0753
0.2	0.0793	0.0832	0.0871	0.0910	0.0948	0.0987	0.1026	0.1064	0.1103	0.1141
0.3	0.1179	0.1217	0.1255	0.1293	0.1331	0.1368	0.1406	0.1443	0.1480	0.1517
0.4	0.1554	0.1591	0.1628	0.1664	0.1700	0.1736	0.1772	0.1808	0.1844	0.1879
0.5	0.1915	0.1950	0.1985	0.2019	0.2054	0.2088	0.2123	0.2157	0.2190	0.2224
0.6	0.2257	0.2291	0.2324	0.2357	0.2389	0.2422	0.2454	0.2486	0.2517	0.2549
0.7	0.2580	0.2611	0.2642	0.2673	0.2704	0.2734	0.2764	0.2794	0.2823	0.2852
0.8	0.2881	0.2910	0.2939	0.2967	0.2995	0.3023	0.3051	0.3078	0.3106	0.3133
0.9	0.3159	0.3186	0.3212	0.3238	0.3264	0.3289	0.3315	0.3340	0.3365	0.3389
1.0	0.3413	0.3438	0.3461	0.3485	0.3508	0.3531	0.3554	0.3577	0.3599	0.3621
1.1	0.3643	0.3665	0.3686	0.3708	0.3729	0.3749	0.3770	0.3790	0.3810	0.3830
1.2	0.3849	0.3869	0.3888	0.3907	0.3925	0.3944	0.3962	0.3980	0.3997	0.4015
1.3	0.4032	0.4049	0.4066	0.4082	0.4099	0.4115	0.4131	0.4147	0.4162	0.4177
1.4	0.4192	0.4207	0.4222	0.4236	0.4251	0.4265	0.4279	0.4292	0.4306	0.4319
1.5	0.4332	0.4345	0.4357	0.4370	0.4382	0.4394	0.4406	0.4418	0.4429	0.4441
1.6	0.4452	0.4463	0.4474	0.4484	0.4495	0.4505	0.4515	0.4525	0.4535	0.4545
1.7	0.4554	0.4564	0.4573	0.4582	0.4591	0.4599	0.4608	0.4616	0.4625	0.4633
1.8	0.4641	0.4649	0.4656	0.4664	0.4671	0.4678	0.4686	0.4693	0.4699	0.4706
1.9	0.4713	0.4719	0.4726	0.4732	0.4738	0.4744	0.4750	0.4756	0.4761	0.4767
2.0	0.4772	0.4778	0.4783	0.4788	0.4793	0.4798	0.4803	0.4808	0.4812	0.4817
2.1	0.4821	0.4826	0.4830	0.4834	0.4838	0.4842	0.4846	0.4850	0.4854	0.4857
2.2	0.4861	0.4864	0.4868	0.4871	0.4875	0.4878	0.4881	0.4884	0.4887	0.4890
2.3	0.4893	0.4896	0.4898	0.4901	0.4904	0.4906	0.4909	0.4911	0.4913	0.4916
2.4	0.4918	0.4920	0.4922	0.4925	0.4927	0.4929	0.4931	0.4932	0.4934	0.4936
2.5	0.4938	0.4940	0.4941	0.4943	0.4945	0.4946	0.4948	0.4949	0.4951	0.4952
2.6	0.4953	0.4955	0.4956	0.4957	0.4959	0.4960	0.4961	0.4962	0.4963	0.4964
2.7	0.4965	0.4966	0.4967	0.4968	0.4969	0.4970	0.4971	0.4972	0.4973	0.4974
2.8	0.4974	0.4975	0.4976	0.4977	0.4977	0.4978	0.4979	0.4979	0.4980	0.4981
2.9	0.4981	0.4982	0.4982	0.4983	0.4984	0.4984	0.4985	0.4985	0.4986	0.4986
3.0	0.4987	0.4987	0.4987	0.4988	0.4988	0.4989	0.4989	0.4989	0.4990	0.4990
4.0	0.4999683288									
5.0	0.4999997133									
6.0	0.4999999990									

2 t 분포표

$$P(t \geq t_{\alpha, d.f.}) = \alpha$$

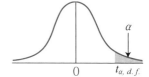

d.f. \ α	0.100	0.050	0.025	0.010	0.005
1	3.078	6.314	12.706	31.821	63.657
2	1.886	2.920	4.303	6.965	9.925
3	1.638	2.353	3.182	4.541	5.841
4	1.533	2.132	2.776	3.747	4.604
5	1.476	2.015	2.571	3.365	4.032
6	1.440	1.943	2.447	3.143	3.707
7	1.415	1.895	2.365	2.998	3.499
8	1.397	1.860	2.306	2.896	3.355
9	1.383	1.833	2.262	2.821	3.250
10	1.372	1.812	2.228	2.764	3.169
11	1.363	1.796	2.201	2.718	3.106
12	1.356	1.782	2.179	2.681	3.055
13	1.350	1.771	2.160	2.650	3.012
14	1.345	1.761	2.145	2.624	2.977
15	1.341	1.753	2.131	2.602	2.947
16	1.337	1.746	2.120	2.583	2.921
17	1.333	1.740	2.110	2.567	2.898
18	1.330	1.734	2.101	2.552	2.878
19	1.328	1.729	2.093	2.539	2.861
20	1.325	1.725	2.086	2.528	2.845
21	1.323	1.721	2.080	2.518	2.831
22	1.321	1.717	2.074	2.508	2.819
23	1.319	1.714	2.069	2.500	2.807
24	1.318	1.711	2.064	2.492	2.797
25	1.316	1.708	2.060	2.485	2.787
26	1.315	1.706	2.056	2.479	2.779
27	1.314	1.703	2.052	2.473	2.771
28	1.313	1.701	2.048	2.467	2.763
29	1.311	1.699	2.045	2.462	2.756
30	1.310	1.697	2.042	2.457	2.750
40	1.303	1.684	2.021	2.423	2.704
60	1.296	1.671	2.000	2.390	2.660
120	1.289	1.658	1.980	2.358	2.617
∞	1.282	1.645	1.960	2.326	2.576

주) $d.f.$: 자유도(degrees of freedom)를 나타낸다. (표본크기−1)로 계산한다.

3 F 분포표

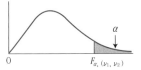

$$P(F \geq F_{a, (\nu_1, \nu_2)}) = a \ (a = 0.10)$$

ν_2 \ ν_1	1	2	3	4	5	6	7	8	9
1	39.86	49.50	53.59	55.83	57.24	58.20	58.91	59.44	59.86
2	8.53	9.00	9.16	9.24	9.29	9.33	9.35	9.37	9.38
3	5.54	5.46	5.39	5.34	5.31	5.28	5.27	5.25	5.24
4	4.54	4.32	4.19	4.11	4.05	4.01	3.98	3.95	3.94
5	4.06	3.78	3.62	3.52	3.45	3.40	3.37	3.34	3.32
6	3.78	3.46	3.29	3.18	3.11	3.05	3.01	2.98	2.96
7	3.59	3.26	3.07	2.96	2.88	2.83	2.78	2.75	2.72
8	3.46	3.11	2.92	2.81	2.73	2.67	2.62	2.59	2.56
9	3.36	3.01	2.81	2.69	2.61	2.55	2.51	2.47	2.44
10	3.29	2.92	2.73	2.61	2.52	2.46	2.41	2.38	2.35
11	3.23	2.86	2.66	2.54	2.45	2.39	2.34	2.30	2.27
12	3.18	2.81	2.61	2.48	2.39	2.33	2.28	2.24	2.21
13	3.14	2.76	2.56	2.43	2.35	2.28	2.23	2.20	2.16
14	3.10	2.73	2.52	2.39	2.31	2.24	2.19	2.15	2.12
15	3.07	2.70	2.49	2.36	2.27	2.21	2.16	2.12	2.09
16	3.05	2.67	2.46	2.33	2.24	2.18	2.13	2.09	2.06
17	3.03	2.64	2.44	2.31	2.22	2.15	2.10	2.06	2.03
18	3.01	2.62	2.42	2.29	2.20	2.13	2.08	2.04	2.00
19	2.99	2.61	2.40	2.27	2.18	2.11	2.06	2.02	1.98
20	2.97	2.59	2.38	2.25	2.16	2.09	2.04	2.00	1.96
21	2.96	2.57	2.36	2.23	2.14	2.08	2.02	1.98	1.95
22	2.95	2.56	2.35	2.22	2.13	2.06	2.01	1.97	1.93
23	2.94	2.55	2.34	2.21	2.11	2.05	1.99	1.95	1.92
24	2.93	2.54	2.33	2.19	2.10	2.04	1.98	1.94	1.91
25	2.92	2.53	2.32	2.18	2.09	2.02	1.97	1.93	1.89
26	2.91	2.52	2.31	2.17	2.08	2.01	1.96	1.92	1.88
27	2.90	2.51	2.30	2.17	2.07	2.00	1.95	1.91	1.87
28	2.89	2.50	2.29	2.16	2.06	2.00	1.94	1.90	1.87
29	2.89	2.50	2.28	2.15	2.06	1.99	1.93	1.89	1.86
30	2.88	2.49	2.28	2.14	2.05	1.98	1.93	1.88	1.85
40	2.84	2.44	2.23	2.09	2.00	1.93	1.87	1.83	1.79
60	2.79	2.39	2.18	2.04	1.95	1.87	1.82	1.77	1.74
120	2.75	2.35	2.13	1.99	1.90	1.82	1.77	1.72	1.68
∞	2.71	2.30	2.08	1.94	1.85	1.77	1.72	1.67	1.63

주) ν_1: 분자의 자유도, ν_2: 분모의 자유도

$$P(F \geq F_a) = \alpha \ (\alpha = 0.10)$$

10	12	15	20	24	30	40	60	120	∞	ν_1
										ν_2
60.19	60.71	61.22	61.74	62.00	62.26	62.53	62.79	63.06	63.33	1
9.39	9.41	9.42	9.44	9.45	9.46	9.47	9.47	9.48	9.49	2
5.23	5.22	5.20	5.18	5.18	5.17	5.16	5.15	5.14	5.13	3
3.92	3.90	3.87	3.84	3.83	3.82	3.80	3.79	3.78	3.76	4
3.30	3.27	3.24	3.21	3.19	3.17	3.16	3.14	3.12	3.11	5
2.94	2.90	2.87	2.84	2.82	2.80	2.78	2.76	2.74	2.72	6
2.70	2.67	2.63	2.59	2.58	2.56	2.54	2.51	2.49	2.47	7
2.54	2.50	2.46	2.42	2.40	2.38	2.36	2.34	2.32	2.29	8
2.42	2.38	2.34	2.30	2.28	2.25	2.23	2.21	2.18	2.16	9
2.32	2.28	2.24	2.20	2.18	2.16	2.13	2.11	2.08	2.06	10
2.25	2.21	2.17	2.12	2.10	2.08	2.05	2.03	2.00	1.97	11
2.19	2.15	2.10	2.06	2.04	2.01	1.99	1.96	1.93	1.90	12
2.14	2.10	2.05	2.01	1.98	1.96	1.93	1.90	1.88	1.85	13
2.10	2.05	2.01	1.96	1.94	1.91	1.89	1.86	1.83	1.80	14
2.06	2.02	1.97	1.92	1.90	1.87	1.85	1.82	1.79	1.76	15
2.03	1.99	1.94	1.89	1.87	1.84	1.81	1.78	1.75	1.72	16
2.00	1.96	1.91	1.86	1.84	1.81	1.78	1.75	1.72	1.69	17
1.98	1.93	1.89	1.84	1.81	1.78	1.75	1.72	1.69	1.66	18
1.96	1.91	1.86	1.81	1.79	1.76	1.73	1.70	1.67	1.63	19
1.94	1.89	1.84	1.79	1.77	1.74	1.71	1.68	1.64	1.61	20
1.92	1.87	1.83	1.78	1.75	1.72	1.69	1.66	1.62	1.59	21
1.90	1.86	1.81	1.76	1.73	1.70	1.67	1.64	1.60	1.57	22
1.89	1.84	1.80	1.74	1.72	1.69	1.66	1.62	1.59	1.55	23
1.88	1.83	1.78	1.73	1.70	1.67	1.64	1.61	1.57	1.53	24
1.87	1.82	1.77	1.72	1.69	1.66	1.63	1.59	1.56	1.52	25
1.86	1.81	1.76	1.71	1.68	1.65	1.61	1.58	1.54	1.50	26
1.85	1.80	1.75	1.70	1.67	1.64	1.60	1.57	1.53	1.49	27
1.84	1.79	1.74	1.69	1.66	1.63	1.59	1.56	1.52	1.48	28
1.83	1.78	1.73	1.68	1.65	1.62	1.58	1.55	1.51	1.47	29
1.82	1.77	1.72	1.67	1.64	1.61	1.57	1.54	1.50	1.46	30
1.76	1.71	1.66	1.61	1.57	1.54	1.51	1.47	1.42	1.38	40
1.71	1.66	1.60	1.54	1.51	1.48	1.44	1.40	1.35	1.29	60
1.65	1.60	1.55	1.48	1.45	1.41	1.37	1.32	1.26	1.19	120
1.60	1.55	1.49	1.42	1.38	1.34	1.30	1.24	1.17	1.00	∞

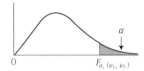

$$P(F \geq F_{a,\,(\nu_1,\,\nu_2)}) = a \ (a = 0.05)$$

ν_2 \ ν_1	1	2	3	4	5	6	7	8	9
1	161.45	199.50	215.71	224.58	230.16	233.99	236.77	238.88	240.54
2	18.51	19.00	19.16	19.25	19.30	19.33	19.35	19.37	19.38
3	10.13	9.55	9.28	9.12	9.01	8.94	8.89	8.85	8.81
4	7.71	6.94	6.59	6.39	6.26	6.16	6.09	6.04	6.00
5	6.61	5.79	5.41	5.19	5.05	4.95	4.88	4.82	4.77
6	5.99	5.14	4.76	4.53	4.39	4.28	4.21	4.15	4.10
7	5.59	4.74	4.35	4.12	3.97	3.87	3.79	3.73	3.68
8	5.32	4.46	4.07	3.84	3.69	3.58	3.50	3.44	3.39
9	5.12	4.26	3.86	3.63	3.48	3.37	3.29	3.23	3.18
10	4.96	4.10	3.71	3.48	3.33	3.22	3.14	3.07	3.02
11	4.84	3.98	3.59	3.36	3.20	3.09	3.01	2.95	2.90
12	4.75	3.89	3.49	3.26	3.11	3.00	2.91	2.85	2.80
13	4.67	3.81	3.41	3.18	3.03	2.92	2.83	2.77	2.71
14	4.60	3.74	3.34	3.11	2.96	2.85	2.76	2.70	2.65
15	4.54	3.68	3.29	3.06	2.90	2.79	2.71	2.64	2.59
16	4.49	3.63	3.24	3.01	2.85	2.74	2.66	2.59	2.54
17	4.45	3.59	3.20	2.96	2.81	2.70	2.61	2.55	2.49
18	4.41	3.55	3.16	2.93	2.77	2.66	2.58	2.51	2.46
19	4.38	3.52	3.13	2.90	2.74	2.63	2.54	2.48	2.42
20	4.35	3.49	3.10	2.87	2.71	2.60	2.51	2.45	2.39
21	4.32	3.47	3.07	2.84	2.68	2.57	2.49	2.42	2.37
22	4.30	3.44	3.05	2.82	2.66	2.55	2.46	2.40	2.34
23	4.28	3.42	3.03	2.80	2.64	2.53	2.44	2.37	2.32
24	4.26	3.40	3.01	2.78	2.62	2.51	2.42	2.36	2.30
25	4.24	3.39	2.99	2.76	2.60	2.49	2.40	2.34	2.28
26	4.23	3.37	2.98	2.74	2.59	2.47	2.39	2.32	2.27
27	4.21	3.35	2.96	2.73	2.57	2.46	2.37	2.31	2.25
28	4.20	3.34	2.95	2.71	2.56	2.45	2.36	2.29	2.24
29	4.18	3.33	2.93	2.70	2.55	2.43	2.35	2.28	2.22
30	4.17	3.32	2.92	2.69	2.53	2.42	2.33	2.27	2.21
40	4.08	3.23	2.84	2.61	2.45	2.34	2.25	2.18	2.12
60	4.00	3.15	2.76	2.53	2.37	2.25	2.17	2.10	2.04
120	3.92	3.07	2.68	2.45	2.29	2.18	2.09	2.02	1.96
∞	3.84	3.00	2.60	2.37	2.21	2.10	2.01	1.94	1.88

주) ν_1: 분자의 자유도, ν_2: 분모의 자유도

$$P(F \geq F_\alpha) = \alpha \ (\alpha = 0.05)$$

10	12	15	20	24	30	40	60	120	∞	ν_1 / ν_2
241.88	243.91	245.95	248.01	249.05	250.10	251.14	252.20	253.25	254.31	1
19.40	19.41	19.43	19.45	19.45	19.46	19.47	19.48	19.49	19.50	2
8.79	8.74	8.70	8.66	8.64	8.62	8.59	8.57	8.55	8.53	3
5.96	5.91	5.86	5.80	5.77	5.75	5.72	5.69	5.66	5.63	4
4.74	4.68	4.62	4.56	4.53	4.50	4.46	4.43	4.40	4.37	5
4.06	4.00	3.94	3.87	3.84	3.81	3.77	3.74	3.70	3.67	6
3.64	3.57	3.51	3.44	3.41	3.38	3.34	3.30	3.27	3.23	7
3.35	3.28	3.22	3.15	3.12	3.08	3.04	3.01	2.97	2.93	8
3.14	3.07	3.01	2.94	2.90	2.86	2.83	2.79	2.75	2.71	9
2.98	2.91	2.85	2.77	2.74	2.70	2.66	2.62	2.58	2.54	10
2.85	2.79	2.72	2.65	2.61	2.57	2.53	2.49	2.45	2.40	11
2.75	2.69	2.62	2.54	2.51	2.47	2.43	2.38	2.34	2.30	12
2.67	2.60	2.53	2.46	2.42	2.38	2.34	2.30	2.25	2.21	13
2.60	2.53	2.46	2.39	2.35	2.31	2.27	2.22	2.18	2.13	14
2.54	2.48	2.40	2.33	2.29	2.25	2.20	2.16	2.11	2.07	15
2.49	2.42	2.35	2.28	2.24	2.19	2.15	2.11	2.06	2.01	16
2.45	2.38	2.31	2.23	2.19	2.15	2.10	2.06	2.01	1.96	17
2.41	2.34	2.27	2.19	2.15	2.11	2.06	2.02	1.97	1.92	18
2.38	2.31	2.23	2.16	2.11	2.07	2.03	1.98	1.93	1.88	19
2.35	2.28	2.20	2.12	2.08	2.04	1.99	1.95	1.90	1.84	20
2.32	2.25	2.18	2.10	2.05	2.01	1.96	1.92	1.87	1.81	21
2.30	2.23	2.15	2.07	2.03	1.98	1.94	1.89	1.84	1.78	22
2.27	2.20	2.13	2.05	2.01	1.96	1.91	1.86	1.81	1.76	23
2.25	2.18	2.11	2.03	1.98	1.94	1.89	1.84	1.79	1.73	24
2.24	2.16	2.09	2.01	1.96	1.92	1.87	1.82	1.77	1.71	25
2.22	2.15	2.07	1.99	1.95	1.90	1.85	1.80	1.75	1.69	26
2.20	2.13	2.06	1.97	1.93	1.88	1.84	1.79	1.73	1.67	27
2.19	2.12	2.04	1.96	1.91	1.87	1.82	1.77	1.71	1.65	28
2.18	2.10	2.03	1.94	1.90	1.85	1.81	1.75	1.70	1.64	29
2.16	2.09	2.01	1.93	1.89	1.84	1.79	1.74	1.68	1.62	30
2.08	2.00	1.92	1.84	1.79	1.74	1.69	1.64	1.58	1.51	40
1.99	1.92	1.84	1.75	1.70	1.65	1.59	1.53	1.47	1.39	60
1.91	1.83	1.75	1.66	1.61	1.55	1.50	1.43	1.35	1.25	120
1.83	1.75	1.67	1.57	1.52	1.46	1.39	1.32	1.22	1.00	∞

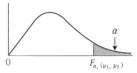

$$P(F \geq F_{\alpha, (\nu_1, \nu_2)}) = \alpha \ (\alpha = 0.025)$$

ν_1 / ν_2	1	2	3	4	5	6	7	8	9
1	647.79	799.50	864.16	899.58	921.85	937.11	948.22	956.66	963.28
2	38.51	39.00	39.17	39.25	39.30	39.33	39.36	39.37	39.39
3	17.44	16.04	15.44	15.10	14.88	14.73	14.62	14.54	14.47
4	12.22	10.65	9.98	9.60	9.36	9.20	9.07	8.98	8.90
5	10.01	8.43	7.76	7.39	7.15	6.98	6.85	6.76	6.68
6	8.81	7.26	6.60	6.23	5.99	5.82	5.70	5.60	5.52
7	8.07	6.54	5.89	5.52	5.29	5.12	4.99	4.90	4.82
8	7.57	6.06	5.42	5.05	4.82	4.65	4.53	4.43	4.36
9	7.21	5.71	5.08	4.72	4.48	4.32	4.20	4.10	4.03
10	6.94	5.46	4.83	4.47	4.24	4.07	3.95	3.85	3.78
11	6.72	5.26	4.63	4.28	4.04	3.88	3.76	3.66	3.59
12	6.55	5.10	4.47	4.12	3.89	3.73	3.61	3.51	3.44
13	6.41	4.97	4.35	4.00	3.77	3.60	3.48	3.39	3.31
14	6.30	4.86	4.24	3.89	3.66	3.50	3.38	3.29	3.21
15	6.20	4.77	4.15	3.80	3.58	3.41	3.29	3.20	3.12
16	6.12	4.69	4.08	3.73	3.50	3.34	3.22	3.12	3.05
17	6.04	4.62	4.01	3.66	3.44	3.28	3.16	3.06	2.98
18	5.98	4.56	3.95	3.61	3.38	3.22	3.10	3.01	2.93
19	5.92	4.51	3.90	3.56	3.33	3.17	3.05	2.96	2.88
20	5.87	4.46	3.86	3.51	3.29	3.13	3.01	2.91	2.84
21	5.83	4.42	3.82	3.48	3.25	3.09	2.97	2.87	2.80
22	5.79	4.38	3.78	3.44	3.22	3.05	2.93	2.84	2.76
23	5.75	4.35	3.75	3.41	3.18	3.02	2.90	2.81	2.73
24	5.72	4.32	3.72	3.38	3.15	2.99	2.87	2.78	2.70
25	5.69	4.29	3.69	3.35	3.13	2.97	2.85	2.75	2.68
26	5.66	4.27	3.67	3.33	3.10	2.94	2.82	2.73	2.65
27	5.63	4.24	3.65	3.31	3.08	2.92	2.80	2.71	2.63
28	5.61	4.22	3.63	3.29	3.06	2.90	2.78	2.69	2.61
29	5.59	4.20	3.61	3.27	3.04	2.88	2.76	2.67	2.59
30	5.57	4.18	3.59	3.25	3.03	2.87	2.75	2.65	2.57
40	5.42	4.05	3.46	3.13	2.90	2.74	2.62	2.53	2.45
60	5.29	3.93	3.34	3.01	2.79	2.63	2.51	2.41	2.33
120	5.15	3.80	3.23	2.89	2.67	2.52	2.39	2.30	2.22
∞	5.02	3.69	3.12	2.79	2.57	2.41	2.29	2.19	2.11

주) ν_1: 분자의 자유도, ν_2: 분모의 자유도

$$P(F \geq F_{a,(\nu_1, \nu_2)}) = a \ (a = 0.025)$$

10	12	15	20	24	30	40	60	120	∞	ν_1 / ν_2
968.63	976.71	984.87	993.10	997.25	1001.41	1005.60	1009.80	1014.02	1018.25	1
39.40	39.41	39.43	39.45	39.46	39.46	39.47	39.48	39.49	39.50	2
14.42	14.34	14.25	14.17	14.12	14.08	14.04	13.99	13.95	13.90	3
8.84	8.75	8.66	8.56	8.51	8.46	8.41	8.36	8.31	8.26	4
6.62	6.52	6.43	6.33	6.28	6.23	6.18	6.12	6.07	6.02	5
5.46	5.37	5.27	5.17	5.12	5.07	5.01	4.96	4.90	4.85	6
4.76	4.67	4.57	4.47	4.41	4.36	4.31	4.25	4.20	4.14	7
4.30	4.20	4.10	4.00	3.95	3.89	3.84	3.78	3.73	3.67	8
3.96	3.87	3.77	3.67	3.61	3.56	3.51	3.45	3.39	3.33	9
3.72	3.62	3.52	3.42	3.37	3.31	3.26	3.20	3.14	3.08	10
3.53	3.43	3.33	3.23	3.17	3.12	3.06	3.00	2.94	2.88	11
3.37	3.28	3.18	3.07	3.02	2.96	2.91	2.85	2.79	2.73	12
3.25	3.15	3.05	2.95	2.89	2.84	2.78	2.72	2.66	2.60	13
3.15	3.05	2.95	2.84	2.79	2.73	2.67	2.61	2.55	2.49	14
3.06	2.96	2.86	2.76	2.70	2.64	2.59	2.52	2.46	2.40	15
2.99	2.89	2.79	2.68	2.63	2.57	2.51	2.45	2.38	2.32	16
2.92	2.82	2.72	2.62	2.56	2.50	2.44	2.38	2.32	2.25	17
2.87	2.77	2.67	2.56	2.50	2.44	2.38	2.32	2.26	2.19	18
2.82	2.72	2.62	2.51	2.45	2.39	2.33	2.27	2.20	2.13	19
2.77	2.68	2.57	2.46	2.41	2.35	2.29	2.22	2.16	2.09	20
2.73	2.64	2.53	2.42	2.37	2.31	2.25	2.18	2.11	2.04	21
2.70	2.60	2.50	2.39	2.33	2.27	2.21	2.14	2.08	2.00	22
2.67	2.57	2.47	2.36	2.30	2.24	2.18	2.11	2.04	1.97	23
2.64	2.54	2.44	2.33	2.27	2.21	2.15	2.08	2.01	1.94	24
2.61	2.51	2.41	2.30	2.24	2.18	2.12	2.05	1.98	1.91	25
2.59	2.49	2.39	2.28	2.22	2.16	2.09	2.03	1.95	1.88	26
2.57	2.47	2.36	2.25	2.19	2.13	2.07	2.00	1.93	1.85	27
2.55	2.45	2.34	2.23	2.17	2.11	2.05	1.98	1.91	1.83	28
2.53	2.43	2.32	2.21	2.15	2.09	2.03	1.96	1.89	1.81	29
2.51	2.41	2.31	2.20	2.14	2.07	2.01	1.94	1.87	1.79	30
2.39	2.29	2.18	2.07	2.01	1.94	1.88	1.80	1.72	1.64	40
2.27	2.17	2.06	1.94	1.88	1.82	1.74	1.67	1.58	1.48	60
2.16	2.05	1.94	1.82	1.76	1.69	1.61	1.53	1.43	1.31	120
2.05	1.94	1.83	1.71	1.64	1.57	1.48	1.39	1.27	1.00	∞

$$P(F \geq F_{a, (\nu_1, \nu_2)}) = a \ (a = 0.01)$$

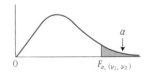

ν_2 \ ν_1	1	2	3	4	5	6	7	8	9
1	4052.18	4999.50	5403.35	5624.58	5763.65	5858.99	5928.36	5981.07	6022.47
2	98.50	99.00	99.17	99.25	99.30	99.33	99.36	99.37	99.39
3	34.12	30.82	29.46	28.71	28.24	27.91	27.67	27.49	27.35
4	21.20	18.00	16.69	15.98	15.52	15.21	14.98	14.80	14.66
5	16.26	13.27	12.06	11.39	10.97	10.67	10.46	10.29	10.16
6	13.75	10.92	9.78	9.15	8.75	8.47	8.26	8.10	7.98
7	12.25	9.55	8.45	7.85	7.46	7.19	6.99	6.84	6.72
8	11.26	8.65	7.59	7.01	6.63	6.37	6.18	6.03	5.91
9	10.56	8.02	6.99	6.42	6.06	5.80	5.61	5.47	5.35
10	10.04	7.56	6.55	5.99	5.64	5.39	5.20	5.06	4.94
11	9.65	7.21	6.22	5.67	5.32	5.07	4.89	4.74	4.63
12	9.33	6.93	5.95	5.41	5.06	4.82	4.64	4.50	4.39
13	9.07	6.70	5.74	5.21	4.86	4.62	4.44	4.30	4.19
14	8.86	6.51	5.56	5.04	4.69	4.46	4.28	4.14	4.03
15	8.68	6.36	5.42	4.89	4.56	4.32	4.14	4.00	3.89
16	8.53	6.23	5.29	4.77	4.44	4.20	4.03	3.89	3.78
17	8.40	6.11	5.18	4.67	4.34	4.10	3.93	3.79	3.68
18	8.29	6.01	5.09	4.58	4.25	4.01	3.84	3.71	3.60
19	8.18	5.93	5.01	4.50	4.17	3.94	3.77	3.63	3.52
20	8.10	5.85	4.94	4.43	4.10	3.87	3.70	3.56	3.46
21	8.02	5.78	4.87	4.37	4.04	3.81	3.64	3.51	3.40
22	7.95	5.72	4.82	4.31	3.99	3.76	3.59	3.45	3.35
23	7.88	5.66	4.76	4.26	3.94	3.71	3.54	3.41	3.30
24	7.82	5.61	4.72	4.22	3.90	3.67	3.50	3.36	3.26
25	7.77	5.57	4.68	4.18	3.85	3.63	3.46	3.32	3.22
26	7.72	5.53	4.64	4.14	3.82	3.59	3.42	3.29	3.18
27	7.68	5.49	4.60	4.11	3.78	3.56	3.39	3.26	3.15
28	7.64	5.45	4.57	4.07	3.75	3.53	3.36	3.23	3.12
29	7.60	5.42	4.54	4.04	3.73	3.50	3.33	3.20	3.09
30	7.56	5.39	4.51	4.02	3.70	3.47	3.30	3.17	3.07
40	7.31	5.18	4.31	3.83	3.51	3.29	3.12	2.99	2.89
60	7.08	4.98	4.13	3.65	3.34	3.12	2.95	2.82	2.72
120	6.85	4.79	3.95	3.48	3.17	2.96	2.79	2.66	2.56
∞	6.64	4.61	3.78	3.32	3.02	2.80	2.64	2.51	2.41

주) ν_1: 분자의 자유도, ν_2: 분모의 자유도

$$P(F \geq F_{\alpha,(\nu_1, \nu_2)}) = \alpha \ (\alpha = 0.01)$$

10	12	15	20	24	30	40	60	120	∞	ν_1 / ν_2
6055.85	6106.32	6157.28	6208.73	6234.63	6260.65	6286.78	6313.03	6339.39	6365.83	1
99.40	99.42	99.43	99.45	99.46	99.47	99.47	99.48	99.49	99.50	2
27.23	27.05	26.87	26.69	26.60	26.50	26.41	26.32	26.22	26.13	3
14.55	14.37	14.20	14.02	13.93	13.84	13.75	13.65	13.56	13.46	4
10.05	9.89	9.72	9.55	9.47	9.38	9.29	9.20	9.11	9.02	5
7.87	7.72	7.56	7.40	7.31	7.23	7.14	7.06	6.97	6.88	6
6.62	6.47	6.31	6.16	6.07	5.99	5.91	5.82	5.74	5.65	7
5.81	5.67	5.52	5.36	5.28	5.20	5.12	5.03	4.95	4.86	8
5.26	5.11	4.96	4.81	4.73	4.65	4.57	4.48	4.40	4.31	9
4.85	4.71	4.56	4.41	4.33	4.25	4.17	4.08	4.00	3.91	10
4.54	4.40	4.25	4.10	4.02	3.94	3.86	3.78	3.69	3.60	11
4.30	4.16	4.01	3.86	3.78	3.70	3.62	3.54	3.45	3.36	12
4.10	3.96	3.82	3.66	3.59	3.51	3.43	3.34	3.25	3.17	13
3.94	3.80	3.66	3.51	3.43	3.35	3.27	3.18	3.09	3.00	14
3.80	3.67	3.52	3.37	3.29	3.21	3.13	3.05	2.96	2.87	15
3.69	3.55	3.41	3.26	3.18	3.10	3.02	2.93	2.84	2.75	16
3.59	3.46	3.31	3.16	3.08	3.00	2.92	2.83	2.75	2.65	17
3.51	3.37	3.23	3.08	3.00	2.92	2.84	2.75	2.66	2.57	18
3.43	3.30	3.15	3.00	2.92	2.84	2.76	2.67	2.58	2.49	19
3.37	3.23	3.09	2.94	2.86	2.78	2.69	2.61	2.52	2.42	20
3.31	3.17	3.03	2.88	2.80	2.72	2.64	2.55	2.46	2.36	21
3.26	3.12	2.98	2.83	2.75	2.67	2.58	2.50	2.40	2.31	22
3.21	3.07	2.93	2.78	2.70	2.62	2.54	2.45	2.35	2.26	23
3.17	3.03	2.89	2.74	2.66	2.58	2.49	2.40	2.31	2.21	24
3.13	2.99	2.85	2.70	2.62	2.54	2.45	2.36	2.27	2.17	25
3.09	2.96	2.81	2.66	2.58	2.50	2.42	2.33	2.23	2.13	26
3.06	2.93	2.78	2.63	2.55	2.47	2.38	2.29	2.20	2.10	27
3.03	2.90	2.75	2.60	2.52	2.44	2.35	2.26	2.17	2.06	28
3.00	2.87	2.73	2.57	2.49	2.41	2.33	2.23	2.14	2.03	29
2.98	2.84	2.70	2.55	2.47	2.39	2.30	2.21	2.11	2.01	30
2.80	2.66	2.52	2.37	2.29	2.20	2.11	2.02	1.92	1.80	40
2.63	2.50	2.35	2.20	2.12	2.03	1.94	1.84	1.73	1.60	60
2.47	2.34	2.19	2.03	1.95	1.86	1.76	1.66	1.53	1.38	120
2.32	2.18	2.04	1.88	1.79	1.70	1.59	1.47	1.32	1.00	∞

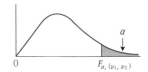

$$P(F \geq F_{\alpha,(\nu_1,\nu_2)}) = \alpha \ (\alpha = 0.005)$$

ν_2 ＼ ν_1	1	2	3	4	5	6	7	8	9
1	16210.72	19999.50	21614.74	22499.58	23055.80	23437.11	23714.57	23925.41	24091.00
2	198.50	199.00	199.17	199.25	199.30	199.33	199.36	199.37	199.39
3	55.55	49.80	47.47	46.19	45.39	44.84	44.43	44.13	43.88
4	31.33	26.28	24.26	23.15	22.46	21.97	21.62	21.35	21.14
5	22.78	18.31	16.53	15.56	14.94	14.51	14.20	13.96	13.77
6	18.63	14.54	12.92	12.03	11.46	11.07	10.79	10.57	10.39
7	16.24	12.40	10.88	10.05	9.52	9.16	8.89	8.68	8.51
8	14.69	11.04	9.60	8.81	8.30	7.95	7.69	7.50	7.34
9	13.61	10.11	8.72	7.96	7.47	7.13	6.88	6.69	6.54
10	12.83	9.43	8.08	7.34	6.87	6.54	6.30	6.12	5.97
11	12.23	8.91	7.60	6.88	6.42	6.10	5.86	5.68	5.54
12	11.75	8.51	7.23	6.52	6.07	5.76	5.52	5.35	5.20
13	11.37	8.19	6.93	6.23	5.79	5.48	5.25	5.08	4.94
14	11.06	7.92	6.68	6.00	5.56	5.26	5.03	4.86	4.72
15	10.80	7.70	6.48	5.80	5.37	5.07	4.85	4.67	4.54
16	10.58	7.51	6.30	5.64	5.21	4.91	4.69	4.52	4.38
17	10.38	7.35	6.16	5.50	5.07	4.78	4.56	4.39	4.25
18	10.22	7.21	6.03	5.37	4.96	4.66	4.44	4.28	4.14
19	10.07	7.09	5.92	5.27	4.85	4.56	4.34	4.18	4.04
20	9.94	6.99	5.82	5.17	4.76	4.47	4.26	4.09	3.96
21	9.83	6.89	5.73	5.09	4.68	4.39	4.18	4.01	3.88
22	9.73	6.81	5.65	5.02	4.61	4.32	4.11	3.94	3.81
23	9.63	6.73	5.58	4.95	4.54	4.26	4.05	3.88	3.75
24	9.55	6.66	5.52	4.89	4.49	4.20	3.99	3.83	3.69
25	9.48	6.60	5.46	4.84	4.43	4.15	3.94	3.78	3.64
26	9.41	6.54	5.41	4.79	4.38	4.10	3.89	3.73	3.60
27	9.34	6.49	5.36	4.74	4.34	4.06	3.85	3.69	3.56
28	9.28	6.44	5.32	4.70	4.30	4.02	3.81	3.65	3.52
29	9.23	6.40	5.28	4.66	4.26	3.98	3.77	3.61	3.48
30	9.18	6.35	5.24	4.62	4.23	3.95	3.74	3.58	3.45
40	8.83	6.07	4.98	4.37	3.99	3.71	3.51	3.35	3.22
60	8.49	5.79	4.73	4.14	3.76	3.49	3.29	3.13	3.01
120	8.18	5.54	4.50	3.92	3.55	3.28	3.09	2.93	2.81
∞	7.88	5.30	4.28	3.72	3.35	3.09	2.90	2.74	2.62

주) ν_1: 분자의 자유도, ν_2: 분모의 자유도

$$P(F \geq F_{\alpha,\,(\nu_1,\,\nu_2)}) = \alpha \ (\alpha = 0.005)$$

10	12	15	20	24	30	40	60	120	∞	ν_1 / ν_2
24224.5	24426.4	24630.2	24836.0	24939.6	25043.6	25148.2	25253.1	25358.6	25464.3	1
199.40	199.42	199.43	199.45	199.46	199.47	199.47	199.48	199.49	199.50	2
43.69	43.39	43.08	42.78	42.62	42.47	42.31	42.15	41.99	41.83	3
20.97	20.70	20.44	20.17	20.03	19.89	19.75	19.61	19.47	19.32	4
13.62	13.38	13.15	12.90	12.78	12.66	12.53	12.40	12.27	12.14	5
10.25	10.03	9.81	9.59	9.47	9.36	9.24	9.12	9.00	8.88	6
8.38	8.18	7.97	7.75	7.64	7.53	7.42	7.31	7.19	7.08	7
7.21	7.01	6.81	6.61	6.50	6.40	6.29	6.18	6.06	5.95	8
6.42	6.23	6.03	5.83	5.73	5.62	5.52	5.41	5.30	5.19	9
5.85	5.66	5.47	5.27	5.17	5.07	4.97	4.86	4.75	4.64	10
5.42	5.24	5.05	4.86	4.76	4.65	4.55	4.45	4.34	4.23	11
5.09	4.91	4.72	4.53	4.43	4.33	4.23	4.12	4.01	3.90	12
4.82	4.64	4.46	4.27	4.17	4.07	3.97	3.87	3.76	3.65	13
4.60	4.43	4.25	4.06	3.96	3.86	3.76	3.66	3.55	3.44	14
4.42	4.25	4.07	3.88	3.79	3.69	3.58	3.48	3.37	3.26	15
4.27	4.10	3.92	3.73	3.64	3.54	3.44	3.33	3.22	3.11	16
4.14	3.97	3.79	3.61	3.51	3.41	3.31	3.21	3.10	2.98	17
4.03	3.86	3.68	3.50	3.40	3.30	3.20	3.10	2.99	2.87	18
3.93	3.76	3.59	3.40	3.31	3.21	3.11	3.00	2.89	2.78	19
3.85	3.68	3.50	3.32	3.22	3.12	3.02	2.92	2.81	2.69	20
3.77	3.60	3.43	3.24	3.15	3.05	2.95	2.84	2.73	2.61	21
3.70	3.54	3.36	3.18	3.08	2.98	2.88	2.77	2.66	2.55	22
3.64	3.47	3.30	3.12	3.02	2.92	2.82	2.71	2.60	2.48	23
3.59	3.42	3.25	3.06	2.97	2.87	2.77	2.66	2.55	2.43	24
3.54	3.37	3.20	3.01	2.92	2.82	2.72	2.61	2.50	2.38	25
3.49	3.33	3.15	2.97	2.87	2.77	2.67	2.56	2.45	2.33	26
3.45	3.28	3.11	2.93	2.83	2.73	2.63	2.52	2.41	2.29	27
3.41	3.25	3.07	2.89	2.79	2.69	2.59	2.48	2.37	2.25	28
3.38	3.21	3.04	2.86	2.76	2.66	2.56	2.45	2.33	2.21	29
3.34	3.18	3.01	2.82	2.73	2.63	2.52	2.42	2.30	2.18	30
3.12	2.95	2.78	2.60	2.50	2.40	2.30	2.18	2.06	1.93	40
2.90	2.74	2.57	2.39	2.29	2.19	2.08	1.96	1.83	1.69	60
2.71	2.54	2.37	2.19	2.09	1.98	1.87	1.75	1.61	1.43	120
2.52	2.36	2.19	2.00	1.90	1.79	1.67	1.53	1.36	1.00	∞

찾아보기

|||||||| **국문색인** ||||||||

||||||||| **영문색인** |||||||||

저자 약력

서강대학교 경상대학 2년 수료
미국 The University of Texas of the Permian Basin 경제학사(B.A. with Honors)
미국 Indiana University at Bloomington 경영학석사(M.B.A.) 및 경영학박사(Ph.D.)
영국 University of Cambridge 객원교수(The British Chevening Scholar)
미국 Stanford University 객원교수
영국 University of Cambridge, Clare Hall, Life Member
입법고시 출제위원
한국경영과학회 부회장
한국기업경영학회 부회장
한국경영과학회 『경영과학』 편집위원장
The Performance Measurement Association, Steering Board
Policy and Management Review, Editorial Board
Journal of Public Policy and Management, Editorial Board
현, 서강대학교 경영대학/경영전문대학원 교수

엑셀을 활용한 통계 데이터 분석

2010년 8월 5일   초판 발행
2014년 2월 5일   초판 3쇄 발행

저 자 민   재   형
발행인 배   효   선

발행처 도서출판 法 文 社

413-120 경기도 파주시 회동길 37-29
등 록 1957. 12. 12 / 제2-76호 (윤)
TEL 031)955-6500~6 FAX 031)955-6525
e-mail (영업): bms@bobmunsa.co.kr
        (편집): edit66@bobmunsa.co.kr
홈페이지 http://www.bobmunsa.co.kr

조 판 법 문 사 전 산 실

정가 15,000원   ISBN 978-89-18-12668-5